café com Deus pai

PORÇÕES DIÁRIAS DE RENOVAÇÃO

JUNIOR ROSTIROLA

Editora Vida
Rua Conde de Sarzedas, 246 — Liberdade
CEP 01512-070 — São Paulo, SP
Tel.: 0 xx 11 2618 7000
atendimento@editoravida.com.br
www.editoravida.com.br
@editora_vida /editoravida

Editor responsável: Gisele Romão da Cruz
Editor-assistente: Aline Lisboa M. Canuto
Coordenação editorial: Junior Rostirola
Supervisão editorial: Ivonei Rocha de Souza
Colaboradores: Caroline Ribeiro (02/junho); Raianne Badiani (02/agosto); Jessica Aline dos Santos (12/setembro); Eder Gallardo (14/outubro)
Preparação de texto: Josemar de Souza Pinto, Ivonei Rocha de Souza, Adriano Mendes Pontes e Marcos Ferreira
Revisão de provas: Sônia Freire Lula Almeida
Projeto gráfico: Jonatas Cunico
Diagramação: Claudia Fatel Lino e Marcelo Alves
Capa: Amanda Stofela e Jonatas Cunico

CAFÉ COM DEUS PAI

Todos os grifos são do autor.

Todas as citações bíblicas e de terceiros foram adaptadas segundo o Acordo Ortográfico da Língua Portuguesa, assinado em 1990, em vigor desde janeiro de 2009.

1. edição: out. 2022
1ª reimp.: out. 2022
2ª reimp.: jan. 2023
3ª reimp.: fev. 2023
4ª reimp.: mar. 2023
5ª reimp.: jun. 2023
6ª reimp.: jul. 2023
7ª reimp.: jan. 2024
8ª reimp.: jan. 2024
9ª reimp.: jan. 2024
10ª reimp.: maio 2024
11 reimp.: out. 2024

Dados Internacionais de Catalogação na Publicação (CIP)
(Câmara Brasileira do Livro, SP, Brasil)

Rostirola, Junior

Café com Deus Pai / Junior Rostirola. -- São Paulo: Editora Vida, 2023.

ISBN 978-65-5584-314-9
e-ISBN 978-65-5584-188-6

1. Deus (Cristianismo) 2. Literatura devocional 3. Vida cristã I. Título.

22-121971 CDD-242

Índices para catálogo sistemático:
1. Literatura devocional : Cristianismo 242
Eliete Marques da Silva - Bibliotecária - CRB-8/9380

café com Deus pai

***Quem** sou eu?*
***Pelo que** tenho vivido?*
***Aonde** quero chegar?*

Você já fez essas perguntas?

Você já se imaginou transformando a vida de muitas pessoas por ser quem você é?

O livro **ENCONTREI UM PAI** conduzirá você a encontrar as respostas que **MUDARÃO** a sua vida!

Talvez você tenha sofrido feridas profundas daqueles que deveriam amar você incondicionalmente. As relações imperfeitas de nosso passado podem afetar a maneira como vemos Deus e a nós mesmos.

As respostas a essas perguntas informam tudo sobre quem você é e quem você está se tornando. É vital entendermos isso; porque, se tivermos uma visão falha de Deus Pai, teremos uma visão falha da nossa própria história de vida.

Fui órfão de pai vivo, nasci em um lar disfuncional, meu pai era alcoólatra, me tornei escravo da orfandade por muitos anos. Porém, a partir do momento que eu permiti o toque de Deus Pai em meu coração, descobri minha identidade! Fui blindado contra a amargura e o rancor, e recebi a cura que apagou os sinais de destruição do meu passado e me fez seguir em direção ao meu verdadeiro destino.

Há dois caminhos:

Permanecer mergulhado no sofrimento, ou enfrentar a dor e fazer dela uma inspiração para transformar a vida de outras pessoas.

Conduzirei uma jornada na qual você vai descobrir quem é, e quem pode se tornar; isso mudará a sua vida para sempre!

Junior Rostirola, com sensibilidade e grandeza, nos mostra que existe uma forma de catalisar toda a sua dor em uma história de sucesso. ***Encontrei um Pai*** mostra que é possível amar após viver num cenário no qual você nunca foi amado e desenvolver uma jornada pessoal de transformação. Tenho certeza de que este livro mudará a sua vida. Recomendo esta leitura.

Deive Leonardo
Youtuber com maior canal de pregação individual do mundo, com mais de 8 milhões de inscritos.

Encontrei um Pai trata de uma realidade difícil e desafiadora, mas com um final bem diferente dos traumas e revoltas que encontramos na maioria das pessoas. Você verá a beleza de ações extraordinárias que foram impulsionadas pelas deficiências e dores de alguém que encontrou em Deus suporte para vencer. Jesus poderia ter dito *Meu Pai*, mas disse *Pai nosso*.
Indico este livro.

Claudio Duarte
Pastor e conferencista

Ao abrir ***Encontrei um Pai***, você depara com o testemunho de alguém que tem encontrado a verdadeira paternidade e ajudado muitos a vencer o espírito de orfandade que assola nossa sociedade.

J.B. Carvalho
Bispo líder da Comunidade das Nações em Brasília, DF, conferencista e autor

---

Ao ler ***Encontrei um Pai***, você vai perceber que em Deus podemos suprir todas as nossas carências paternas e ainda transformar a história daqueles ao nosso redor.

Lucinho Barreto
Pastor líder da juventude da Igreja Batista da Lagoinha em Belo Horizonte, MG

juniorrostirola.com

SOBRE O SEU DEVOCIONAL

CAFÉ COM DEUS PAI propõe uma jornada diária para conduzir você a viver um ano extraordinário sob a direção daquele que pode todas as coisas!

- **365:** Uma página para cada dia do ano com mensagens muito especiais, direto do coração de Deus Pai para você.
- **LEITURA BÍBLICA:** Leia os capítulos sugeridos a cada dia e, ao findar o ano, você terá lido grande parte da Bíblia!
- **FRASE DESTAQUE:** Todo dia uma frase única e específica relacionada ao tema do devocional.
- **PALAVRA-CHAVE:** Uma palavra para você guardar no coração e lembrá-la ao longo do dia.
- **ANOTAÇÕES:** Anote as suas descobertas. Sempre que Deus falar ao seu coração e direcionar algo durante a leitura, escreva na hora para não perder nada!
- **PÁGINAS INTERATIVAS:** Ao longo da jornada haverá oportunidades para você interagir com as páginas deste livro. Deus Pai deseja fazer grandes coisas através desses momentos. Então, mãos à obra. Não perca nada!

DICA

Caso você inicie a sua jornada durante o ano ou até mesmo mais próximo do final, faça o seguinte: sempre leia a página do dia em que estivermos e uma do início. Assim você fará duas leituras diárias e o seu momento com o Pai será especial!

Mas lembre-se: é muito importante que você leia com prioridade a mensagem da data específica em que estiver. Combinado?

Use **#cafecomdeuspai** nas redes sociais e marque @juniorrostirola e @editora_vida para compartilhar o que Deus tem falado ao seu coração. Dessa forma, vamos incentivar muitas pessoas a convidarem Deus Pai para um café diário!

APROVEITE AO MÁXIMO

- Seu momento devocional será mais proveitoso se você deixar por alguns instantes a agitação do dia a dia e investir um tempo a sós com Deus Pai. Assim como fazemos quando desejamos ter um tempo de qualidade com alguém especial.
- Faça um café delicioso e escolha um lugar agradável onde você se sinta bem.
- Livre-se das distrações e tenha um tempo de qualidade para desfrutar de tudo o que ele tem para você!

PROFETIZE

Quais são os seus projetos e sonhos para este ano?

Anote-os aqui e volte sempre nestas páginas para orar e lembrar de quais atitudes você precisa tomar em direção a esses planos!

PESSOAL	ESPIRITUAL

PROFISSIONAL

FAMILIAR

FINANCEIRO

SAÚDE

"Consagre ao Senhor tudo o que você faz,
e os seus planos serão bem-sucedidos."

PROVÉRBIOS 16.3

café com Deus pai

A MUDANÇA
É UMA PORTA
QUE SE ABRE
POR DENTRO.

@juniorrostirola

JANEIRO

#CAFECOMDEUSPAI

café com Deus pai

TEMPO DE RENOVO

Mas aqueles que esperam no Senhor renovam as suas forças. Voam alto como águias; correm e não ficam exaustos, andam e não se cansam.

ISAÍAS 40.31

01
JAN

#CAFECOMDEUSPAI

Bem-vindo ao seu novo ano! Que temporada extraordinária nos espera nesta nova estação! Estou com muitas expectativas de que este ano seja um ano de muitas conquistas.

Dentro das definições da palavra "renovar", encontramos: tornar novo, melhorar, substituir por coisa melhor. Isso é fundamental para esta estação, pois sempre criamos muitas expectativas num novo ano. Eu mesmo já fiz planejamentos no mês de dezembro para viver um ano excepcional.

No entanto, também já houve vezes em minha caminhada em que fiquei assombrado com o que estava por vir, medos emocionais de situações que não foram resolvidas, insegurança financeira... enfim, todos nós podemos ter sofrido em algum momento situações apavorantes. Ou ainda quando ficamos tão apegados às conquistas e realizações do passado que não vivemos o presente.

Baseado no texto do profeta Isaías, quero refletir com você sobre termos esperança renovada para que os dias vindouros sejam melhores, mais espetaculares do que a última estação. Para que isso seja uma nova realidade, decida ter esperança em seus pensamentos.

Não deixe jamais de crer que o nosso Deus é o Deus da esperança, do renovo e das novas oportunidades. Os seus sonhos se realizarão na medida em que você andar fielmente nas promessas do Senhor que se confirmam pela sua Palavra.

Faça deste dia o primeiro passo para uma jornada de vitórias, conquistas e milagres! Renove a fé e a esperança no nosso Deus.

Renove a sua esperança em Deus e prepare-se para voar alto.

@juniorrostirola

365 **DEVOCIONAL**
01/365

LEITURA BÍBLICA
SALMOS 1

PALAVRA-CHAVE
#RENOVAÇÃO

ANOTAÇÕES

SONHE, PLANEJE, ORE E FAÇA!

02
JAN

#CAFECOMDEUSPAI

Então o SENHOR *disse a Abrão: "Saia da sua terra, do meio dos seus parentes e da casa de seu pai, e vá para a terra que eu lhe mostrarei. Farei de você um grande povo, e o abençoarei. Tornarei famoso o seu nome, e você será uma bênção".*

GÊNESIS 12.1,2

Pense na história de Abraão. Com seus 75 anos de idade, casado com Sara, que era estéril, foi chamado pelo Senhor para deixar a sua terra e viajar para um lugar desconhecido e ser pai de nações. É algo muito improvável. Existem muitas discussões acerca da idade de Abraão, se seria computada da forma em que contamos hoje ou não. Independentemente da forma de contagem, o fato é que várias pessoas muito mais novas já estão pendurando a chuteira e não correm atrás dos próprios sonhos. Abraão, porém, acreditou nas promessas do Senhor e foi paciente para ver todas elas se cumprirem.

Em tudo que você fizer convide Deus Pai para estar junto.

@juniorrostirola

As circunstâncias dizem não, e muitas vezes o deserto tenta nos paralisar, mas só vive o sonho de Deus quem realmente está disposto a vencer o deserto, a superar as circunstâncias contrárias, a suplantar as dificuldades da vida e as barreiras que se levantam. Talvez você pergunte como é possível que alguém faça isso. É uma boa pergunta. A Bíblia diz que sem fé é impossível agradar a Deus. Portanto, creio ser este o primeiro requisito. Tenha fé no Deus que promete e lembre-se de que ele é o único capaz de cumprir.

Talvez você esteja vivendo dias tão difíceis e esteja sem perspectiva do amanhã porque tantas lutas surgiram, mas entenda uma coisa: os seus sonhos e projetos se tornarão realidade no tempo de Deus e conforme a sua perseverança. Seja paciente, pois ele é fiel e justo para dar tudo o que prometeu a você. Ande confiante na promessa de Deus, e os seus passos o conduzirão ao seu destino.

DEVOCIONAL 365
02/365

LEITURA BÍBLICA
JOÃO 1

PALAVRA-CHAVE
#PLANEJAR

ANOTAÇÕES

UM NOVO ESTILO DE VIDA

E este é o testemunho: Deus nos deu a vida eterna, e essa vida está em seu Filho. Quem tem o Filho, tem a vida; quem não tem o Filho de Deus, não tem a vida.

1JOÃO 5.11,12

03
JAN

#CAFECOMDEUSPAI

Nos tempos antigos, pessoas eram privadas de sua liberdade pela escravidão. Submetidas a um jugo cruel, elas eram impedidas de serem livres, sendo forçadas à servidão de seus captores. Hoje em dia, os órgãos internacionais humanitários lutam pela erradicação da escravidão.

Contudo, a escravidão ainda vigora em nossos dias! Você mesmo pode ser escravo, sem o saber.

O medo escraviza. Quantas coisas você gostaria de fazer, mas não faz por causa do medo? O medo é mais sutil e mais socialmente aceito, até mesmo entre os cristãos, porque é discreto em manter as pessoas presas. De modo semelhante a uma serpente que rasteja em meio à grama alta para abocanhar o calcanhar de sua vítima, o medo inocula seu veneno paralisante em nossas veias.

Entretanto, você pode quebrar de vez os grilhões do medo e ser livre por meio de Jesus. Ele veio para nos trazer liberdade. Jesus tem a chave para destravar todas as prisões do medo nas quais você tem vivido.

Precisamos conquistar um estilo de vida sem medo. É trabalhoso, mas, acredite, é recompensador. Em vez de ficar focado no medo e em tantas preocupações existentes em nossa vida, eu o encorajo a encontrar passagens na Bíblia que fortaleçam a sua determinação de enfrentar o Inimigo.

A Palavra de Deus é poderosa para derrubar fortalezas. Quando o Diabo tentou Jesus no deserto, Jesus o venceu pela Palavra. Se tivermos a Palavra em nosso coração, nós também venceremos.

Deus está esperando por você. Mova-se!

@juniorrostirola

DEVOCIONAL
03/365

LEITURA BÍBLICA
JOÃO 2

PALAVRA-CHAVE
#LIBERDADE

ANOTAÇÕES

TENHA OUSADIA, PROFETIZE!

04
JAN

#CAFECOMDEUSPAI

Eliseu respondeu: "Ouçam a palavra do Senhor! Assim diz o Senhor: 'Amanhã, por volta desta hora, na porta de Samaria, tanto uma medida de farinha como duas medidas de cevada serão vendidas por uma peça de prata' ".

2REIS 7.1

Para que você venha a entrar em um tempo de boas notícias, profetize vitórias sobre a sua vida e a sua família. Quando Eliseu respondeu ao rei dizendo que haveria comida, o milagre ainda não tinha acontecido, e o cenário não era nada favorável, pois ali faltava tudo. Samaria estava cercada pelo exército inimigo, que impedia a entrada de suprimentos na cidade.

A entrada e a saída de pessoas estavam impedidas por causa do cerco imposto pelos arameus. Não havia comida dentro da cidade; por isso, aos olhos humanos, era difícil compreender como um homem iria proclamar que haveria no outro dia farinha e cereais valendo o mesmo preço. Mas dentro de Samaria havia um profeta que se chamava Eliseu, e ele não estava vendo a situação com os olhos humanos. O profeta recebeu uma revelação divina e a repartiu com o povo.

Profetize o seu ano antes de ele chegar, profetize o que você ainda não consegue ver, ignorando o que está diante de seus olhos. Ore pelo seu novo ano. Declare com fé, pois você é um profeta sobre sua família, seu trabalho, sua empresa, seus negócios.

Jamais se deixe abater pelas palavras de crítica e oposição. Fuja de abutres e corvos e de gente pessimista. O oficial, em cujo braço o rei estava se apoiando, zombou do homem de Deus, por isso não pôde desfrutar do milagre.

Que neste novo ano você possa declarar vitória e estar perto de pessoas que tenham uma fé igual ou maior que a sua.

Quem é profeta contempla o sobrenatural.

@juniorrostirola

DEVOCIONAL 365
04/365

LEITURA BÍBLICA
JOÃO 3

PALAVRA-CHAVE
#PROFETIZAR

ANOTAÇÕES

SEJA INTENCIONAL

Havia ali o poço de Jacó. Jesus, cansado da viagem, sentou-se à beira do poço. Isto se deu por volta do meio-dia.

JOÃO 4.6

05
JAN

#CAFECOMDEUSPAI

Jesus estava em viagem na Judeia e precisava retornar à Galileia. Passar por Samaria não era o único caminho que ele poderia tomar para descer até Jericó. Ele poderia seguir pelo vale do Jordão sem entrar em Samaria, como os demais judeus faziam quando viajavam pela região. Mas ele foi inusitado e audacioso. Encurtou o caminho, seguindo por onde os seus conterrâneos não tinham coragem de seguir. A única coisa que poderia impedir Jesus de passar por ali era a religiosidade, pois judeus e samaritanos nutriam séculos de inimizade por causa de suas crenças divergentes, por isso o contato entre as duas culturas era comumente evitado por ambas as partes.

O Senhor deixou uma grande lição de vida aos seus discípulos. Ele, mesmo sendo judeu, decidiu passar por Samaria e ir até o poço no centro da cidade. Ao meio-dia, aquela mulher escolheu ir ao poço na hora mais improvável; no entanto, isso mudou sua vida para sempre. A exemplo de Jesus, tenha coragem de ir aonde os outros não vão por causa de preconceitos, e assim vidas serão mudadas.

Um encontro com Jesus tem a capacidade de mudar a nossa realidade e nos fazer superar as circunstâncias; aliás, a nossa vida deve refletir e expressar os encontros que temos com Jesus. Nossos momentos em secreto com ele revelam publicamente a intensidade desse relacionamento.

Sabe quando você conseguirá expressar em público a ousadia da sua fé? Quando você viver um relacionamento tão íntimo no seu lugar secreto com Deus que naturalmente refletirá essa realidade em público.

A cada encontro com Jesus, somos transformados.

@juniorrostirola

365 **DEVOCIONAL**
05/365

LEITURA BÍBLICA
JOÃO 4

PALAVRA-CHAVE
#ENCONTRO

ANOTAÇÕES

O MELHOR TEMPO É AGORA

06
JAN

#CAFECOMDEUSPAI

Perguntou Nicodemos: "Como alguém pode nascer, sendo velho? É claro que não pode entrar pela segunda vez no ventre de sua mãe e renascer!" Respondeu Jesus: '"Digo a verdade: Ninguém pode entrar no Reino de Deus se não nascer da água e do Espírito".

JOÃO 3.4,5

Primeiro, Jesus desperta Nicodemos da escuridão de suas dúvidas sobre o nascimento. Depois disso, ele explica de forma mais profunda o que representava esse conceito.

Você precisa investir tempo nas pessoas interessadas. Nicodemos era um homem instruído em várias áreas do saber e, com certeza, sabia que Jesus não falava de modo literal. Mesmo assim, queria compreender o que ele tinha para lhe ensinar; havia fome de saber nele.

A falta de sensibilidade retarda aquilo que Deus quer fazer na sua vida.

@juniorrostirola

As pessoas que têm fome por conhecimento fazem perguntas para que possam compreender melhor o assunto no qual têm interesse. Devemos estar dispostos a ajudar.

Procure ter sensibilidade para encontrar os Nicodemos na sua escola, no seu trabalho e na sua família. Invista tempo neles, tempo de qualidade, voltando toda a sua atenção para saciar a fome de saber dessas pessoas.

O tempo é o bem mais intangível que podemos ter. Não podemos pará-lo, acelerá-lo nem manipulá-lo, por isso dedicar tempo é uma forma de mostrar amor. E a melhor definição de amor é tempo, e o melhor tempo é agora.

Lembre-se que um dia alguém parou para ensinar você a falar, a andar e a fazer tarefas simples, mas que fazem toda a diferença na sua vida. Alguém lhe dedicou tempo, ainda que tenha sido para lhe dar um simples abraço, por isso entenda que sempre é possível parar e dedicar-se como Jesus. Invista tempo nas pessoas.

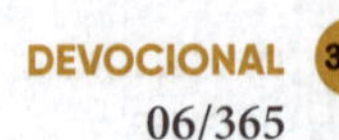

DEVOCIONAL 365
06/365

LEITURA BÍBLICA
SALMOS 2

PALAVRA-CHAVE
#INVESTIR

ANOTAÇÕES

PREPARE-SE PARA O RENOVO

"Esqueçam o que se foi; não vivam no passado. Vejam, estou fazendo uma coisa nova! Ela já está surgindo! Vocês não a reconhecem? Até no deserto vou abrir um caminho e riachos no ermo."

ISAÍAS 43.18,19

07
JAN

#CAFECOMDEUSPAI

Ao olharmos para trás, conseguimos ver tantas coisas que já vivenciamos, quantas vitórias e conquistas já alcançamos. Mas também vemos um passado de erros, falhas e decepções, e todas essas feridas do passado, por mais que já tenham sido curadas, deixaram cicatrizes em nós, a tal ponto que não nos permitem esquecer desse passado amargo.

No entanto, temendo causar cada vez mais destruição, muitas vezes ficamos paralisados e não avançamos em direção ao amanhã, e passamos a levar uma vida sem propósito, por não vermos um horizonte à nossa frente. O Senhor está dizendo que está conosco em todos os momentos.

O plano de salvação dele para o homem foi um ato de amor. Desde o início, o homem faz escolhas erradas e se afasta de Deus, mas em Jesus esse plano foi reprogramado de volta ao início, a um relacionamento 100% com Deus.

Ele fará novas todas as coisas. Por isso, siga em frente, porque a partir de agora você olhará para trás e, no lugar de escombros, verá um caminho, o qual você pavimentará para um futuro glorioso no Senhor. Acabamos de começar um novo ano. Isso quer dizer que você tem a chance de recomeçar algo que talvez tenha deixado para trás e que pode ser revisto. Uma nova estação iniciará na sua vida. Se for preciso, peça perdão, perdoe-se e continue em direção ao cumprimento das promessas de Deus. O futuro é promissor, e Deus está apontando para lá.

A fé é como uma semente. Quando plantada, germina o extraordinário!

@juniorrostirola

DEVOCIONAL
07/365

LEITURA BÍBLICA
SALMOS 3

PALAVRA-CHAVE
#FUTURO

ANOTAÇÕES

TER SUCESSO É VIVER O PROPÓSITO

08
JAN

#CAFECOMDEUSPAI

O meu Deus suprirá todas as necessidades de vocês, de acordo com as suas gloriosas riquezas em Cristo Jesus.

FILIPENSES 4.19

Vivemos em uma cultura saturada de falsos ensinamentos sobre o significado de ser abençoado. O mundo nos ensina que ser abençoado é possuir muito dinheiro e muitos bens, e a busca por riquezas por muitos é estabelecida como o sentido da vida. O mundo vem definindo bênção como reter e possuir. No Reino de Deus, a verdade é que ser abençoado não tem a ver com quanto uma pessoa tem financeiramente, mas, sim, com quem a pessoa é. Ser abençoado é cumprir o seu chamado: viver na presença de Deus.

Como é bom estar na presença do Pai! Ele nos protege. Eu nunca senti o abraço de um pai biológico, mas, quando me entreguei a Deus Pai, senti quanto eu sou amado, querido e bem-vindo. O abraçar de Deus Pai é algo magnífico, que não tem explicação; é um colo que nos aquece e nos faz sentir amados, aceitos e queridos, em um mundo onde muitos são aceitos somente por aquilo que têm.

Perceba que com Deus o termo "sucesso" tem uma conotação diferente da nossa. O Senhor nos ama e nos quer ver prosperar, mas prosperar na presença dele; pois ele é um Deus que supre todas as nossas necessidades em Cristo Jesus.

Viver o céu na terra, ou ter êxito, só é possível quando permitimos que Jesus Cristo tenha o papel principal na nossa vida, e todo o demais ocupa um papel secundário.

Hoje é um perfeito dia para que você viva plenamente a melhor versão de você mesmo, vivendo a plenitude do seu chamado.

A sabedoria abre portas que a riqueza jamais abrirá.

@juniorrostirola

DEVOCIONAL
08/365

LEITURA BÍBLICA
SALMOS 4

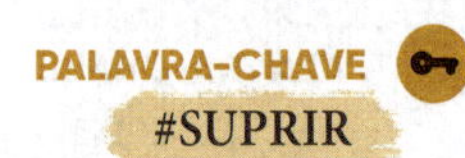

PALAVRA-CHAVE
#SUPRIR

ANOTAÇÕES

TENHA UM OLHAR DE AMOR

Jesus olhou para ele e o amou. "Falta uma coisa para você", disse ele. "Vá, venda tudo o que você possui e dê o dinheiro aos pobres, e você terá um tesouro no céu. Depois, venha e siga-me."

MARCOS 10.21

09
JAN

#CAFECOMDEUSPAI

Quantas vezes você olhou nos olhos de alguém para falar algo que estava sentindo? Você certamente deve ter iniciado a frase assim: "Olhe nos meus olhos!".

Jesus também olhava para as pessoas, e o olhar de Jesus é o olhar de amor e compaixão. Até mesmo na cruz do Calvário, Jesus olhava para as pessoas com amor e clamava ao Pai por perdão para elas. Jesus mostrava o mesmo olhar compassivo e gracioso às pessoas que iam a seu encontro.

Jesus simplesmente sabia interpretar o que elas de fato necessitavam porque sabia interpretar seu estado de miséria física, emocional ou espiritual.

Durante muito tempo, o que eu mais quis era ter a atenção do meu pai. Enquanto escrevo estas palavras, vem à minha memória que, quando criança, eu tinha raiva da cor dos meus olhos, por serem iguais aos da minha mãe. Eu pensava que meu pai não me amava por serem diferentes da cor dos olhos dele.

O olhar pode revelar muito sobre nós. Neste momento, você pode estar se lembrando do olhar que algumas pessoas já tiveram a seu respeito, como os seus pais, algum parente ou até mesmo pessoas do seu convívio. Contudo, temos que nos lembrar que o que realmente importa é que o olhar de Jesus está sobre você como estava sobre aquele jovem. E o olhar de Jesus é um olhar de amor, compaixão e graça.

Portanto, não julgue nem condene o olhar das pessoas, mas busque olhar como Jesus olharia para cada uma delas.

Não seja forte aos seus olhos. Confie na força de Deus e em tudo você será bem-sucedido.

@juniorrostirola

DEVOCIONAL
09/365

LEITURA BÍBLICA
JOÃO 5

PALAVRA-CHAVE
#OLHAR

ANOTAÇÕES

VIVA ALÉM DAS CIRCUNSTÂNCIAS

10
JAN

#CAFECOMDEUSPAI

Eliseu respondeu: "Ouçam a palavra do SENHOR! Assim diz o SENHOR: 'Amanhã, por volta desta hora, na porta de Samaria, tanto uma medida de farinha como duas medidas de cevada serão vendidas por uma peça de prata' ".

2REIS 7.1

Independentemente do que você esteja vivendo, seja profeta sobre a sua vida. Faça que a atmosfera mude pela visão de fé e confiança que está em você. Visualize o milagre de Deus em meio à sua situação atual. Não deixe o seu dia ser sabotado pelo pessimismo. Tenha fé e profetize grandes coisas para este dia que está iniciando. Profetize em meio ao caos.

Durante muito tempo da minha vida, a esperança de ter uma vida diferente daquela em que eu estava inserido parecia impossível. Não digo isso apenas do ponto de vista econômico-financeiro, mas, sim, pelo convívio familiar que tínhamos. Residir num lar cujo pai passava boa parte dos dias alcoolizado, sem ao menos fazer uma única refeição com sua família, era no mínimo desolador.

A situação de Samaria era caótica em razão de o exército dos arameus sitiar a cidade, impedindo que as provisões chegassem para sustentar os samaritanos. Assim também era a minha realidade. Eu estava cercado pelas palavras de maldição, pelas agressões verbais e físicas, e principalmente pelo medo, que era mais próximo do que qualquer vizinho.

Um dia, porém, que iniciou como qualquer outro, eu encontrei Jesus. Encontrei a esperança e passei a acreditar que a minha realidade poderia ser mudada. Você também pode viver essa verdade.

Para isso, você deve aprender como cristão a apropriar-se das promessas que Deus fez a você, sonhar e profetizar essa promessa como a verdade de Deus para mudar o rumo da sua vida.

Sonhe sem tempo, ore sem pressa.

@juniorrostirola

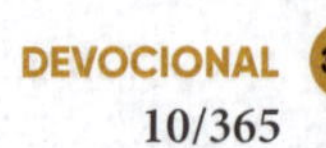

DEVOCIONAL
10/365

LEITURA BÍBLICA
JOÃO 6

PALAVRA-CHAVE
#CONFIAR

ANOTAÇÕES

DEUS ESTÁ FAZENDO ALGO NOVO

"Vejam, estou fazendo uma coisa nova! Ela já está surgindo! Vocês não a reconhecem? Até no deserto vou abrir um caminho e riachos no ermo."

ISAÍAS 43.19

11 JAN

#CAFECOMDEUSPAI

Deus diz que está fazendo algo novo hoje! Abrace o passado, agradeça por ele e o deixe. Não significa que o seu passado não é importante, mas que o presente o levará para um futuro glorioso. Essa afirmação é da Palavra de Deus, que nos revela que Deus faz coisas que nem os nossos olhos viram, nem os nossos ouvidos ouviram, coisas que não chegaram ao nosso coração (1Coríntios 2.9).

É bom refletirmos sobre isso porque é verdade! Se estamos vivos, é porque o Senhor nos concedeu um novo tempo para desfrutar. Se temos um novo tempo, temos novas oportunidades em Deus. Cabe a cada um de nós receber aquilo que o Pai preparou. Portanto, hoje, deixe o passado no passado, esqueça o que ficou para trás, mesmo aquilo que foi um erro ou acidente. Coloque a sua visão no presente e concentre a sua fé no que Deus está fazendo, porque Deus é especialista em fazer coisas grandes. Acredite, ele é o maior interessado em abençoar você.

Todos nós nascemos para a vida abundante aqui na terra. Todos fomos criados por Deus à imagem e semelhança dele. Acredite, você não foi criado para viver uma vida velha ou pela metade, mas para viver uma vida de conquistas. Acreditar que Deus faz coisas novas é uma oportunidade para sonhar, projetar e acreditar que em Deus o impossível pode tornar-se real.

Mesmo que pareça impossível aquilo que você espera, creia em Deus. Acredite. A Palavra de Deus afirma que tudo é possível ao que crê (Marcos 9.23). Acredite, os céus estão abertos para os que creem (Mateus 7.7,8). Crie as melhores expectativas. Deus tem os melhores pensamentos a seu respeito e quer vê-lo romper em todas as áreas da sua vida.

Deus tem prazer de nos impulsionar para alcançarmos aquilo que aos nossos olhos é impossível.

@juniorrostirola

DEVOCIONAL
11/365

LEITURA BÍBLICA
JOÃO 7

PALAVRA-CHAVE
#RECEBA

ANOTAÇÕES

VOCÊ JÁ O ACEITOU?

12
JAN

#CAFECOMDEUSPAI

Ele veio a Jesus, à noite, e disse: "Mestre, sabemos que ensinas da parte de Deus, pois ninguém pode realizar os sinais milagrosos que estás fazendo, se Deus não estiver com ele".

JOÃO 3.2

A visita de Nicodemos a Jesus à noite foi um tanto quanto inusitada. Mas Jesus entendeu a realidade de Nicodemos. Ele sabia que Nicodemos era um homem rico, religioso, importante, que tinha ainda preocupações com sua imagem de fariseu dogmático, por isso escolheu falar com Jesus longe dos holofotes de sua época. Jesus compreendeu e respeitou a preocupação do fariseu, mas também viu nele alguém que estava maravilhado com o poder de Jesus e o reconhecia como Filho de Deus, além de ter sede de conhecê-lo.

Se você quer ser agente de transformação na vida das pessoas, precisa entender e respeitar o contexto no qual elas vivem. Temos que receber as pessoas dentro da cultura delas e, com Jesus, transportá-las para o Reino de Deus. Temos que nos desviar da tendência de pensar que todos pensam como nós pensamos.

Isso só aconteceu por causa do importante passo que deu Nicodemos: ele foi a Jesus. Ele tinha dúvidas e buscava respostas. E as encontrou no único que, segundo suas próprias palavras, só pode fazer tantos sinais milagrosos porque Deus está com ele. Essa pessoa é o Messias de Deus.

Nicodemos não recebeu um convite explícito de Jesus para segui-lo. Contudo, precisamos atentar para o fato de que nem sempre o chamado é expresso de forma literal, mas, sim, em todo o contexto da conversa. Por isso, vemos Jesus declarar: "Ninguém pode ver o Reino de Deus, se não nascer de novo".

Este convite é para mim e para você neste dia. Se queremos ver o Reino de Deus, precisamos aceitar o chamado de Jesus.

Quando nos entregamos a Deus sem reservas, ele não tem limites para nos abençoar.

@juniorrostirola

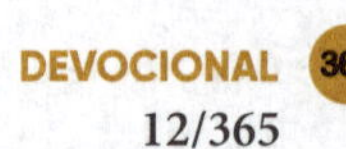

DEVOCIONAL 365
12/365

LEITURA BÍBLICA
JOÃO 8

PALAVRA-CHAVE
#RECONHECER

ANOTAÇÕES

ELE O SURPREENDERÁ

Então o Senhor Deus declarou:
"Não é bom que o homem esteja só [...]".

GÊNESIS 2.18

13
JAN

#CAFECOMDEUSPAI

Todos os dias, passamos por vários ciclos repetitivos que se seguem por semanas, meses e anos. Por mais que passemos todo esse tempo em busca de realizações pessoais, somos sempre assolados por um sentimento de vazio que nunca é preenchido. Mas o que você costuma chamar de solidão, esse vazio que você tenta de várias formas preencher, é na verdade saudade de Deus. Você foi criado para ter um relacionamento pessoal e íntimo com Jesus Cristo, um relacionamento que Deus está ansioso por ter com você.

Na verdade, a morte de Jesus foi para resgatar e restaurar esse relacionamento que tinha sido rompido por causa do pecado. Nada jamais vai compensar isso, nenhuma pessoa, nenhuma experiência, nenhuma droga, nenhum sucesso, nenhuma posse — nada vai preencher esse buraco doloroso no seu coração, senão o próprio Deus.

Abra a sua vida para Jesus. Diga a ele quanto você quer conhecê-lo. Expresse a sua vontade de ter um relacionamento com Jesus.

Você não foi criado para uma religião, regras, regulamentos e rituais, mas para um relacionamento, em que você conversa com Deus o tempo todo, e ele lhe responde. Se tiver um relacionamento íntimo com Jesus Cristo, ainda que não tenha companhia humana, você jamais ficará sozinho, porque ele estará sempre ao seu lado e nunca o abandonará, independentemente do que você faça.

Deus nunca deixará de amar você. Não espere pouco de Deus — crie muitas expectativas, e certamente ele o surpreenderá.

Não deixe que as adversidades da vida determinem a sua fé em Deus. A sua fé em Deus é que deve prevalecer nas adversidades.

@juniorrostirola

DEVOCIONAL
13/365

LEITURA BÍBLICA
SALMOS 5

PALAVRA-CHAVE
#CONEXÃO

ANOTAÇÕES

TENHA UMA MENTE PRÓSPERA

14
JAN

#CAFECOMDEUSPAI

Se o Senhor se agradar de nós, ele nos fará entrar nessa terra, onde há leite e mel com fartura, e a dará a nós".

NÚMEROS 14.8

A diferença entre uma pessoa próspera e uma pessoa que não é próspera é o valor que cada uma dá a seu tempo.

@juniorrostirola

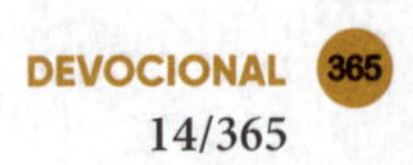

DEVOCIONAL
14/365

LEITURA BÍBLICA
SALMOS 6

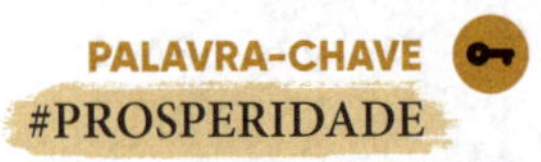

PALAVRA-CHAVE
#PROSPERIDADE

ANOTAÇÕES

O espírito de Josué e Calebe era de pessoas altruístas. Eles venceram com fé e atitude. Tinham uma visão positiva, altruísta, determinada. Os outros dez espias enviados perderam a batalha antes mesmo de lutar. Já Josué e Calebe venceram antes de lutar.

Ser bem-sucedido é uma questão que observo nas pessoas em alguns minutos de conversa. Pessoas bem-sucedidas focam a oportunidade; pessoas derrotistas focam os obstáculos.

Consegue perceber que a situação não muda? O que muda é a forma que cada pessoa reage à situação.

Não somos chamados para a reclamação, a murmuração, a rebeldia, a agressividade, a confusão. Vidas prósperas são satisfeitas, estáveis, seguras e confiantes em si mesmas e no Senhor. Pessoas instáveis, insatisfeitas, não serão prósperas; elas serão seu maior inimigo, porque praticam a autossabotagem ao negarem a si mesmas o potencial para vencer. Serão a causa de sua própria derrota. Pessoas prósperas vivem para vencer; pessoas de mente pobre vivem para não perder.

Pessoas prósperas desenvolverão em você a capacidade de não se apegar às coisas e viver contente em qualquer situação. Hoje, ao se relacionar com algum amigo, parente ou conhecido, tenha uma mente próspera e sábia. Pense que você só tem a ganhar quando desenvolve uma mente próspera e se relaciona com pessoas prósperas. Porque prosperidade gera prosperidade.

VÁ ATÉ JESUS

"Senhor", disse Pedro, "se és tu, manda-me ir ao teu encontro por sobre as águas". "Venha", respondeu ele. Então Pedro saiu do barco, andou sobre as águas e foi na direção de Jesus.

MATEUS 14.28,29

15
JAN

#CAFECOMDEUSPAI

Quando Pedro viu Jesus andando sobre as águas, mais do que fé, ele demonstrou prontidão e tomou posse da palavra proferida por Jesus, "Venha", e andou sobre as águas. Às vezes, as coisas mais profundas que Deus nos fala são as mais simples. Tão simples quanto a palavra "venha", e simples palavras e expressões de ânimo como "continue", "seja grato", "obedeça", "perdoe". O Senhor só lhe pede que confie.

Os tempos de crise são tempos de aceleração. Antes de Jesus dar a ordem a Lázaro para que se levantasse da morte para a vida, ele instruiu os discípulos a removerem a pedra. Talvez em sua vida o que esteja faltando é rolar a pedra. Lembre-se: Jesus não rola a pedra; ele ressuscita os mortos. O grande problema é que muitas vezes nós queremos que Jesus passe pelos processos em nosso lugar e que ele remova a pedra. Mas ele não agirá assim; antes, irá ressuscitar aquilo que está morto em nós, os nossos sonhos e projetos.

Jesus quer lhe propiciar uma grande pescaria, mas é você que precisa lançar as redes. Ele quer livrá-lo da fornalha ardente, mas não vai impedi-lo de entrar. A tempestade nos ensina a continuar e não desistir, e, assim como Jesus falou a Jairo após este ser informado da morte de sua filha, ele nos fala hoje: "Não tenha medo; tão somente creia".

Ouvir os apontamentos do Mestre é o diferencial para a transformação e renovação da nossa vida. Esses direcionamentos alinham a nossa vida com o nosso chamado e nos impulsionam a viver milagres e experimentar coisas extraordinárias. Desse modo, tenha consciência de que ele irá impulsionar você em meio às tempestades.

A fé não nega a realidade, mas crê que Deus Pai é poderoso para transformá-la.

@juniorrostirola

DEVOCIONAL
15/365

LEITURA BÍBLICA
SALMOS 7

PALAVRA-CHAVE
#ACELERAÇÃO

ANOTAÇÕES

DEIXE A MENTALIDADE DE ESCRAVO

16
JAN

#CAFECOMDEUSPAI

E não se queixem, como alguns deles se queixaram e foram mortos pelo anjo destruidor.
1CORÍNTIOS 10.10

A murmuração é a sepultura das promessas.
@juniorrostirola

16/365

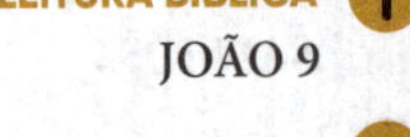
JOÃO 9

#ACEITAÇÃO

Em todo lugar onde houver grande número de pessoas, sempre haverá alguém descontente, reclamando. É possível que nós mesmos sejamos essa pessoa que sempre observa o mundo de forma negativa, sempre com opinião crítica, sem observar tudo que o Senhor tem feito de bom.

Isso faz parte da natureza humana desde o início, como podemos ver após o povo de Israel ter sido liberto da escravidão no Egito. Ele testemunhou milagres que os nossos olhos jamais viram, mas mesmo assim conseguiu encontrar motivos para reclamar, até mesmo do maná milagroso que lhes era provido para o sustento. Na ausência de seu líder Moisés, voltaram-se para práticas idólatras, em total ingratidão a tudo que o Senhor lhes fizera até ali, motivo pelo qual tiveram prorrogada em décadas a sua entrada na terra prometida.

Na Palavra, aprendemos que a murmuração acontece quando nos queixamos do que está acontecendo conosco, quando somos arrogantes, julgando-nos maiores que os outros, quando reclamamos e sentimos inveja das outras pessoas. Essas atitudes representam a falta de aceitação da nossa condição, o que nos leva ao constante estado de insatisfação e ingratidão, sendo essa a raiz da murmuração.

Tudo isso está diretamente ligado com a rejeição, quando somos rejeitados pelas pessoas, ou pior, quando achamos que Deus nos rejeitou. A raiz desse mal está diretamente ligada à orfandade, pois, em virtude da ausência de paternidade, ou quando há certa negligência ou falhas na construção paterna/materna, acabamos ficando vulneráveis quanto a todo tipo de sentimento que desencadeia em murmuração.

Por isso, agradeça o tempo todo e, antes de abrir a boca para murmurar, lembre-se de tudo o que o Senhor lhe fez. Não sepulte suas promessas. Seja grato o tempo todo.

RENOVE OS SEUS PENSAMENTOS

Pois, embora vivamos como homens, não lutamos segundo os padrões humanos. As armas com as quais lutamos não são humanas; ao contrário, são poderosas em Deus para destruir fortalezas.

2CORÍNTIOS 10.3,4

17
JAN

#CAFECOMDEUSPAI

Ainda que a voz de Deus nem sempre seja audível, ela ressoa nos nossos pensamentos. Ao mesmo tempo, o Maligno nos desencoraja a crer. Muitas vezes, podemos, tal como um relâmpago, relembrar de uma ofensa de três anos atrás. É muito interessante a velocidade do pensamento, pois não percebemos que estamos prestes a cair em uma armadilha.

Quando olho para as decisões mais tolas da minha vida, lembro que tive um pensamento antes de decidir. Aprendi que o Inimigo não pode matar o meu relacionamento com Deus, mas pode tentar matar a minha fé. Pensar que não sou suficiente, que algo ruim está prestes a acontecer ou qualquer outra dúvida e insegurança — esses pensamentos podem ser afastados ao compreendermos que as fortalezas na mente tentam nos impedir de lembrar o que sabemos sobre Deus, o que ele já fez e o que pode fazer.

Qual é a importância de renovarmos os nossos pensamentos? A importância está no fato de que tal como pensamos assim seremos. Se eu creio ser filho de Deus, acredito em sua paternidade, creio que aquilo que o Senhor faz é bom e que, ainda que os dias sejam difíceis, ele está comigo, então isso se tornará uma verdade que direcionará a minha realidade. Contudo, se eu enxergo Deus como alguém distante, que não expressa tanto cuidado comigo, certamente essa raiz de orfandade será a minha amiga mais próxima, e não viverei os planos de Deus em plenitude.

Por isso, ter uma mente poderosa, amparada em Cristo, é uma fortaleza inabalável. Os meus pensamentos precisam estar condicionados aos cuidados de Deus, pois sua direção para a minha vida é a melhor. Afinal de contas, a minha melhor versão é em Deus.

Traga à memória aquilo que lhe dá esperança.

@juniorrostirola

365 **DEVOCIONAL**
17/365

LEITURA BÍBLICA
JOÃO 10

PALAVRA-CHAVE
#LEMBRANÇAS

ANOTAÇÕES

CÉUS ABERTOS

18
JAN

#CAFECOMDEUSPAI

Vendo a fé que eles tinham, Jesus disse ao paralítico: "Filho, os seus pecados estão perdoados".
MARCOS 2.5

Priorize o tempo para viver as coisas que são do alto e desfrutar do milagre.
@juniorrostirola

DEVOCIONAL
18/365

LEITURA BÍBLICA
JOÃO 11

PALAVRA-CHAVE
#PRIORIDADES

ANOTAÇÕES

Se cronometrarmos o tempo que Jesus levou para mudar a vida daquele homem, teremos pouquíssimos segundos. Aprendemos que o tempo é um bem precioso. As nossas prioridades determinam como qualitativamente o usaremos. Priorizar o que nos leva a viver uma vida plena, com propósito e realmente direcionada é essencial.

Marcos nos mostra um paralítico que queria ir até Jesus. Seus amigos, percebendo o obstáculo da multidão ao redor de Jesus, priorizaram o tempo para levá-lo até Jesus, suspendendo-o ao telhado da casa e abrindo um buraco para baixá-lo até onde Jesus estava.

Quando você prioriza o tempo para viver as coisas do alto, desfruta do milagre. Os céus não vão se abrir; eles *já estão abertos*. Jesus já conquistou tudo com suas dores na cruz do Calvário. Basta desfrutarmos.

Aquele homem teve amigos que o impulsionaram para o milagre. Todos nós precisamos de pessoas assim. A grande questão é: somos esse tipo de pessoa que impulsiona as outras em sua jornada profética? Será que não há pessoas próximas de você aguardando uma palavra sua para que tenham uma virada extraordinária na vida e assim possam viver uma nova realidade?

A decisão de ler hoje este devocional revela uma decisão sábia ao priorizar o seu tempo para se alimentar da Palavra do Senhor. A fé vem pelo ouvir, e ouvir a palavra de Deus. Quando Jesus se encontrou com aquele homem, a vida dele mudou em pouco tempo. Então, dedique agora tempo de qualidade ao Senhor, e ele mudará a sua vida. Mas não fique centrado em você mesmo. Compartilhe o que Deus tem feito em você. Seja a pessoa que Deus usará para que realidades sejam mudadas.

VIDA VITORIOSA

Anteriormente, todos nós também vivíamos entre eles, satisfazendo as vontades da nossa carne, seguindo os seus desejos e pensamentos. Como os outros, éramos por natureza merecedores da ira.

EFÉSIOS 2.3

19
JAN

#CAFECOMDEUSPAI

Quando o ser humano nasce, em decorrência da desobediência inicial que tirou os nossos primeiros pais do jardim do Éden, ele já está preso ao pecado. Assim, ele cresce já dependente da carne e inclinado ao erro.

Por mais que lute contra o pecado, jamais terá forças sozinho para vencer e se ver livre de uma vida de erros. Por isso, para que todos nós não fôssemos consumidos e afogados em um mar de erros, nosso amoroso Pai enviou Cristo, o nosso Salvador, para que pudéssemos ter a redenção e o perdão dos nossos pecados.

Em Jesus, pela graça mediante a fé, você tem as chaves da vida vitoriosa, pois nele você foi gerado e tem poder para vencer. Mas, para isso, a sua fé precisa crescer, ao receber e aplicar a Palavra de Deus ao seu coração. Então, liberte-se do espírito escravizante do medo, porque, sem a fé em Jesus, somos todos escravos do medo e da morte.

Você é fruto daquilo de que se alimenta. Se a sua vida com Deus tem sido negligenciada, com certeza as obras da carne prevalecerão, mas, se tem dedicado um tempo de intimidade com o Pai, certamente está alinhado ao coração dele, e os frutos que sua vida produz são os do Espírito.

A melhor forma de desenvolver intimidade com o Pai é estudando as Sagradas Escrituras e conversando com ele por meio da oração. Este devocional é uma ótima forma de iniciar esse tempo. Lembre-se de ler diariamente o texto indicado para leitura bíblica também, e sempre finalizar esse tempo com uma oração. Com Cristo, você pode até passar por momentos assustadores, mas não se deixe paralisar pelo medo.

Para você viver nas palavras de renovação, ouça a voz de Jesus.

@juniorrostirola

DEVOCIONAL
19/365

LEITURA BÍBLICA
JOÃO 12

PALAVRA-CHAVE
#GRAÇA

ANOTAÇÕES

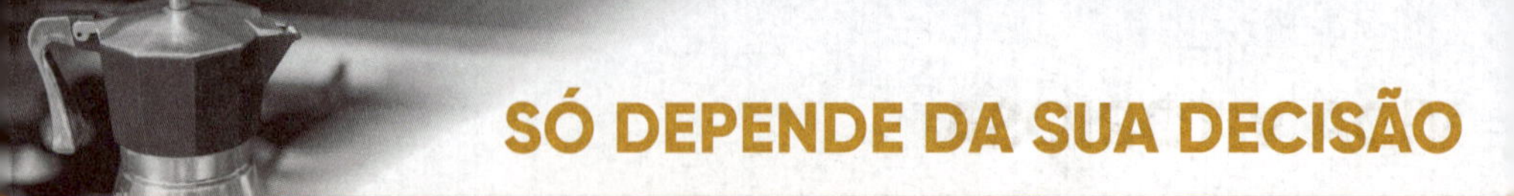

SÓ DEPENDE DA SUA DECISÃO

20
JAN

#CAFECOMDEUSPAI

Cresçam, porém, na graça e no conhecimento de nosso Senhor e Salvador Jesus Cristo. A ele seja a glória, agora e para sempre! Amém.

2PEDRO 3.18

Deixo aqui quatro lições para que você possa crescer em relacionamento com o Pai.

Em primeiro lugar, trabalhe a sua mente: saiba que o seu crescimento espiritual não acontecerá em um passe de mágica, ou mediante fórmulas e rituais. Você precisa voltar o seu coração para Deus e torná-lo a sua maior prioridade. Caso contrário, não dará certo.

Em segundo lugar, renuncie à sua vontade individual: até que a sua vontade seja entregue ao Pai e alinhada aos propósitos dele, a sua vida espiritual andará em círculos, porque, enquanto estiver centrado só em você, a direção estará sempre errada.

Em terceiro lugar, desperte a sua fé: obedeça à direção do Espírito Santo e não tenha medo de seguir em frente, pois ele não vai abandonar você nos caminhos que ele mesmo apontou para você.

Por fim, em quarto lugar, tome a sua cruz: Jesus disse: "Se alguém quiser acompanhar-me, negue-se a si mesmo, tome a sua cruz e siga-me". Andar com Deus é maravilhoso, mas requer renúncia, esforço, resiliência e determinação, porque nada que vem em oposição se compara ao que vem do alto.

Por isso, se você deseja realmente construir um relacionamento com o Pai, siga esses passos. Assim como iniciei o texto de hoje, você foi criado para viver um relacionamento sem orfandade. Você não está neste mundo como órfão numa casa abandonada; você é um filho que pode desfrutar de tudo quanto o Pai possui.

Você foi tirado da morte para viver na grandeza e na realeza do reino de Cristo.

@juniorrostirola

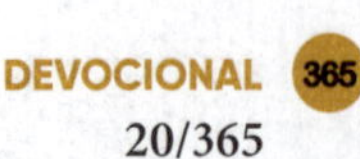
DEVOCIONAL
20/365

LEITURA BÍBLICA
SALMOS 8

PALAVRA-CHAVE
#RELACIONAMENTO

ANOTAÇÕES

COLOQUE SUAS EXPECTATIVAS NELE

Nossa esperança está no Senhor;
ele é o nosso auxílio e a nossa proteção.

SALMOS 33.20

21
JAN

#CAFECOMDEUSPAI

Você tem esperança? Quando acorda todas as manhãs, você se levanta de sua cama motivado por um propósito que arde em seu coração, ou está apenas sobrevivendo e diariamente correndo de modo desenfreado, preso a uma vida vazia de esperança? A Palavra de Deus nos encoraja a ter esperança. Em Eclesiastes 9.4, Salomão afirma que um cão vivo é mais valioso do que um leão morto.

Ao refletir sobre o sentido desse versículo, podemos concluir que, com a esperança, até os mais humildes planos e projetos são muito mais valiosos e possíveis de serem alcançados do que os planos elaborados por pessoas com grande potencial e recursos, mas sem esperança. Para estes, a batalha já está perdida muito antes de começar.

O Senhor quer e tem planos de esperança para a sua vida. Entretanto, existem pessoas que vivem sem confiança, e viver desalentado é um fardo muito pesado. Decida pensar com esperança, porque a fé também exige um exercício de reflexão e esforço da mente, para revelar e transformar o que há dentro de você.

Hoje mesmo o Senhor está lhe dando a oportunidade de ter uma vida renovada e ser restaurado. Não deixe essa valiosa oportunidade escapar por entre os dedos. Não termine o seu dia sem crer nesta palavra e receber o seu renovo. Porque hoje é o dia de esperança na sua vida, e essa esperança irá renovar as suas forças e aquecer o seu coração. Não desista de acreditar.

O início da ansiedade é o fim da fé.

@juniorrostirola

DEVOCIONAL
21/365

LEITURA BÍBLICA
SALMOS 9

PALAVRA-CHAVE
#ESPERANÇA

ANOTAÇÕES

OUÇA NOVOS SONS

22
JAN

#CAFECOMDEUSPAI

Jesus lhe disse: "Maria!" Então, voltando-se para ele, Maria exclamou em aramaico: "Rabôni!" (que significa "Mestre!").

JOÃO 20.16

Grande parte da vida humana é guiada pelo sentido da audição.

Maria, ainda em profundo lamento, primeiro pela morte do seu irmão e, depois, por Jesus não estar mais no sepulcro, certamente sentiu desespero pela grande carga emocional daqueles dias. No entanto, Jesus, que sempre nos surpreende, chama-a pelo nome, fazendo-se reconhecido por meio da expressão de sua voz.

Já houve vezes quando o simples fato de ouvir a voz de pessoas por quem você tem respeito e admiração lhe trouxe alívio e leveza? Pois é, foi justamente isso que Jesus trouxe a Maria naquele dia. E, claro, em se tratando de Jesus, a esperança renasceu em seu coração como um raio que corta de uma a outra extremidade do céu.

Que voz tem comandado a sua vida?

Durante muito tempo, sempre me mantive calado, e tudo que eu enfrentava, além das expressões de violência do meu pai, eram as vozes que penetravam a minha alma, fruto de toda pressão que uma criança suportava num ambiente desestruturado, hostil, revoltante e degradante. Mas havia uma voz que sempre se sobressaía às demais e que nem sempre era emitida pelo som que sai da boca: o colo da minha mãe.

Muitas vezes, os ruídos da vida tentam interferir em nossa audição, procurando intervir na escolha de ouvirmos o Senhor, por isso foque a sua atenção e esteja pronto a obedecer. Fazendo isso, você terá uma nova direção e seguirá o destino profético que o Pai preparou para você.

Aquilo que eu ouço tem impacto direto na direção que dou à minha vida.

@juniorrostirola

DEVOCIONAL 
22/365

LEITURA BÍBLICA 
SALMOS 10

PALAVRA-CHAVE 

#OUVIR

ANOTAÇÕES 

FÉ PARA CONQUISTAR

"Todo lugar onde vocês puserem os pés será de vocês. O seu território se estenderá do deserto do Líbano e do rio Eufrates ao mar Ocidental."

DEUTERONÔMIO 11.24

23 JAN

#CAFECOMDEUSPAI

Você sabia que na Bíblia a palavra "pés" não remete somente a uma parte do corpo, mas é sinônimo de lugar de conquistas? Para conquistar, você precisa avançar, pôr os pés adiante e reconhecer que não é pela sua força, mas pela autoridade de Jesus.

Lembro-me de muitos anos atrás, quando a Reviver, igreja que eu pastoreio, estava em seu início, instalada em um prédio alugado. O Espírito Santo me impulsionou a atravessar a rua e orar no terreno baldio em frente à igreja. Quatro dias depois, uma pessoa me procurou, era o dono do terreno. Ele falou que nunca havia entrado em uma igreja evangélica, mas algo o impulsionava a construir em seu terreno uma nova sede para a minha igreja.

Isso era algo totalmente inesperado, considerando o alto valor do imóvel e o investimento empregado na construção; somente Deus poderia prover isso. O Senhor, por meio do seu Espírito, fala conosco. Ele nos dá a direção em que devemos seguir, mas é preciso que tenhamos atitude, que os nossos pés caminhem em direção às promessas, pois elas estão diante de nós. Só nos cabe ter a fé ousada para ouvir, acreditar e ir na direção do que for revelado a nós pelo Pai.

Compartilho esse testemunho de fé para aumentar ainda mais a sua esperança e expressar que, quando nossos planos, atitudes e fé estão alinhados aos propósitos de Deus em nossa vida, podemos ir além daquilo que estamos vendo, podemos tocar e viver o que nem sequer imaginamos.

As circunstâncias nunca irão sustentar a sua fé.

@juniorrostirola

DEVOCIONAL
23/365

LEITURA BÍBLICA
JOÃO 13

PALAVRA-CHAVE
#CONQUISTAS

ANOTAÇÕES

HÁ ALGO NOVO PARA SER VIVIDO

24
JAN

#CAFECOMDEUSPAI

Não que eu já tenha obtido tudo isso ou tenha sido aperfeiçoado, mas prossigo para alcançá-lo, [...] esquecendo-me das coisas que ficaram para trás e avançando para as que estão adiante, prossigo para o alvo, a fim de ganhar o prêmio do chamado celestial de Deus em Cristo Jesus.

FILIPENSES 3.12-14

A busca pela perfeição nos dias de hoje tem cada vez mais atingido padrões inacessíveis para a grande maioria das pessoas. Nesse cenário, a insatisfação consigo mesmo tem trazido um sentimento de frustração e derrota, porque poucos alcançarão o padrão que o mundo nos impõe.

Comumente fazemos planos acerca de coisas como carreira profissional, aquisições patrimoniais, uma velhice confortável, mas pouco espaço temos dado ao que realmente importa, que é pavimentar o caminho em direção ao Reino do nosso Pai servindo-lhe por meio do nosso chamado.

Deus fez um caminho para nós vivermos em plenitude!

@juniorrostirola

Quando completei 40 anos, fiz uma revisão da minha vida, avaliando o que já havia conquistado, no que havia errado, o que fora extremamente positivo e aquilo que poderia ter feito melhor. Concluí que ainda tenho muito para realizar em Deus.

Existem pessoas que vivem acorrentadas ao passado. Essas pessoas parecem sempre sentir falta do que viveram ou sentir dor eterna pelo sofrimento vivenciado.

Contudo, por mais que o seu passado tenha sido bom, lembre-se que ele ficou para trás, não lhe pertence mais. Nesse sentido, precisamos fazer como Paulo: julgamos o passado e o presente e avançamos para o futuro, porque não podemos viver do que já aconteceu.

Viva o presente e ande em direção ao futuro, porque o melhor está por vir em Cristo. Há algo novo para ser vivido!

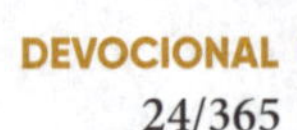

DEVOCIONAL
24/365

LEITURA BÍBLICA
JOÃO 14

PALAVRA-CHAVE
#FUTURO

ANOTAÇÕES

VEJA ALÉM DAS CIRCUNSTÂNCIAS

Então ele me disse: "Filho do homem, estes ossos são toda a nação de Israel. Eles dizem: 'Nossos ossos se secaram e nossa esperança desvaneceu-se; fomos exterminados'. Por isso profetize e diga-lhes: Assim diz o Soberano, o Senhor*: Ó meu povo, vou abrir os seus túmulos e fazê-los sair; trarei vocês de volta à terra de Israel".*

EZEQUIEL 37.11,12

25
JAN

#CAFECOMDEUSPAI

Vivemos em um tempo de desesperança, quando muitos sonhos foram frustrados e as expectativas se esvaíram. Os dias têm sido difíceis para muitas pessoas. Crise econômica, alto índice de desemprego, instabilidade no cenário internacional, além de sempre pairar uma ameaça de recessão.

Diante desse futuro incerto, muitos acabam não progredindo, não avançando. O progresso no qual depositam as esperanças tem se mostrado uma falácia, deixando um rastro de destruição e frustração.

Muitas pessoas, inclusive, deixaram de sonhar e preferem ser levadas pelas circunstâncias. O medo parece assombrar suas decisões e impedir que vivam.

Naturalmente, sentimo-nos seguros em três necessidades básicas: proteção, provisão e identidade. Quando essas três necessidades são afetadas pela escassez e não são tratadas, olhamos para o mundo à nossa volta e não conseguimos ter uma conclusão adequada sobre o que somos e como devemos agir, muito menos temos fé para vencer.

Nós, cristãos, filhos de um Pai amoroso, precisamos entender que a nossa fonte não está na terra; a nossa fonte é o Senhor. A Palavra nos revela que o justo crescerá como a palmeira e florescerá como o cedro do Líbano. Então, não tema os dias difíceis e o cenário desolador, porque o Senhor está com você e o conduzirá até o fim desse vale! Sua vida é muito mais do que circunstâncias difíceis. Sua vida é aquilo que o Senhor diz ser.

Há coisas que você não vai entender. Apenas obedeça.

@juniorrostirola

DEVOCIONAL
25/365

LEITURA BÍBLICA
JOÃO 15

PALAVRA-CHAVE
#CRESCER

ANOTAÇÕES

CONQUISTE PELA FÉ!

26
JAN

#CAFECOMDEUSPAI

O Senhor apareceu a Abrão e disse: "À sua descendência darei esta terra". Abrão construiu ali um altar [...]. Dali prosseguiu em direção às colinas a leste de Betel, onde armou acampamento, tendo Betel a oeste e Ai a leste. Construiu ali um altar dedicado ao Senhor e invocou o nome do Senhor.

GÊNESIS 12.7,8

Conquistar significa adquirir por força; vencer na guerra: conquistar uma terra estrangeira. Vencer pela força; subjugar: conquistar um inimigo. Ganhar ou obter com esforço, ser vitorioso etc. Essa é uma palavra muito forte, que por muito tempo também norteou a vida de muitos guerreiros de Deus.

Para você conquistar pela fé, assim como Abraão conquistou, precisa de sensibilidade para ouvir a voz de Deus; disponibilidade para renunciar o conforto pessoal; obediência em fé, mesmo sem conhecer todos os detalhes; visão para enxergar o plano maior além do momento vivido; dependência para confiar na providência e no cuidado de Deus; testemunho para influenciar outros que estejam perto de você.

A sua atitude durante o processo será fundamental para gerar o término da sua jornada.

Nem sempre conquistar é fácil. Acredito que, na maioria das vezes, não é. Leva tempo e implica tomar decisões. Mas, quando temos a capacidade de conquistar, podemos vencer tempos difíceis. Imagine quanto Isaque era aguardado por seus pais, que eram considerados inférteis! Quanto o seu nascimento significou para eles!

Há algo novo nascendo. Aquilo que é desejado por você se tornará realidade. Talvez você precise superar algo hoje, e o nosso Deus é um Deus de superação. É tempo de lançar toda a sua fé nele e crer que ele cumprirá todo o propósito na sua vida!

Deus soprou vida em você. Ele o coroou com favor. Você tem tudo o que precisa para cumprir o seu destino.

@juniorrostirola

26/365

JOÃO 16

#SUPERAR

UMA VIDA SEM RESERVAS

"Esta é a vida eterna: que te conheçam, o único Deus verdadeiro, e a Jesus Cristo, a quem enviaste."

JOÃO 17.3

27 JAN

#CAFECOMDEUSPAI

Vivemos na era da informação, na qual as informações e o conhecimento não mais ficam empilhados e retidos nas estantes das bibliotecas; agora permeiam o ar através dos bancos de dados e do armazenamento em nuvem, que fazem que a fonte de conhecimento seja praticamente ilimitada. A base de todo relacionamento real, profundo e saudável é o conhecimento, mas não falamos de um conhecimento acadêmico, intelectual ou informativo. Falamos de um conhecimento profundo e pessoal, que atinge o mais profundo do ser humano, o conhecimento de Deus. A vida das pessoas deve ser marcada por um conhecimento pessoal, especial e peculiar da pessoa de Deus, de Jesus Cristo e do Espírito.

O que observamos atualmente é que nunca houve tanta informação com tamanha velocidade de propagação e facilidade de acesso, embora essa mesma facilidade e velocidade não signifiquem pessoas mais sábias. Vemos discussões sem sentido no trânsito, desentendimentos cada vez mais cheios de agressividade dentro das famílias, desavenças cada vez maiores entre os vizinhos de um mesmo prédio, o que mostra uma sociedade doente e necessitada de Deus.

Conhecer Deus está diretamente ligado a manter um relacionamento de intimidade com o Senhor e consequentemente com as pessoas. Jesus veio com uma missão simples: nos reconciliar com Deus Pai. Entregue a sua vida ao Senhor e então viva a sua jornada de fé, esperança e amor. Pois o melhor de Deus só acontecerá quando você se entregar sem reservas ao amor do Pai.

De que vale este ano se você ainda é quem foi no ano passado?

@juniorrostirola

DEVOCIONAL
27/365

LEITURA BÍBLICA
SALMOS 11

PALAVRA-CHAVE
#SABEDORIA

ANOTAÇÕES

VAMOS CONVERSAR COM DEUS?

28
JAN

#CAFECOMDEUSPAI

"Mas, quando você orar, vá para seu quarto, feche a porta e ore a seu Pai, que está em secreto. Então seu Pai, que vê em secreto, o recompensará."

MATEUS 6.6

Tudo que é importante para você está na sua agenda de prioridades. Quando você se importa com algo, aquilo se torna prioridade para você e torna-se o centro da sua atenção. Seu tempo sozinho diariamente em comunhão com Deus não deve ser diferente.

Para que isso aconteça de verdade, encontre um local onde você possa ficar sozinho e sem distrações durante esse tempo com Deus. Mantenha a Bíblia, o seu diário de oração, o seu devocional e caneta naquele local para que tudo esteja pronto.

Priorize o tempo com Deus, dê a Deus os primeiros frutos do seu dia. Utilize uma canção de adoração para preparar o coração e ouvir Deus. Ore antes de começar; isso é fundamental. Antes de abrir a Bíblia, diga algo assim ao Senhor: "Senhor, estou aqui. Tu gostarias de falar comigo? Eu adoraria te ouvir. Se optares por não falar hoje, tudo bem. Tu és Deus. Esperarei por ti!".

A afinidade e o crescimento em um relacionamento não acontecem na primeira conversa, mas na constância diária. Não se trata de sentir que é preciso ler cinco capítulos por dia. Pare na primeira palavra, frase ou pensamento que capte a sua atenção e deixe o Pai falar com você sobre isso. No entanto, às vezes, Deus pode levá-lo a alguns capítulos em um dia. A chave é entregar a ele o controle da situação e permitir que ele o direcione.

Nenhum relacionamento se mantém vivo sem diálogo; assim, programe-se para se encontrar com o Senhor todos os dias!

Para viver um dia extraordinário, comece pelo mais importante.

@juniorrostirola

DEVOCIONAL
28/365

LEITURA BÍBLICA
SALMOS 12

PALAVRA-CHAVE
#ORAÇÃO

ANOTAÇÕES

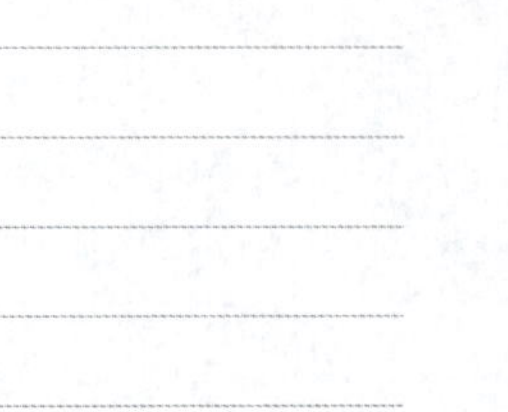

VENÇA A INDIVIDUALIDADE

"Bem-aventurados os puros de coração, pois verão a Deus."

MATEUS 5.8

29 JAN

#CAFECOMDEUSPAI

Diariamente conversamos muito por telefone, *e-mail* e redes sociais, mas nada disso substitui uma conversa direta, pessoal, olho no olho. Isso porque 80% da nossa comunicação é feita de maneira não verbal, ou seja, as expressões faciais, os olhares e a linguagem corporal muitas vezes falam o que palavras não conseguem expressar. Essa falta de contato pessoal tem afetado e distorcido os relacionamentos. Faça o simples exercício de verificar no seu celular quem foram as últimas pessoas com quem você conversou. Com quantas delas você esteve conversando pessoalmente? Qual o seu nível de intimidade com essas pessoas? Quanto você confia nelas? Quanto elas confiam em você?

Talvez você não saiba, mas uma das minhas grandes alegrias são as obras sociais que realizamos na cidade por meio da igreja que pastoreio; para isso, conto com a ajuda da minha esposa. Um dos projetos é com adolescentes, uma casa que acolhe meninos e meninas em situação de vulnerabilidade social. É muito difícil para mim ver adolescentes em vulnerabilidade, tendo que ser protegido da própria família por causa de negligências ou abandono e tantos outros fatores que levam o poder judiciário a acolher esses adolescentes em nosso lar.

Em uma fase da vida como a adolescência, em que a pureza do nosso coração deveria estar cada vez mais em evidência para que pudéssemos viver a plenitude de Deus, a nossa alma pode estar tomada por questões emocionais complexas e doloridas. Por isso, dê o primeiro passo para uma vida extraordinária e intencional, amando as pessoas ao seu redor.

Abra o seu coração, sem barreiras para amar.

@juniorrostirola

DEVOCIONAL
29/365

LEITURA BÍBLICA
SALMOS 13

PALAVRA-CHAVE
#INTENCIONALIDADE

ANOTAÇÕES

DÊ O PRIMEIRO PASSO

30 JAN

#CAFECOMDEUSPAI

Eu o instruirei e o ensinarei no caminho que você deve seguir; eu o aconselharei e cuidarei de você.

SALMOS 32.8

O chamado de Deus a Abraão é um dos mais lindos da Bíblia. Abraão era da cidade de Ur, na Mesopotâmia, uma terra onde o povo adorava a lua. Deus encontra no meio desse povo um homem idoso, de 75 anos, totalmente improvável, mas fiel a Deus, que decidiu avançar rumo a um destino totalmente diferente de sua nação pagã.

Mas por que Abraão foi diferente das pessoas de sua época? Por que ele seguiu um caminho totalmente diferente do caminho de seus antepassados?

Hoje as pessoas têm desenvolvido muita sensibilidade emocional, mas se esquecem da espiritual. Muitas vezes, a sensibilidade emocional pode atrapalhar o âmbito espiritual, porque em muitos aspectos somente a visão espiritual é que pode pôr em ordem o lado emocional; não podemos inverter esse processo.

Abraão era diferente porque tinha a sensibilidade de ouvir a voz de Deus. Ele era um homem disposto a renunciar seu conforto pessoal, não ter medo de arriscar, para dar um passo em direção a seu destino. Talvez você tenha que dar alguns passos para longe da sua segurança!

Pare de dar desculpas. Avance. Dê o seu passo de fé! Mesmo sem ter agora o que você precisa, com fé o Senhor proverá. Sem fé, é impossível agradar a Deus. Basta ter fé para dar o primeiro passo, não para concluir. Deus jamais o deixará só. Mas, antes de ir à frente e resolver tudo, ele espera que demos o primeiro passo. Comece, dê o primeiro passo e deixe Deus cuidar de todo o restante da jornada!

Não fuja das provações; elas são um campo de treinamento.

@juniorrostirola

DEVOCIONAL 365
30/365

LEITURA BÍBLICA
JOÃO 17

PALAVRA-CHAVE
#SENSIBILIDADE

ANOTAÇÕES

VOCÊ NASCEU PARA CONQUISTAR

Semelhantemente, nenhum atleta é coroado como vencedor, se não competir de acordo com as regras.

2TIMÓTEO 2.5

31 JAN

#CAFECOMDEUSPAI

Assistir a uma partida de futebol ou ver um vídeo legal na internet é muito bom. Mas há um problema quando assistimos à TV, ficamos na internet ou estamos num estádio de futebol assistindo a um jogo. O problema é que sempre estamos como espectadores, sentados, vibrando, mas sem participar efetivamente daquilo que estamos vendo.

Neste dia, Deus está falando ao nosso coração exatamente isso: ser um espectador pode ser bom, todavia participar presencialmente é melhor ainda! Por isto, hoje, mesmo não sabendo qual é a sua real expectativa, convido você a descer da arquibancada, desligar a TV, sair da internet e entrar no "jogo", ou seja, fazer parte realmente da corrida, da luta; enfim, da realidade que você deseja viver.

Quando criança, um dos maiores sonhos que eu tinha era poder jogar futebol na escola. Os times eram formados normalmente com duas pessoas que iniciavam suas escolhas um a um, até que todos fossem divididos em dois times. Não foi uma nem duas vezes, mas várias, em que eu fui o último a ser escolhido, sem contar as vezes em que nem mesmo escolhido eu fui. Contudo, quando cresci, passei a ser eu mesmo o agente do "jogo". Hoje faço parte do time que ajuda pessoas a viverem em plenitude de vida.

Desafio você a fazer isso hoje: descer das arquibancadas da vida e adentrar com toda a força, atitude e garra para viver o extraordinário, porque quem tem Jesus tem tudo para ter o melhor desempenho.

Portanto, acredite, Deus não nos criou para ficar de fora, apenas assistindo e comtemplando; Deus está chamando você para viver um tempo de conquistas.

Na maratona da vida, a sua atitude é o primeiro passo para grandes conquistas.

@juniorrostirola

365 **DEVOCIONAL**
31/365

LEITURA BÍBLICA
JOÃO 18

PALAVRA-CHAVE
#VENCEDORES

ANOTAÇÕES

café com Deus pai

A VITÓRIA
DE AMANHÃ
COMEÇA COM
A ESCOLHA DE
CONFIAR EM
DEUS HOJE!

@juniorrostirola

FEVEREIRO

#CAFECOMDEUSPAI

café
com
Deus
pai

TENHA ABUNDÂNCIA

"O ladrão vem apenas para roubar, matar e destruir; eu vim para que tenham vida e a tenham plenamente."

JOÃO 10.10

01
FEV

#CAFECOMDEUSPAI

O Evangelho de João nos revela que existe uma promessa feita por Cristo: as portas do inferno não prevalecerão contra a igreja dele. Portanto, existem muitas promessas liberadas sobre a sua vida. Se hoje você está vivendo dias difíceis, precisa entender que, se o Senhor permitiu que você passasse por essas tempestades, é porque ele quer ensinar algo que verdadeiramente vai levá-lo a outro nível para que você seja um vencedor e conquiste realmente tudo aquilo que você precisa. Tenha perseverança, atitude de fé, confiança, ore e consagre-se ao Senhor.

Para exercitarmos a nossa fé, é preciso enfrentar algumas tempestades e circunstâncias contrárias. A fé é a certeza daquilo que esperamos e a prova das coisas que não vemos. De uma forma mais ampla, se a fé é aquilo que não vemos, o que vemos não alimenta a nossa fé; e, se você está em um cenário no qual os seus olhos humanos não alimentam a sua fé, você está pronto para viver um grande milagre, desde que tenha certeza de que aquele que prometeu é fiel e justo para o cumprir. Você pode até não se recordar de Jesus ter lhe prometido alguma coisa, mas entenda que Cristo levou na cruz os nossos pecados e as nossas enfermidades, morrendo a nossa morte para vivermos a sua vida.

Não se importe com as circunstâncias, com o cenário difícil e o diagnóstico contrário. Pode ser que o seu dia já tenha começado com uma notícia triste ou com uma dor insuportável. Este será o conjunto ideal para Deus realizar um grande milagre e transformar a sua vida e a sua história. Veja com os olhos da fé e contemple as suas promessas se cumprindo.

Viva na dependência de Deus e não dependa de mais nada.

@juniorrostirola

365 **DEVOCIONAL**
32/365

LEITURA BÍBLICA
JOÃO 19

PALAVRA-CHAVE
#PROMESSAS

ANOTAÇÕES

NÃO SE DEIXE ABATER

02
FEV

#CAFECOMDEUSPAI

O SENHOR ampara todos os que caem e levanta todos os que estão prostrados.
SALMOS 145.14

Ele sustenta você nos momentos difíceis!

Você pode algumas vezes pensar que não, mas sim, em meio às adversidades, Deus se faz presente!

@juniorrostirola

A vida está cada vez mais turbulenta. O mundo lá fora, além de nos fazer correr incansavelmente, tenta nos impor um padrão de vida que poucos conseguem alcançar. Com isso, o sentimento de frustração permeia a sociedade, como uma enorme nuvem de fumaça cobrindo o céu.

Em nossa sociedade, depressão e demais patologias relacionadas à inadequação ou baixa autoestima aprisionam as pessoas, confinam famílias em locais sem segurança. Isso tem levado mais e mais pessoas a buscarem ajuda e tratamentos para reparar e curar os males emocionais de que são vítimas.

Quando eu tinha 13 anos, antes de conhecer Jesus, eu me questionava muito. Achava que não deveria ter nascido no lar em que nasci. Ao reconhecer Jesus como meu único e suficiente Salvador, ele me revelou várias coisas. Três delas, eu considero fundamentais: quem eu era; quem eu não era e em quem eu iria me tornar.

Quando você conhece essas três verdades, a vida se torna diferente. Você tem um propósito que o faz levantar-se todas as manhãs. As adversidades e o desânimo que tornam os dias mais escuros são inevitáveis, mas não podemos nos deixar abater. Existe um grande propósito, muito maior que a nossa vontade, que desânimo nenhum pode assolar, porque aquele que está a nosso favor é maior do que qualquer paralisia.

Você realmente se sente livre e seguro na sua caminhada? Se, ao responder a essa indagação, ficou algum resquício de dúvida, é porque há coisas que o estão prendendo. Eu não o conheço nem tenho como saber. Mas o que você pensa a respeito de conversar com Jesus sobre isso? Certamente a sua oração poderá levá-lo a ter uma nova compreensão.

O propósito será sempre maior que a nossa vontade.

DEVOCIONAL 365
33/365

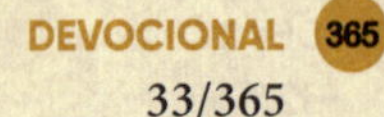

LEITURA BÍBLICA
JOÃO 20

PALAVRA-CHAVE
#REVELAÇÃO

ANOTAÇÕES

SEJA LIVRE

"Pois, se perdoarem as ofensas uns dos outros,
o Pai celestial também perdoará vocês.
Mas, se não perdoarem uns aos outros,
o Pai celestial não perdoará as ofensas de vocês."

MATEUS 6.14,15

03
FEV

#CAFECOMDEUSPAI

Se existe algo que pode bloquear, estancar ou até mesmo destruir o processo de restauração de seu relacionamento com Deus Pai é a incapacidade de receber ou oferecer perdão. A falta de perdão pode nos levar a entrar em caminhos desagradáveis, que nos levam a ficar perdidos ou conduzem a lugares perigosos. A única maneira de sair desse lugar é dar meia-volta, renunciar ao orgulho e caminhar em direção à cura.

A palavra "perdoar" significa literalmente cancelar, remir ou abrir mão de seus direitos. Significa a liberação ou o cancelamento de uma obrigação por parte do ofensor. Deus quer nos ensinar que o perdão não vem de nós; vem somente pela graça de Deus mediante o sacrifício de Jesus, porque ele também nos perdoou incondicionalmente. O maior sentimento do Pai para conosco é o amor.

Quando reconhecemos esse amor e ele começa a crescer em nós, o perdão se torna cada vez mais natural, tornando-se quase instantâneo, por não termos em nosso coração espaço para o ressentimento. Perdoar não é fácil; requer renúncia, até mesmo do sentimento de justiça própria. Perdoar dói na medida proporcional a como fomos injustiçados ou machucados.

Quando perdoamos o próximo, soltamos um prisioneiro e só depois descobrimos que nós mesmos éramos os verdadeiros prisioneiros, porque a falta de perdão nos fazia cativos daquele momento em que fomos feridos. Seja livre, perdoe!

O maior sentimento do Pai para conosco é o amor.

@juniorrostirola

DEVOCIONAL
34/365

LEITURA BÍBLICA
SALMOS 14

PALAVRA-CHAVE
#PERDÃO

ANOTAÇÕES

QUEM É VOCÊ NO VALE?

04
FEV

#CAFECOMDEUSPAI

Ele me perguntou: "Filho do homem, estes ossos poderão tornar a viver?" Eu respondi: "Ó Soberano Senhor, só tu o sabes". Então ele me disse: "Profetize a estes ossos e diga-lhes: Ossos secos, ouçam a palavra do Senhor!".

EZEQUIEL 37.3,4

No tempo em que o profeta Ezequiel recebeu essa profecia, o povo judeu estava exilado e subjugado pelo Império Babilônico. O povo sentia-se morto e sem esperança, abandonado por Deus, e sem esperança de um futuro em seu horizonte.

No entanto, Deus prometeu que mudaria a realidade daquela nação, e que o povo de Israel retornaria para a sua terra. Deus também encheria suas vidas com a presença do Espírito, trazendo vida nova a eles do mesmo modo que a vida e o espírito foram restituídos aos ossos que se transformaram em um exército na visão do profeta.

As circunstâncias nunca irão sustentar a sua fé.
@juniorrostirola

É muito difícil acreditar numa perspectiva de mudança quando o cenário é de destruição, quando o caos se apresenta diante de nós. Quando estive no Haiti em 2017, em nossa obra missionária, vi como a realidade daquela nação é difícil, pois a população vive com renda abaixo da linha da miséria, tendo, inclusive, passado por situações de guerra e desastres ambientais. Contudo, temos procurado fazer a diferença naquela realidade, enviando um missionário nativo, sustentando o projeto e desenvolvendo ações de melhoria no local em que estamos estabelecidos.

DEVOCIONAL
35/365

LEITURA BÍBLICA
SALMOS 15

PALAVRA-CHAVE
#PROFETIZE

ANOTAÇÕES

Seja qual for o vento contrário que tirou você do caminho, Deus está disposto a lhe devolver vida. Não importa a aparência do que está ao seu redor. Ele dá autoridade às palavras que saem da sua boca e lhe dá legitimidade para declarar vitória e vida no seu vale de ossos secos, até porque, no vale de ossos secos, ou você é osso ou é profeta.

JESUS ESTÁ COM VOCÊ

Enquanto conversavam e discutiam, o próprio Jesus se aproximou e começou a caminhar com eles; mas os olhos deles foram impedidos de reconhecê-lo.

LUCAS 24.15,16

05
FEV

#CAFECOMDEUSPAI

Emaús era um povoado que ficava a poucos quilômetros de Jerusalém, de onde os dois homens haviam saído.

Todos nós conhecemos o contexto dessa história. Jesus havia sido crucificado na sexta-feira, e já haviam se passado três dias após sua morte. Ele então ressuscita e se encontra com aqueles dois homens que estavam conversando enquanto caminhavam. Durante todo o tempo de caminhada, não reconheceram Jesus. Só o reconheceram quando, após o convidarem a passar a noite com eles, Jesus partiu o pão.

Assim como aqueles dois amigos se sentiam frustrados, quando retornei de Presidente Prudente, em São Paulo, após um período de pastoreio na cidade, também tive o mesmo sentimento. Os dois amigos tiveram a presença real de Jesus para fazê-los enxergar que deveriam retornar para Jerusalém. No caso de Michelle e eu, quando voltamos a morar em Itajaí, o Espírito Santo falou algo por meio da minha esposa: "Deus vai começar algo novo conosco; nosso tempo mudará". Tenho essa frase gravada no meu coração até hoje.

Para você reconhecer Jesus ao longo do caminho que tem percorrido, convide-o a entrar na sua casa, coloque-o como prioridade no seu dia a dia e volte para a sua Jerusalém, lugar de onde você não deveria ter saído. Volte da sua Emaús. Jesus o chama de volta ao seu lugar de origem, onde o seu chamado arde no coração e onde ele lhe ordena que cumpra a sua missão hoje.

Deus o ama tanto que ele lhe revela o mover de Jesus na realização do milagre.

@juniorrostirola

DEVOCIONAL
36/365

LEITURA BÍBLICA
SALMOS 16

PALAVRA-CHAVE
#RENOVO

ANOTAÇÕES

DEUS É FIEL

06
FEV

#CAFECOMDEUSPAI

Não sobreveio a vocês tentação que não fosse comum aos homens. E Deus é fiel; ele não permitirá que vocês sejam tentados além do que podem suportar. Mas, quando forem tentados, ele mesmo providenciará um escape, para que o possam suportar.

1CORÍNTIOS 10.13

Se você precisa de um lembrete de que Deus quer que você vença, esta mensagem é para você.

@juniorrostirola

Pode ser que às vezes você sinta que uma tentação é forte demais para ser tolerada, mas Deus prometeu nunca permitir que houvesse sobre você mais do que ele colocou dentro de você para lidar com a situação. Ele não permitirá nenhuma tentação que você não possa superar. Entretanto, você também deve fazer a sua parte, praticando alguns fundamentos bíblicos para derrotar a tentação.

Quando Jesus estava no deserto, Satanás o tentou duramente para que cedesse à vontade dele. Veja bem, Satanás fez uso da Palavra para tentar destruir aquele que é a própria Palavra. Então, é importante que você redirecione a atenção para outra coisa.

No caminho do amadurecimento espiritual, cada tentação superada se torna um degrau em vez de uma pedra de tropeço. Quando você se dá conta de que a tentação é uma oportunidade tanto para fazer a coisa certa quanto a coisa errada, você aprende a escolher uma dessas opções. Toda vez que você escolhe fazer o bem em vez de pecar, está desenvolvendo o caráter de Cristo.

A integridade é construída ao se derrotar a tentação da desonestidade. A humildade cresce quando nos recusamos a ser arrogantes; a resistência se desenvolve toda vez que resistimos à tentação de desistir.

A tentação sempre começa na mente. Por isso, recuse-se a ser intimidado. Seja realista quanto à inevitabilidade da tentação; você jamais poderá evitá-la completamente. Mas fique seguro, pois Deus é fiel e ele o fortalece.

DEVOCIONAL
37/365

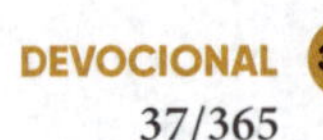

LEITURA BÍBLICA
JOÃO 21

PALAVRA-CHAVE
#PREVALECER

ANOTAÇÕES

QUAL É A SUA PRIORIDADE?

De manhã ouves, Senhor, o meu clamor; de manhã te apresento a minha oração e aguardo com esperança.

SALMOS 5.3

07
FEV

#CAFECOMDEUSPAI

Há mais de 35 anos, A. W. Tozer disse: "A civilização moderna é tão complexa a ponto de tornar a vida devocional quase impossível". Ele escreveu isso em uma era anterior aos smartphones, às redes sociais, ao e-mail, à internet, aos 500 canais de TV e aos inúmeros outros aparelhos tecnológicos, que, em sua premissa inicial, foram feitos para economizar o nosso tempo. Mas será que eles têm mesmo cumprido esse papel, ou estamos mais escravos do que senhores de cada um deles?

Contudo, não são exatamente os aparelhos eletrônicos, a tecnologia e a complexidade moderna que atrapalham a vida devocional, pois, assim como os demais artifícios desenvolvidos pelo homem, seu uso é desvirtuado pelos nossos hábitos. O maior obstáculo, porém, para estabelecermos um tempo a sós com o Pai é a nossa própria relutância em nos relacionar com ele. É uma questão de disposição do coração.

Precisamos confessar a nossa falha em não separar tempo de qualidade para Deus em meio às nossas "prioridades" supérfluas. Precisamos reconhecer que nos relacionarmos com o Pai é muito mais essencial para a nossa vida do que as horas que desperdiçamos com banalidades.

Aliás, aquilo que pensamos acaba por vezes sendo munição contra a nossa própria saúde emocional. Então, estabeleça um plano para ter um tempo de qualidade com o Senhor. Use este devocional como ferramenta. Precisamos reconhecer que nos relacionarmos com o Pai é essencial para o nosso crescimento espiritual, assim como o alimento é vital para o corpo físico.

Estabeleça um plano para ter um tempo de qualidade com o Senhor.

@juniorrostirola

DEVOCIONAL
38/365

LEITURA BÍBLICA
GÊNESIS 1

PALAVRA-CHAVE
#PROSSIGA

ANOTAÇÕES

O QUE VOCÊ SABE DO AMANHÃ?

08
FEV

#CAFECOMDEUSPAI

Vocês nem sabem o que acontecerá amanhã! Que é a sua vida? Vocês são como a neblina que aparece por um pouco de tempo e depois se dissipa.

TIAGO 4.14

Se você hoje recebesse a notícia de que só lhe restam mais trinta dias de vida, continuaria a fazer o que está fazendo? Ou teria que parar e reprogramar a sua rota?

Acredito que existem coisas que você deveria estar fazendo, mas que tem protelado porque ainda não está disposto a enfrentá-las. Pode ser uma mágoa que alguém lhe causou e que você ainda não consegue perdoar, ou uma prática que você sabe que é incorreta, mas mesmo assim não consegue dar fim a ela. Não sei por qual rodovia você está seguindo, mas sei que só existe um caminho e uma verdade, que é Jesus.

Investir seu tempo para desfrutar com aquele que é o Caminho, a Verdade e a Vida ajudará você a tomar a rota certa em suas decisões.

Nossa vida é muito curta. É preciso lembrar que ela também é única. Olhamos para trás e vemos que muito do que fizemos anos atrás parece ter acontecido ontem. Não sabemos o dia de amanhã, pois ele pertence unicamente ao Senhor; não temos controle sobre o nosso passado, pois ele já está solidificado no ontem; não temos poder sobre o futuro, pois para nós ele é desconhecido. Mas o Senhor nos confiou o hoje, e é no hoje que precisamos viver apaixonadamente.

Precisamos parar de protelar aquilo que está ao nosso alcance hoje e realizá-lo o quanto antes. Viver o hoje com intensidade, para que ele se torne um período agradável que abre caminho em direção a um futuro glorioso.

Nosso relacionamento com Deus é medido pelas histórias que temos para contar.

@juniorrostirola

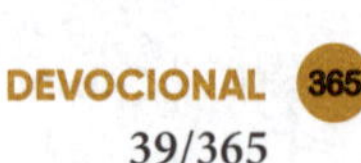

DEVOCIONAL
39/365

LEITURA BÍBLICA
GÊNESIS 2

PALAVRA-CHAVE
#VIDA

ANOTAÇÕES

RELACIONE-SE COM DEUS

Havia um fariseu chamado Nicodemos [...]. Ele veio a Jesus, à noite, e disse: "Mestre, sabemos que ensinas da parte de Deus [...]". Em resposta, Jesus declarou: "Digo a verdade: Ninguém pode ver o Reino de Deus, se não nascer de novo".

JOÃO 3.1-3

09
FEV

#CAFECOMDEUSPAI

A Bíblia é um livro relacional, porque Deus é um Deus relacional que escolheu se revelar a nós e deixar sua mensagem nas Escrituras.

Nicodemos teve um encontro com Jesus. Ele era um judeu importante. Fazia parte dos fariseus, um ramo do judaísmo que seguia com rigidez as práticas religiosas. Por isso, a primeira reação de Nicodemos ao ouvir a resposta de Jesus foi de estranhamento em decorrência de sua visão legalista e linear.

Mas Deus não é um Deus que pode ser compreendido pela religião. Ele não se apega a dogmas; ele busca quem o adore em espírito e em verdade.

Quando falo sobre religião, pode ser que você tenha dificuldade em entender como um Deus que trocou qualquer lugar do universo para habitar em cada um de nós pode ser o mesmo Deus que por meio de Jesus se entregou numa cruz para, assim, nos trazer salvação? Jesus fez a escolha de se tornar humano e sofrer em nosso lugar. Esse é o Senhor, um Deus relacional que de braços abertos morreu para que pudéssemos nos achegar a ele e vivermos uma vida que faça sentido.

"Mestre, sabemos que..." foi assim que Nicodemos começou a conversar com Jesus, pois reconhecia nele a fonte divina. Faça o mesmo. Se o seu dia não está como planejado, desafio você a neste momento fechar os olhos e fazer uma oração com palavras muito simples que saiam do seu coração. Se o seu dia está ótimo, faça uma oração de agradecimento. Deus está ouvindo você.

Não há nada que você faça que fará Deus amá-lo menos.

@juniorrostirola

365 **DEVOCIONAL**
40/365

LEITURA BÍBLICA
GÊNESIS 3

PALAVRA-CHAVE
#INTIMIDADE

ANOTAÇÕES

VENÇA JUNTO COM SUA FAMÍLIA

10
FEV

#CAFECOMDEUSPAI

Noé, seus filhos, sua mulher e as mulheres de seus filhos entraram na arca, por causa das águas do Dilúvio.
GÊNESIS 7.7

Plante a semente do amor em casa e veja-a florescer em atos de bondade pelo mundo.
@juniorrostirola

DEVOCIONAL 365
41/365

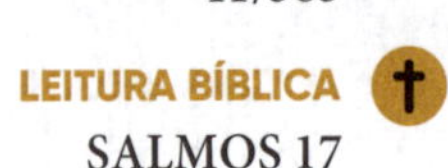

LEITURA BÍBLICA
SALMOS 17

PALAVRA-CHAVE
#UNIDO

ANOTAÇÕES

Todos nós temos problemas e enfrentamos dilúvios em nossa vida. Nas tempestades da vida, pode até haver perdas, mas elas passam. Tudo que você precisa é entender que os dilúvios virão, mas, assim como Noé não enfrentou o dilúvio sozinho, pois sua família estava a seu lado na arca, você também precisa compartilhar com sua família as suas tempestades. Lutar junto com as pessoas que Deus escolheu para ficar ao nosso lado nos fortalece.

Nos momentos mais difíceis da minha vida, pessoas estenderam a mão para mim. Nos momentos mais difíceis da vida da minha esposa, Michelle, pessoas também fizeram o mesmo. Na nossa família, nos momentos mais difíceis, permanecemos juntos.

Para ser abençoado em família, é necessário priorizar os planos de Deus e também enfrentar juntos as tempestades da vida. O Senhor nos fez para vivermos em amor uns com os outros e nos apoiarmos mutuamente, para juntos sobrevivermos a todas as tempestades e aos ventos contrários que vierem contra nós.

Noé e toda a sua família, ao entrarem na arca, precisaram lutar juntos para vencer o dilúvio. Antes do dilúvio, cada um tinha a liberdade de ir e vir, mas, após o início das chuvas, precisaram conviver no mesmo ambiente. Assim é com a família: ela precisa estar junto para vencer cada dia. Crie oportunidades em família para que estejam juntos em momentos de comunhão. Prepare um café, e juntos à mesa compartilhem suas conquistas.

COMPARTILHE AS BOAS NOTÍCIAS

Então disseram uns aos outros: "Não estamos agindo certo. Este é um dia de boas notícias, e não podemos ficar calados. Se esperarmos até o amanhecer, seremos castigados. Vamos imediatamente contar tudo no palácio do rei".

2REIS 7.9

11 FEV

#CAFECOMDEUSPAI

Samaria estava cercada por inimigos sírios do lado de fora. O cenário era de derrota, mas uma palavra foi liberada pelo profeta Eliseu. Do lado de fora, quatro leprosos, desesperançados, esperavam a morte certa. Eles testemunharam o acampamento inimigo ficar abandonado em cumprimento da profecia de Eliseu e, maravilhados com o ocorrido, foram até o rei anunciar o milagre.

Isso quer dizer que, quanto mais abençoado você for, mais precisa abrir a boca e compartilhar as bênçãos divinas. Você tem a responsabilidade de espalhar as boas notícias.

Cada vez que essa passagem me vem a memória, lembro-me do que uma pessoa que salta numa piscina faz com aquelas que estão próximas. Estas inevitavelmente são alcançadas pelos respingos da água lançados para fora da piscina. Quanto mais próximos estamos, mais molhados estamos sujeitos a ficar. Exatamente o mesmo acontece quando espalhamos as bênçãos; todos ao redor são atingidos por ela.

O que aqueles homens testemunharam foi compartilhado com toda uma cidade. Igualmente, quando aceitei Jesus como o meu Salvador, eu quis compartilhar com todos a esperança que passara a ter. Não me importava se eu tinha sido rejeitado; o que me importava é que todos os demais vivessem tudo que eu estava vivendo em Deus. Você tem a oportunidade de dar boas notícias às pessoas. Escolha palavras que tragam esperança e declare-as sobre a vida delas. Desafio você a enviar esta mensagem de esperança a alguém. Jesus deseja alcançar outras pessoas como alcançou você.

Ame em todo tempo sem arrependimentos e viva sem desculpas.

@juniorrostirola

DEVOCIONAL
42/365

LEITURA BÍBLICA
SALMOS 18

PALAVRA-CHAVE
#PROVER

ANOTAÇÕES

O SENHOR OUVE A SUA ORAÇÃO

12
FEV

#CAFECOMDEUSPAI

"Era este menino que eu pedia, e o Senhor concedeu-me o pedido. Por isso, agora, eu o dedico ao Senhor. Por toda a sua vida será dedicado ao Senhor." E ali adorou o Senhor.

1SAMUEL 1.27,28

Quando eu tinha 14 anos, a minha mãe estava fazendo uma campanha de oração na casa da minha irmã, uma casa de madeira.

Certo dia, estávamos orando, e uma mulher de Deus pôs a mão sobre a cabeça da minha mãe e profetizou coisas que ela jamais saberia. Lembro-me, como se fosse hoje, ela descrevendo a nossa casa com tudo quebrado, no estado em que realmente ficava depois das crises do meu pai. Mas ela também falou que o Senhor daria tudo em dobro.

Quando ela veio profetizar sobre a minha vida, eu me ajoelhei e fiquei escondido, porque era muito tímido. No entanto, ela colocou a mão sobre mim e disse: "Eis que te levantarei como Samuel". Na época, eu não sabia quem era Samuel e, imaginando ser alguém bom, disse amém e tomei posse da palavra profética.

Anos se passaram, e estudei sobre a história de Samuel. Então, vi quem ele era, o que significou para sua geração e como ele foi um canal de bênção de Deus, a ponto de se tornar um modelo a ser seguido.

Assim como Samuel, que era fruto de uma promessa do Senhor, você também nasceu de uma promessa. O Senhor tem grandes planos para a sua vida. Ele quer promover você e o fazer relevante com a sua história de vida. Deus não desperdiça nenhum detalhe da sua vida para transformá-lo em ferramenta nas mãos dele e nas suas também. Confie nestas palavras proféticas liberadas sobre a sua vida.

Deus prometeu prover a força, a energia e o poder de que você precisa para prosseguir.

@juniorrostirola

DEVOCIONAL 365
43/365

LEITURA BÍBLICA
SALMOS 19

PALAVRA-CHAVE

#PLANOS

ANOTAÇÕES

FAÇA A SUA PARTE

Ordene-lhes que pratiquem o bem, sejam ricos em boas obras, generosos e prontos a repartir.

1TIMÓTEO 6.18

13
FEV

#CAFECOMDEUSPAI

É uma responsabilidade muito grande o homem ser a coluna de um lar. O pai ser sacerdote do lar é uma posição de honra. Um homem de honra discerne as coisas ao seu redor, é cheio pelo Espírito Santo, busca viver na presença de Deus e ter relacionamento com ele.

Você pode pensar: "Mas a minha realidade não é essa. Não tenho um pai presente". Sei o que é isso. Em nosso lar, minha mãe era o esteio, ainda que o meu pai fosse um profissional competente, era ela que mantinha o lar de pé. Essa realidade multiplica-se em nossa sociedade.

A Palavra nos ensina que devemos praticar o bem, ser ricos em boas obras. Isso é de fato viver em honra: receber de Deus, celebrar o que ele coloca nas suas mãos e repartir. O Senhor quer que você seja generoso e reparta. Mas generosidade também é estender as mãos às pessoas ao seu lado. É ceder tempo, pois tempo é vida. Quando você cede a sua vida, é generoso e entende que a vida não é só sobre você, mas sobre Deus e as pessoas. Você vive o propósito do Senhor, é realmente próspero; não que existam pessoas destinadas à riqueza ou à pobreza, mas existem pessoas que escolhem ter mente miserável e outras têm mente próspera. Para você ser uma pessoa de honra e realmente edificar o seu lar, precisa ter mente próspera.

Deus Pai o convida hoje a renovar a sua mente, a substituir os pensamentos de pobreza e escassez por pensamentos de prosperidade e riqueza. Pense em como você pode abençoar vidas neste dia com a sua generosidade, transbordando na vida das pessoas que convivem com você. Tenha atitudes práticas e diárias.

As nossas atitudes não acontecem por acaso; são frutos das nossas escolhas.

@juniorrostirola

DEVOCIONAL
44/365

LEITURA BÍBLICA
GÊNESIS 4

PALAVRA-CHAVE
#REPARTIR

ANOTAÇÕES

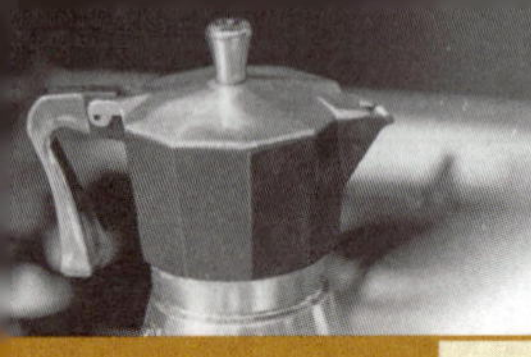

ELE ACALMA O VENTO

14
FEV

#CAFECOMDEUSPAI

"Quando entraram no barco, o vento cessou. Então os que estavam no barco o adoraram, dizendo: "Verdadeiramente tu és o Filho de Deus".

MATEUS 14.32,33

Traga para o seu mundo a presença de Deus e descubra o verdadeiro mundo preparado para você.

@juniorrostirola

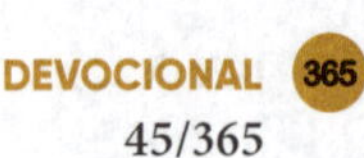

DEVOCIONAL
45/365

LEITURA BÍBLICA
GÊNESIS 5

PALAVRA-CHAVE
#RECONHECER

ANOTAÇÕES

Precisamos voltar a confiar e ter fé nas pequenas coisas. Lembro-me de que, certa vez, quando eu era adolescente, minha mãe me incumbiu de realizar uma tarefa no centro da cidade. Quando entrei no ônibus e chequei o dinheiro, eu só tinha o suficiente para a passagem de ida. Mas me recordo, como se fosse hoje, que declarei: "Eu vou, e a volta o Senhor vai preparar para mim". Fiz tudo o que minha mãe me havia mandado fazer. Na hora de ir embora, fiz uma chamada a cobrar para a casa da vizinha, a fim de avisar a minha mãe que eu não tinha dinheiro para voltar.

Eu estava no telefone público falando com ela, e ela estava apavorada. Eu disse que não sabia o que fazer, e ela me mandou pedir ajuda a alguém, mas eu era extremamente tímido. Isso era impossível para mim. Quando desliguei o telefone, uma senhora estava parada atrás de mim. Ela disse que havia escutado minha conversa e me deu uma passagem de ônibus.

Isso parece tão simples, mas, quando a gente confia no Senhor, as palavras declaradas têm poder. Se a nossa fé se limitar às nossas condições, nós nos limitaremos. Independentemente do tempo difícil pelo qual passamos, foquemos os olhos no Senhor, tenhamos fé e declaremos o milagre dele sobre a nossa vida.

Eu o desafio a declarar com fé hoje sobre as áreas em que você necessita de uma intervenção divina. Declare e creia que o Senhor irá abençoá-lo e fazer infinitamente mais do que você está pedindo ou pensando. Caminhe com essa certeza, confie na intervenção divina e você experimentará o mover do Espírito.

QUEM O SENHOR É PARA VOCÊ?

"E vocês?", perguntou ele. "Quem vocês dizem que eu sou?" Simão Pedro respondeu: "Tu és o Cristo, o Filho do Deus vivo".

MATEUS 16.15,16

15
FEV

#CAFECOMDEUSPAI

Jesus estava com seus discípulos e questionou sobre como eles o enxergavam. Afinal, eles já caminhavam durante certo tempo com o Senhor. Nos três anos que Jesus esteve com eles, em várias situações, Jesus os advertiu sobre a fé; os próprios discípulos questionavam quem era Jesus. Nesse dia, Pedro respondeu sem escorregar nas palavras; sempre impetuoso e afoito, não permitiu que alguém avançasse à sua frente.

Deus para mim é todo-poderoso, criador de tudo. Nele há todo poder, soberania e majestade; vida e esperança. Certamente há muito mais palavras com as quais eu possa descrevê-lo. Agora, como você descreveria Jesus? Quais palavras você usaria para expressar quem é o Senhor?

Perceba que o Senhor se revela aos seus filhos conforme nós o buscamos. Talvez a forma pela qual você o vê seja diferente da minha. Acredite, é natural termos olhares diferentes; no entanto; uma coisa que não pode mudar é quanto ao Senhor ser o nosso Pai.

A sua caminhada na terra só tem razão quando o seu olhar se volta primeiramente para Deus e para quem você é com base nessa certeza. Antes de conhecê-lo, a minha vida era uma; depois que eu o recebi como Salvador, o meu olhar mudou, a minha esperança renasceu e a minha fé se tornou ativa.

Deus sabe exatamente o que está no seu coração neste momento. Não tente esconder. Contudo, ele só agirá se você permitir. Ele sabe como será o seu amanhã. Ele sabe em que as nossas escolhas resultarão. Quem planta sementes, esperando uma grande colheita, não pode prever com exatidão se isso de fato sucederá. Mas Deus é a exatidão dos cumprimentos de suas promessas na nossa vida.

Descobrir a verdadeira identidade o faz agir com base em quem você é, não nas suas circunstâncias.

@juniorrostirola

DEVOCIONAL
46/365

LEITURA BÍBLICA
GÊNESIS 6

PALAVRA-CHAVE
#ESPERANÇA

ANOTAÇÕES

É CRISTO QUEM O FORTALECE

16
FEV

#CAFECOMDEUSPAI

Tudo posso naquele que me fortalece.
FILIPENSES 4.13

Você já deve ter ouvido falar que pessoas negativas atraem situações ruins. Pessoas negativas se tornam ímã para atrair coisas ruins. Não se trata aqui de superstição ou de se falar de energias em um viés místico. Nada disso. Além de palavras terem o poder de trazer materialidade a tudo que proferimos, elas também funcionam como uma espécie de bússola, indicando a direção na qual estamos seguindo. Dessa forma, assim como as palavras negativas conduzem a um destino incerto, que normalmente é muito frustrante, as palavras de fé e esperança conduzem a um caminho repleto de vitórias e conquistas no Senhor.

A questão central do nosso tema de hoje é que pessoas comuns tendem a ser pessimistas ao passo que pessoas de fé têm uma visão otimista. Quem é você? Você é uma pessoa comum e conformada, ou é alguém de fé e otimista? Pessoas de vida conformada tendem a enxergar o tamanho do problema isoladamente.

A exemplo de Josué e Calebe em contraposição aos demais espias da terra prometida, homens de fé e coragem abandonam o modo pessimista e fatalista de viver. Eles entendem que viver com justificativas e reclamações não faz de ninguém um vitorioso; no máximo, gera uma pessoa medíocre e frustrada.

Com isso, não adianta culpar os outros ou terceirizar as responsabilidades que são nossas e entrar em desespero. É preciso confiar no Senhor, pois somente nele seremos fortes, imbatíveis e vitoriosos. Não se conforme com a sua situação atual, mas atue como um homem e uma mulher de Deus que, independentemente de onde estiverem, serão instrumentos nas mãos do Senhor, cumprindo assim seu chamado, com a certeza de que Cristo está conosco, fortalecendo-nos e conduzindo-nos.

Em Deus, vivemos o hoje como se não houvesse amanhã.
@juniorrostirola

DEVOCIONAL
47/365

LEITURA BÍBLICA
GÊNESIS 7

PALAVRA-CHAVE
#IMBATÍVEIS

ANOTAÇÕES

SONHE OS SONHOS DE DEUS

"Fui crucificado com Cristo. Assim, já não sou eu quem vive, mas Cristo vive em mim. A vida que agora vivo no corpo, vivo-a pela fé no Filho de Deus, que me amou e se entregou por mim."

GÁLATAS 2.20

17
FEV

#CAFECOMDEUSPAI

Quem ama a Deus tem que ser grato e agradecer constantemente, porque nós recebemos muito mais do que merecíamos. Só podemos ser livres e salvos graças a Jesus Cristo, e isso é um presente de Deus! O grato abre mão da própria vida por reconhecer que Jesus tem uma vida melhor para ele.

Só consegue reconhecer o amor de Deus quem decide ser grato. Só quem reconhece o sacrifício que Jesus viveu na cruz tem o coração grato e, com boas palavras, ama, sonha e planeja, pois a vida de Jesus está dentro dele.

Veja o que deu certo e agradeça a Deus. Veja o que não deu certo e tente entender se foi uma nova perspectiva que Deus lhe trouxe, um livramento ou uma falha sua. Deus nunca erra, mas transforma qualquer circunstância ruim quando a deixamos nas mãos dele.

É tempo de sonhar sonhos novos. Quem não sonha já morreu!

Um plano bem elaborado, feito com bons conselhos, tem mais chances de funcionar. Devemos sempre consagrar os nossos planos a Deus e tentar fazer sua vontade.

Faça uma autoavaliação para não cometer os mesmos erros vezes sem fim, para ver onde falhou; saiba, porém, que você precisa continuar perseverando para celebrar o que conquistou e para sonhar sonhos novos! É tempo de rever a sua vida, de pedir perdão; é tempo de uma nova chance e de sonhar os sonhos de Deus!

Recomeçar após uma situação adversa exigirá ativação de uma visão além da escassez.

@juniorrostirola

365 **DEVOCIONAL**
48/365

LEITURA BÍBLICA
SALMOS 20

PALAVRA-CHAVE
#AGRADECER

ANOTAÇÕES

VIVA PELA FÉ

18
FEV

#CAFECOMDEUSPAI

Sem fé é impossível agradar a Deus, pois quem dele se aproxima precisa crer que ele existe e que recompensa aqueles que o buscam.
HEBREUS 11.6

Não imponha limites nos seus sonhos. Coloque fé.
@juniorrostirola

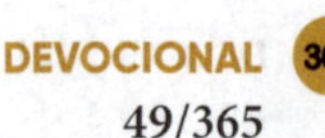
DEVOCIONAL
49/365

LEITURA BÍBLICA
SALMOS 21

PALAVRA-CHAVE
#SONHOS

ANOTAÇÕES

Muitas vezes, fazemos planos para a nossa vida e sonhamos com um futuro em que tudo ocorrerá conforme planejamos. Mas, na grande maioria das vezes, não ocorre como planejamos, e somos tomados pelo desânimo e pela sensação de que nada dá certo para nós. Por que será que isso acontece? Estamos fazendo algo de errado? Precisamos refletir se temos compartilhado sonhos e projetos com Deus e buscado alinhá-los com a vontade dele.

Quem limita os grandes feitos de Deus na nossa vida somos nós mesmos. Noé, quando estava no projeto de construção da arca, precisou diariamente alimentar sua fé, fazendo com o devido comprometimento o que Deus lhe disse para fazer. Além disso, Noé devia fazer tudo com excelência, pois, veja bem, se ele tivesse construído a arca sem seguir o que Deus lhe dissera, como ficaria quando a inundação chegasse?

Como Deus pode confiar a você novos projetos e novas conquistas, se aquilo pelo qual você foi responsável até hoje não foi realizado com a fé e com a excelência necessárias?

Quando a nossa motivação está errada, com vontades egoístas e em desalinho com os planos de Deus, não recebemos e, com esse diagnóstico, constatamos o motivo de muitas coisas não acontecerem como queríamos em nossa vida. Pense comigo: se Deus concedesse exatamente tudo o que você quer, tudo o que você sonha, sem nenhum tipo de limitação, como seria a sua vida? Você amaria a Deus como o ama?

Tenha fé e busque viver sob os planos do Senhor, pois, crendo de todo o coração em seu poder e soberania, você viverá os sonhos do Pai e tudo cooperará para que você viva o céu na terra.

FÉ, ESPERANÇA E AMOR

Assim, permanecem agora estes três: a fé, a esperança e o amor. O maior deles, porém, é o amor.

1CORÍNTIOS 13.13

19
FEV

#CAFECOMDEUSPAI

Onde você deposita a sua fé? Já parou para pensar que até a própria ciência reconhece que precisamos ter fé?

Dessa forma, compreendemos que, ao nos criar, o Senhor colocou em nosso DNA uma sede insaciável de buscá-lo. Mas, para que a nossa sede pelo Pai Criador possa ser saciada, existe um tripé no qual essencialmente precisamos estar alicerçados, formado por fé, esperança e amor.

Você já parou para pensar que a sua fé pode estar erroneamente pautada na religião, em que o foco acaba sendo você mesmo, sua piedade, seu esforço, suas preferências e ações, em vez de no evangelho, que é sobre Deus, seu amor por nós, sua graça, seu plano redentor, seu sacrifício e perdão?

É necessário fazer uma escolha: ou você deposita sua fé em Jesus ou na religião, pois as duas realidades são distintas, uma vez que Jesus sempre esteve na contramão dos religiosos segundo nos relatam os evangelhos.

Costumo dizer nas conferências em que ministro que a vida não é sobre nós, mas sobre Deus e as pessoas. Se estamos levando uma vida focados em nós mesmos, fatalmente não estamos vivendo o real propósito do Senhor na nossa vida, que é amar a Deus sobre todas as coisas e ao nosso próximo como a nós mesmos.

O amor, a esperança e a fé são fundamentos para que possamos estar alicerçados nele a cada dia da nossa vida.

As circunstâncias não sustentam a sua fé. Foque em Jesus para que a sua fé seja fortalecida.

@juniorrostirola

365 **DEVOCIONAL**
50/365

LEITURA BÍBLICA
SALMOS 22

PALAVRA-CHAVE
#ALICERCE

ANOTAÇÕES

SEJA GRATO

20
FEV

#CAFECOMDEUSPAI

Alegrem-se sempre. Orem continuamente. Deem graças em todas as circunstâncias, pois esta é a vontade de Deus para vocês em Cristo Jesus.

1TESSALONICENSES 5.16-18

É muito comum, ao conversarmos com as pessoas, ouvirmos como elas foram tratadas com ingratidão pelos outros, traindo sua confiança e retribuindo de forma desleal a sua ajuda. Mas você sabia que a ingratidão é um dos sentimentos mais antigos da humanidade e tem origem na desobediência e rebeldia a Deus?

A ingratidão é a atitude de rebeldia contra a glória de Deus. Não seja ingrato e não roube a glória daquilo que o Senhor já realizou em você. O ingrato, além de obviamente desconhecer o futuro, não reconhece as bênçãos do Senhor no passado. Seja grato, para que o nome do Senhor seja glorificado na sua vida mediante o seu testemunho de superação e conquista.

Ninguém está de mãos vazias, pois Deus sempre lhe dá um motivo para agradecer. Basta olhar ao seu redor por um minuto para você observar muitos motivos pelos quais ser grato. Agradeça pelo dia de hoje, por tudo o que ele lhe deu e por ele ter estado ao seu lado até aqui, protegendo-o e sustentando-o com suas mãos.

Esteja atento aos sinais de Deus. Reflita: quais são os indícios de que o milagre do Senhor já está perto de você e que se tornará uma realidade?

Olhe à sua volta e veja quanto o Senhor já fez por você. Quem é grato sempre vê o milagre por completo. Seja grato não só nos bons momentos, mas também nos dias difíceis, pois é nesses dias que de fato sua fidelidade e gratidão serão reconhecidos pelo Senhor que, com seu amor e misericórdia, o recompensará.

A generosidade sempre acompanha a vida dos prósperos. A avareza acompanha a vida dos miseráveis!

@juniorrostirola

DEVOCIONAL 365
51/365

LEITURA BÍBLICA
GÊNESIS 8

PALAVRA-CHAVE
#GRATIDÃO

ANOTAÇÕES

POR QUE VOCÊ ESTÁ AQUI?

Quando contemplo os teus céus, obra dos teus dedos, a lua e as estrelas que ali firmaste, pergunto: Que é o homem, para que com ele te importes? E o filho do homem, para que com ele te preocupes?

SALMOS 8.3,4

21
FEV

#CAFECOMDEUSPAI

Davi demonstra sua admiração por toda a grandiosidade e maravilha do universo. Nós não costumamos olhar o mundo da mesma forma que Davi, porque todos os dias estamos correndo atrás das nossas realizações pessoais. Aliás, quem passa a vida correndo não tem tempo para apreciar o trajeto, porque foca apenas a linha de chegada.

Contudo, o propósito da sua vida é muito maior do que alcançar realizações pessoais, buscar felicidade, paz de espírito, construir família ou carreira. Talvez até hoje você não tenha vivido o propósito para o qual nasceu.

É possível que você esteja muito feliz com a sua família, a sua carreira, as suas finanças, mas você não pode parar por aí, porque não nasceu para ser bem-sucedido apenas em algumas áreas da vida. Deus o criou para viver uma vida plena.

Existe um propósito maior na sua vida; seu propósito é algo eterno. Saber disso é fundamental para viver uma vida intencional. A vida não é medida pelo número de vezes que respiramos, mas, sim, pelo número de vezes em que nos falta o fôlego, o que nos capacita a concluir que a vida é curta e que não somos nada sem a presença daquele que pode todas as coisas.

Entenda que você não nasceu por acaso, apenas para crescer, estudar, trabalhar, constituir família, se aposentar e morrer. A vida é mais do que isso. Descubra o real propósito da sua existência.

É no processo que você é transformado.

@juniorrostirola

DEVOCIONAL
52/365

LEITURA BÍBLICA
GÊNESIS 9

PALAVRA-CHAVE
#ADMIRAÇÃO

ANOTAÇÕES

TENHA ESPERANÇA

22
FEV

#CAFECOMDEUSPAI

A mão do Senhor estava sobre mim, e por seu Espírito ele me levou a um vale cheio de ossos. Ele me levou de um lado para outro, e pude ver que era enorme o número de ossos no vale e que os ossos estavam muito secos.

EZEQUIEL 37.1,2

Honestamente, você já parou para refletir acerca do que está morto em você? Qual é o vazio que você está vivendo?

Talvez você deseje experimentar uma mudança de vida. Em seu coração, pode até mesmo desejar uma vida nova em Deus, mas não deu o primeiro passo, que é quebrar o seu silêncio, falar com ele e clamar pelo seu poder.

Quando jovem, eu trabalhava como entregador de peças para uma empresa na cidade. Num dia como outro qualquer, sofri um grave acidente e fraturei o pé. Inicialmente, o médico quis amputá-lo, mas a minha mãe se responsabilizou pela alta médica, e fomos para casa. Procuramos outro profissional, que disse: "Vamos medicar por três dias; após esse tempo, vamos reavaliar". Passados os três dias, voltamos ao médico, que afirmou: "Há vida no seu pé".

Mesmo que nem todos aqueles que estão ao seu redor acreditem, não é o determinismo humano que indicará o que é verdade na sua vida. Existe uma palavra vinda do céu para você.

Assim são as palavras de Jesus para você neste dia: "Há vida em você. Há vida nos seus sonhos". Creia no cuidado do Senhor para com a sua vida e tenha uma vida abundante.

Do mesmo modo que o meu pé foi restaurado, o seu milagre também pode chegar. Lembre-se de que, no vale, tudo estava seco e sem vida, mas em você habita o Senhor. Portanto, há vida, e, se há vida, há esperança.

Deus permite determinadas situações para que você saiba que ele está no controle.

@juniorrostirola

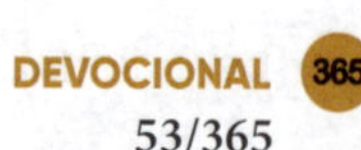
DEVOCIONAL
53/365

LEITURA BÍBLICA
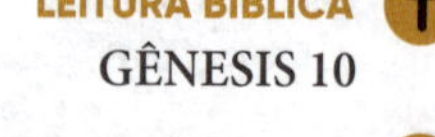
GÊNESIS 10

PALAVRA-CHAVE

#INEXPLICÁVEL

ANOTAÇÕES

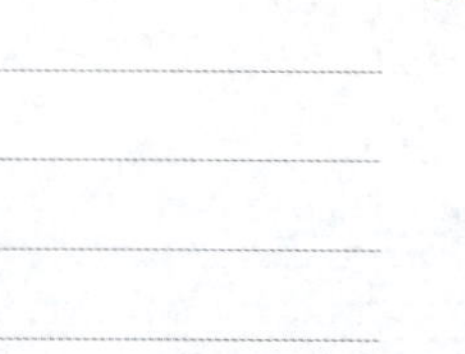

MAIS QUE UM PEDIDO, UMA DECISÃO!

[...] Estava sendo levado para a porta do templo chamada Formosa um aleijado de nascença, que ali era colocado todos os dias para pedir esmolas aos que entravam no templo. Vendo que Pedro e João iam entrar no pátio do templo, pediu-lhes esmola.

ATOS 3.1-3

23 FEV

#CAFECOMDEUSPAI

Na cultura judaica, fazer doação de dinheiro aos mendigos era uma atitude louvável no período bíblico. Então, à porta formosa e imponente do templo de Jerusalém ficavam muitos mendigos, pessoas necessitadas. Entre aqueles mendigos, havia um que a Bíblia destaca. Aquele homem passou um grande período de sua vida pedindo que lhe dessem esmolas, uma vez que nascera com uma deficiência física que o impedia de exercer alguma profissão.

Ele já estava acostumado com sua rotina. Todos os dias, alguém o ajudava a chegar à porta do templo para fazer seus pedidos de ajuda financeira aos que ali entravam ou dali saíam. Não havia, da perspectiva humana, uma saída digna para a sua condição penosa.

Pedro e João olharam bem para ele, e então Pedro disse: "Olhe para nós!". A maneira como aquele homem olhou para eles fez toda a diferença, pois em seu olhar havia esperança e fé. Há os que olham para Cristo, mas, de momento em momento, vacilam, olhando também para os problemas.

Às vezes, não recebemos o que queremos ou o que pedimos, mas Deus sempre estará disposto a nos surpreender e oferecer o melhor dele. Dinheiro não era o melhor para aquele homem, pois seria uma solução pouco satisfatória e temporária, mas o milagre, sim, mudaria sua vida para sempre. Você tem uma escolha hoje: ficar à mercê, feito um pedinte, ou se levantar e andar firme nas palavras que Jesus diz a seu respeito.

Viva com Jesus e desenvolva intimidade com o Pai.

@juniorrostirola

DEVOCIONAL
54/365

LEITURA BÍBLICA
GÊNESIS 11

PALAVRA-CHAVE
#DECISÃO

ANOTAÇÕES

JESUS ESTÁ LONGE DE VOCÊ?

24 FEV

#CAFECOMDEUSPAI

Terminada a festa, voltando seus pais para casa, o menino Jesus ficou em Jerusalém, sem que eles percebessem. Pensando que ele estava entre os companheiros de viagem, caminharam o dia todo. Então começaram a procurá-lo entre seus parentes e conhecidos. Não o encontrando, voltaram a Jerusalém para procurá-lo.

LUCAS 2.43-45

José e Maria seguem viagem presumindo que Jesus estava na caravana. Só após um dia de viagem deram por sua falta. Isso mostra que ambos eram pessoas abençoadas, mas humanos e falhos, a ponto de esquecerem o filho em Jerusalém. Da mesma forma, é muito fácil perder Jesus na nossa caminhada.

Reflita: você tem certeza de que Jesus está com você, em seus caminhos, em suas escolhas e em suas atitudes? Ele tem caminhado com você, ou você o perdeu na caminhada? É comum, assim como aconteceu com Maria e José, nos enganarmos, achando que Jesus está conosco, quando não está.

A oração deve ser sempre a nossa primeira resposta, não o último recurso.

@juniorrostirola

Quando João Pedro, o meu primogênito, nasceu, eu sempre me preocupava com os detalhes, da respiração aos cuidados pessoais, mas ele foi crescendo e se tornou mais independente, não necessitando dos meus cuidados excessivos.

DEVOCIONAL 365
55/365

LEITURA BÍBLICA
SALMOS 23

PALAVRA-CHAVE
#DEPENDÊNCIA

ANOTAÇÕES

Em 2022, ele foi estudar numa escola ministerial, em outro estado, e como foi difícil estar distante dele. Eu o enviei, o comissionei para essa jornada. Foi escolha dele e plano de Deus em sua vida. Agora, uma coisa eu aprendi: mesmo distante, mantivemos contato, como se estivéssemos próximos.

É necessário, portanto, manter-nos cuidadosos para não nos afastarmos de Jesus e abandoná-lo ao longo da vida. Tudo começa aos poucos: um dia, duas semanas, um mês. Até que você se dá conta de que o ano terminou e você não viu a mão de Deus ao seu redor. Creio que você, assim como eu, ama ao Senhor, mas qual tem sido a distância dessa convivência com ele?

VOCÊ É ABENÇOADO!

Bendiga o SENHOR a minha alma! Bendiga o SENHOR todo o meu ser! Bendiga o SENHOR a minha alma! Não esqueça nenhuma de suas bênçãos!

SALMOS 103.1,2

25
FEV

#CAFECOMDEUSPAI

O salmo 103 é para nós como um lembrete de todas as coisas que Deus nos prometeu: ele perdoa todos os nossos pecados incondicionalmente, cura todas as nossas doenças, redime a nossa vida da cova, coroa-nos de amor e compaixão, para que, como a águia, sejamos fortes, superando e subindo às alturas.

Com muita frequência, somos arrastados pelas fortes ondas das incertezas e do caos das provações. Então, pensamos: “Bem, talvez eu consiga superar isso ileso”. Isso não é o que Deus promete a seus filhos. Ele jamais prometeu que não teríamos momentos difíceis. Mas ele promete que estará com você, que o guardará em todo tempo, e que nada nem ninguém é impermeável à palavra dele, que é soberana. Ele veio para lhe dar vida plena.

Quando os problemas surgem, você desmorona no caos ou permanece firme na sua Rocha e Fortaleza?

Em virtude de ter tido uma vida muito fragmentada, quando alguém fazia qualquer comentário a meu respeito, verdadeiro ou não, mesmo que essa pessoa fosse extremamente distante de mim, eu desmoronava. Levei muitos anos em Cristo, recebendo seus cuidados, para ser curado de palavras e atitudes contra mim. Então, entendi que, se eu não vivo com os elogios, tampouco viverei com as críticas.

Assim, aconselho você neste dia. Estas palavras são justamente para lhe trazerem coragem e impulsioná-lo para que você viva o melhor de Deus em sua história.

Deus não mostra o mapa inteiro. Ele mostra um vislumbre do destino.

@juniorrostirola

365 **DEVOCIONAL**
56/365

LEITURA BÍBLICA
SALMOS 24

PALAVRA-CHAVE
#VISÃO

ANOTAÇÕES

SEJA CURADO

26 FEV

#CAFECOMDEUSPAI

Estando Jesus numa das cidades, passou um homem coberto de lepra. Quando viu Jesus, prostrou-se com o rosto em terra e rogou-lhe: "Se quiseres, podes purificar-me". Jesus estendeu a mão e tocou nele, dizendo: "Quero. Seja purificado!" E imediatamente a lepra o deixou.

LUCAS 5.12,13

Nos períodos antigos, a lepra era um símbolo do pecado que se manifestava fisicamente na pessoa, tornando-a inacessível e indesejável pela sociedade, sendo até mesmo expulsa para viver confinada em algum lugar fora dos muros da cidade, em uma condição degradante e isolada. Essa pessoa deveria ficar excluída e se tornava símbolo de castigo. Além disso, havia a própria discriminação sofrida e, ainda, o sentimento de "inferioridade".

Aqui vemos um leproso quase morto fisicamente e destruído emocionalmente. Aquele homem não tinha já nenhuma perspectiva de vida, nenhuma esperança de dias melhores. Mas, quando Jesus entra na cidade, o leproso vê a solução que mudaria seu rumo.

Você notou com que liberdade ele chegou até Jesus? Ele praticamente disse: "Olha Jesus, o seu poder é capaz de me purificar". E qual foi a resposta de Jesus? "Quero. Seja purificado!".

Ele não encontrou em Jesus somente a solução para o problema externo, mas também para um problema que estava em seu coração e em sua alma. Quando você tem a vida restaurada por Jesus, você não tem somente a solução dos seus problemas externos, mas a cura para a sua orfandade.

Há uma vida vibrante que deixa de estar presa a macas e fica livre para sonhar com um amanhã muito melhor. Você também tem liberdade de pedir o que necessita a ele. Portanto, peça!

Há algo maior para você revelado no poder da cura: o relacionamento com o Pai.

@juniorrostirola

DEVOCIONAL 365
57/365

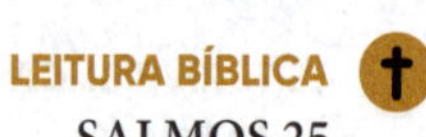

LEITURA BÍBLICA
SALMOS 25

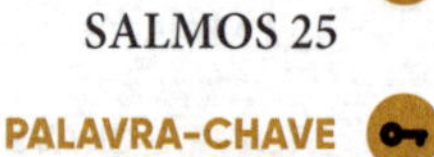

PALAVRA-CHAVE
#CURA

ANOTAÇÕES

TRANSFORMAÇÃO TEM A VER COM VOCÊ

E Jacó ficou sozinho. Então veio um homem que se pôs a lutar com ele até o amanhecer. [...]. Então o homem disse: "Deixe-me ir, pois o dia já desponta". Mas Jacó lhe respondeu: "Não te deixarei ir, a não ser que me abençoes".

GÊNESIS 32.24-26

27 FEV

#CAFECOMDEUSPAI

Muitas pessoas não têm consciência, mas suas decisões podem conduzir sua vida em direção a cura, libertação e restauração ou a uma total estagnação, vivendo presas ao vitimismo, incapazes de alcançar a cura.

Deus está disposto a nos ajudar apontando-nos caminhos, mas são os nossos pés que nos conduzirão até lá. Deus faz a parte dele, mas nós temos de fazer a nossa.

Por isso, faça a escolha mais certeira, e você viverá uma transformação verdadeira. Seja seletivo em seus relacionamentos, pois não podemos escolher como se portam as pessoas ao nosso redor, mas escolher como reagir ao comportamento delas. Essa decisão vai fazer que você seja bem resolvido. Viver assim é curador, libertador e restaurador.

Você não pode guardar nenhuma mágoa, revolta ou pendências, porque as pessoas com quem você convive também passam por lutas; elas também vivem, vários dilemas, crises e conflitos. Ignorar esse fato só fará de você uma pessoa mais doente por dentro e paralisada no passado.

Se você observa que ainda hoje há áreas na sua vida que precisam ser transformadas, entregue tudo aos cuidados e controle de Cristo, pois só ele pode nos levar na direção correta.

Lembre-se: você não nasceu para viver preso; em Cristo você é livre!

Sua atitude durante o processo será fundamental para gerar em você a transformação que o levará a viver sua nova jornada.

@juniorrostirola

DEVOCIONAL
58/365

LEITURA BÍBLICA
GÊNESIS 12

PALAVRA-CHAVE
#TRANSFORMAÇÃO

ANOTAÇÕES

VENÇA A INCREDULIDADE

28
FEV

#CAFECOMDEUSPAI

"Muitas vezes esse espírito o tem lançado no fogo e na água para matá-lo. Mas, se podes fazer alguma coisa, tem compaixão de nós e ajuda-nos." "Se podes?", disse Jesus. "Tudo é possível àquele que crê." Imediatamente o pai do menino exclamou: "Creio, ajuda-me a vencer a minha incredulidade!"

MARCOS 9.22-24

O Reino de Deus nos dá autoridade de príncipes dos céus e destrona o príncipe deste mundo.

@juniorrostirola

Uma vez, o Senhor Jesus levou Pedro, Tiago e João para o alto de um monte, e ali eles testemunham um acontecimento extraordinário: a transfiguração do Filho de Deus. Quando desceram do monte, depararam com um pai clamando por ajuda. Os discípulos que ali estavam não puderam ajudá-lo. Então, o homem disse a Jesus: "Mas, se podes fazer alguma coisa, tem compaixão de nós e ajuda-nos".

Veja bem, aquele homem sabia do poder de Deus, sabia que Jesus poderia ajudá-lo, mas duvidou em seu coração. A incredulidade pelas tentativas malsucedidas foi tamanha que sua certeza de obter sucesso já não era tão grande.

Isso também acontece com boa parte das pessoas nos dias atuais. Sabemos que Deus é plenamente capaz de realizar o impossível, mas, ainda assim, tememos o pior.

Talvez o nosso maior desafio hoje seja que o Senhor nos ajude com a nossa incredulidade, pois, quantas vezes ouvimos uma promessa quanto ao poder de Deus, mas os dias vão passando e aquela certeza vai desmoronando como um castelo de areia que fazemos na praia numa manhã de verão.

O que fazer, então, para que a incredulidade não nos impeça de viver os planos de Deus? O melhor conselho que eu posso lhe dar é: alimente a sua fé, leia e medite nas verdades contidas na Palavra de Deus; ore como se tudo dependesse de Deus e se esforce como se tudo dependesse de você.

DEVOCIONAL 59/365

LEITURA BÍBLICA GÊNESIS 13

PALAVRA-CHAVE #AUTORIDADE

ANOTAÇÕES

NÃO EXISTE
CRESCIMENTO
PARA QUEM
ESTÁ NA ZONA
DE CONFORTO.

@juniorrostirola

#CAFECOMDEUSPAI

DEPOIMENTOS

Milhares de pessoas estão conosco nesta jornada, desfrutando diariamente de um **CAFÉ COM DEUS PAI**

Veja os depoimentos de algumas delas...

CAROLINE

"Eu estava no raso e não me via como filha ainda. Para mim, era algo longe e abstrato, até que conheci o devocional e decidi comprá-lo. Ele foi um instrumento que Deus usou para me chamar pelo nome. Comecei a examinar a Palavra de Deus e, através de cada direcionamento, eu tive meu encontro com Cristo."

RAFAEL

"Eu e a minha esposa temos lido diariamente e é impressionante como o devocional sempre vai ao encontro ao que nós estamos vivendo. Realmente tomamos um Café com Deus Pai *todos os dias."*

LUANA

"Este livro me auxilia muito. O devocional mais completo que encontrei até hoje! Sou apaixonada pela Palavra de Deus, e ele me ajuda de forma prática."

RAFAELA

"Sou órfã de pai; nem a minha mãe sabe quem é o meu pai. Fui criada pelo meu padrasto até meus 11 anos, e acreditava que ele era o meu pai, até eu ser abusada fisicamente por ele. A prostituição foi a formação que eu e as minhas irmãs herdamos da minha mãe; por alguns anos fui e voltei desse caminho.

Sou casada há 12 anos com o pai do meu caçula e vivemos muito bem. Mas ainda me sinto perdida, sem saber das minhas origens direito, e sem descobrir de fato a minha identidade. Volta e meia sou atormentada por lembranças ruins do passado. Porém, ganhei o devocional e tenho o compromisso de ler todos os dias no grupo da família, porque lá tem muita gente que não sabe ler. Está dando muito certo, todos os dias temos algo a comentar sobre a Palavra de Deus, e, juntos, aprendemos mais sobre ele."

AMANDA

"Perdi a minha filha na gestação, já com tudo preparado para recebê-la. Eu senti muita mágoa de Deus na época e, mesmo tendo nascido em berço cristão, me afastei do Pai. Comecei a tratar mal as pessoas que eu tanto amava e que só queriam me ajudar.

Passei o ano inteiro afundada em uma tristeza profunda. Em janeiro de 2022, eu comprei o devocional Café com Deus Pai, *e comecei a meditar nas palavras todos os dias. Mesmo em meio aos problemas, Deus tem me dado paz e sabedoria através de cada página do livro. É nítido para todo mundo o quanto melhorei graças a este devocional, pois ele tem me motivado todos os dias a ter um relacionamento melhor com o Pai e com todas as pessoas que me cercam."*

INGRID

"Posto o devocional todos os dias para a edificação de vidas, assim como tem sido edificante para a minha. Tem pessoas que não são cristãs e me param para perguntar o que eu estou lendo. Pessoas que precisavam de respostas, pediram para ler e caíram no choro, porque Deus respondeu coisas que elas estavam precisando naquele dia."

CAROLINA

"Desde o início do ano, eu venho compartilhando o devocional no meu Instagram. Faço diariamente, sem falhas, e é incrível como as pessoas estão sendo tocadas por Deus, por meio deste livro. Toda vez eu coloco " 'printa e ora' " para que, na correria do dia a dia, as pessoas possam " 'printar' " e depois ler e orar com calma, sem aquele agito, e é assim que tem sido. Eu sou apaixonada por este livro."

PRISCILA

"No final de abril, fui parar no pronto-socorro e fui para a cirurgia de abdômen com urgência, descobriram algumas complicações e também tive uma infecção hospitalar no meu coração. Foram 21 dias de UTI. Mas, antes de eu ir para o hospital, a minha prima me presenteou com o devocional. Foram muitas noites sendo incomodada pelo Espírito Santo na UTI, fui tocada pelos versículos propostos e por tudo o que eu lia."

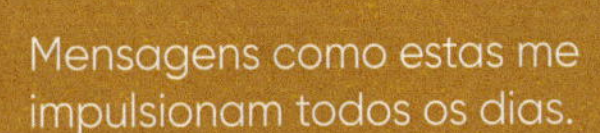

Mensagens como estas me impulsionam todos os dias.

Agradeço por compartilharem suas experiências.

Eu fico muito feliz ao ler cada uma delas!

café
com
Deus
pai

COM CRISTO
A BORDO DA
NOSSA VIDA,
NÃO HAVERÁ
TEMPESTADE
QUE NOS ABALE.

@juniorrostirola

MARÇO

#CAFECOMDEUSPAI

café
com
Deus
pai

ANUNCIE O REINO

Perguntou Nicodemos: "Como pode ser isso?. Disse Jesus: "Você é mestre em Israel e não entende essas coisas? Asseguro que nós falamos do que conhecemos e testemunhamos do que vimos, mas mesmo assim vocês não aceitam o nosso testemunho".

JOÃO 3.9,11

01
MAR

#CAFECOMDEUSPAI

Nicodemos era um mestre da lei judaica, mas ainda assim não conseguia compreender o básico e, ao mesmo tempo, o mais profundo. Mas seu encontro com Jesus foi transformador!

Cada pessoa que o Senhor puser diante de você nunca deve sair da mesma forma que chegou, pois será nutrida pelo amor de Deus por seu intermédio. Jesus é real e profundo e, assim como foi com Nicodemos, ele está disponível e disposto a lhe revelar o sentido da sua vida. Cabe a você buscá-lo e fazer a ele as perguntas certas.

As boas-novas do Reino de Deus só chegaram até nós porque Jesus dedicou tempo a seus discípulos. Estes, por sua vez, dedicaram tempo em propagar o Reino, e assim, ao longo da história, essas boas-novas chegaram a nós.

Meu filho tem demonstrado interesse em ser pastor, assim como eu. Dizer que eu nunca sonhei com isso seria omitir a verdade. Mas nunca o forcei; pelo contrário, sempre o deixei livre, mas sempre o aconselhei a cumprir seu chamado.

Pergunto: você tem cumprido o seu chamado aqui na terra? Todas as pessoas têm um chamado a cumprir.

Entenda que não estamos aqui apenas para ocupar espaço e usufruir dos recursos; precisamos deixar um legado para as próximas gerações, e isso só será possível se cumprirmos os propósitos por meio dos quais Deus nos chamou. Comprometa-se com o Reino, viva o propósito e desfrute do seu chamado.

Comprometa-se com o Reino, viva o propósito e desfrute do seu chamado.

@juniorrostirola

365 **DEVOCIONAL**
60/365

LEITURA BÍBLICA
GÊNESIS 14

PALAVRA-CHAVE
#ANUNCIAR

ANOTAÇÕES

VIVA OS PLANOS DE DEUS

02
MAR

#CAFECOMDEUSPAI

Então o Senhor *disse a Noé: "Entre na arca, você e toda a sua família, porque você é o único justo que encontrei nesta geração".*
GÊNESIS 7.1

Reconhecer a grandeza de Deus é admitir que sem ele não somos nada.
@juniorrostirola

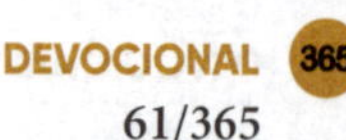
DEVOCIONAL
61/365

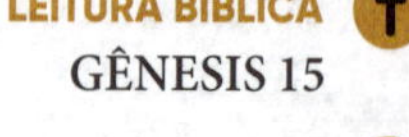
LEITURA BÍBLICA
GÊNESIS 15

PALAVRA-CHAVE
#PROJETOS

ANOTAÇÕES

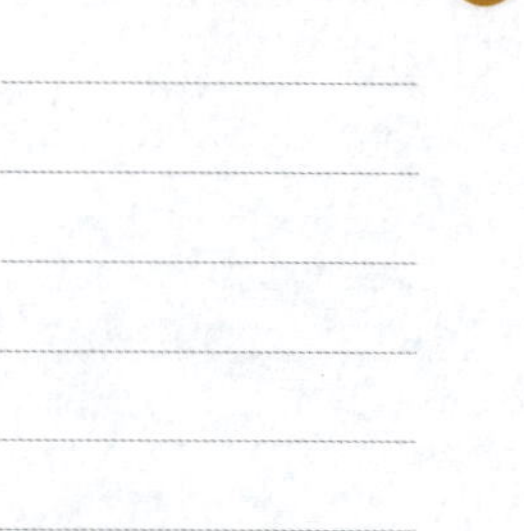

A obediência de Noé é impactante. Enquanto Noé construía a arca, os seus concidadãos aproveitavam para ridicularizá-lo, e desdenhar dele ou desencorajá-lo de seguir sua missão. Mas todos nós sabemos até onde a perseverança e a obediência de Noé levaram sua família.

Noé foi um homem que priorizou os planos e projetos de Deus. Ele foi sensível em ouvir Deus. Quando você tem a sensibilidade de ouvir Deus, as coisas se tornam mais fáceis. O grande problema é que muitas vezes somos como o filho pródigo, que decide viver a vida irresponsavelmente. Muitas vezes, decidimos fazer a nossa escolha e viver longe da presença do Pai. É preciso entender que você não existe por acaso, mas porque Deus o ama e tem um propósito para a sua vida. Para que os planos dele se tornem realidade, cabe a você obedecer ao chamado.

Assim como eu, você pode até ter ouvido dos seus pais que você nasceu por um acidente, um último tiro. Tenha certeza de que em Deus você é escolhido, amado, filho, vitorioso e herdeiro. Então, se em algum momento da sua vida lhe faltou esperança, creia, como Noé, no Deus que faz o impossível acontecer.

Qual verdade hoje parece impossível de se tornar realidade na sua vida? O primeiro passo é reconhecer a grandeza de Deus e admitir que nada somos sem ele. Uma coisa, porém, é certa: assim como Deus trouxe chuva sobre a terra, ele também fez o sol raiar novamente após a tempestade. A esperança ressurge a cada passo de fé que você dá e quando caminha em obediência e perseverança rumo a um novo dia. Creia.

TENHA OUSADIA

Jesus lhe disse: "Eu irei curá-lo". Respondeu o centurião: "Senhor, não mereço receber-te debaixo do meu teto. Mas dize apenas uma palavra, e o meu servo será curado".

MATEUS 8.7,8

03
MAR

#CAFECOMDEUSPAI

O centurião romano tinha uma grande responsabilidade, como seu nome já indica. Ele comandava uma centúria, cem soldados. Portanto, não era uma pessoa comum. Mesmo ocupando um tão prestigiado cargo, esse homem vai até Jesus e pede ajuda, não para si, mas para um servo. Ele clama a Jesus pela cura do servo e, em um ato de humildade, reconhece não ser digno de receber Jesus em sua casa.

Mais do que demonstrar humildade ao não se reconhecer digno de receber Jesus em sua casa, o centurião demonstra ter uma fé ousada, capaz de extrair de Jesus uma frase que certamente trouxe constrangimento aos que estavam presentes: "Digo a vocês a verdade: Não encontrei em Israel ninguém com tamanha fé" (v. 10).

Além disso, o centurião muito provavelmente levou os que presenciaram esse evento a ter sua própria fé desafiada.

Na minha caminhada como cristão, nem sempre fui assim ousado em minhas atitudes de fé, mas, à medida que eu dava passos de fé rumo ao desconhecido, impossível e invisível de Deus, passei a experimentar uma nova realidade.

Essa realidade também pode fazer parte da sua vida. Eu não sei quais são os impossíveis que você precisa superar, mas de uma coisa tenho certeza: o mesmo Jesus que curou o servo do centurião tem feito o impossível na minha vida e pode fazer o impossível também na sua.

Não precisamos de uma grande fé, mas apenas de fé comum no grande Deus que tem o melhor para quem se entrega, sem reservas, a ele.

@juniorrostirola

365 **DEVOCIONAL**
62/365

LEITURA BÍBLICA
SALMOS 26

PALAVRA-CHAVE
#AUDÁCIA

ANOTAÇÕES

O SENHOR O PROTEGE

04
MAR

#CAFECOMDEUSPAI

Os israelitas partiam; no lugar em que a nuvem descia, ali acampavam.
NÚMEROS 9.17b

A obediência a Deus Pai e a ação em fazermos a sua vontade resultam em grandes recompensas.
@juniorrostirola

DEVOCIONAL 365
63/365

LEITURA BÍBLICA
SALMOS 27

PALAVRA-CHAVE
#PROTEÇÃO

ANOTAÇÕES

Quantas vezes diante da adversidade desistimos. Não perseveramos, crendo que não é possível dar conta da situação. Mas, quando você tem convicção de andar na presença de Deus, mesmo no mais árido deserto, você desfruta da proteção dele. Por pior que seja o caminho, debaixo da nuvem de Deus, há proteção. Ele jamais irá abandoná-lo. Por mais traumáticas e desagradáveis que sejam as experiências, você não passará por elas sozinho. Deus estará com você o tempo inteiro e lhe permitirá chegar ao seu destino debaixo de sua nuvem de proteção.

Assim como o povo de Deus em sua jornada no deserto não foi desamparado pelo Senhor, que enviou sua nuvem para proteger do sol durante o dia e a coluna de fogo à noite para aquecer das baixas temperaturas do deserto, assim acontece com quem está sob a guarida de Deus: mesmo que esteja passando pelo deserto, enfrentando crises, sem vislumbrar o fim no horizonte, o Senhor protege e dá provisão.

Quando temos uma mente órfã, sempre achamos que Deus não está conosco. Desejamos que o Senhor venha até nós, quando deveríamos ir até ele. A nuvem passou a acompanhar o povo desde a saída do Egito. Assim o povo tinha a certeza da proteção de Deus sobre ele.

Compreenda que a nuvem do Senhor paira sobre você e irá prover tudo o que é necessário para que você possa cruzar o deserto com segurança, e por fim, desfrutar das promessas que o Senhor lhe fez. Tudo o que você necessita hoje é caminhar sob essa nuvem e provar da presença e da provisão que ele lhe oferece e ser direcionado ao cumprimento da promessa que recebeu dele.

JESUS, A FONTE DA VIDA

Disse-lhe Jesus: "Eu sou a ressurreição e a vida. Aquele que crê em mim, ainda que morra, viverá".

JOÃO 11.25

05
MAR

#CAFECOMDEUSPAI

Com certeza, você já deve ter ouvido a frase: "Para tudo existe uma solução, exceto para a morte". Mas essa frase está totalmente equivocada, pois Jesus declara que o poder da morte está abaixo dele. Então, existe sim uma solução para a morte, em Jesus. Com isso, ao nos atermos à autoridade de Jesus, devemos compreender que, assim como nem mesmo a morte o segurou, pois ele é a ressurreição e a vida, ele também tem poder sobre áreas da nossa vida que para nós estão mortas, sonhos e projetos que estão sepultados.

Só em Jesus você realmente encontra vida abundante, liberdade e vitória. Quem tem Jesus tem tudo, ou melhor, nada lhe falta. Por isso, reflita: o que morreu em você? Talvez existam áreas na sua vida que estão mortas, problemas com os quais você se conformou, e acredita que não existe mais solução, aceitando, assim, viver uma vida sem alegria, de escuridão, como em uma tumba fria. Mas Jesus quer devolver-lhe a vida. Ele quer realmente operar grandes milagres e fazer infinitamente mais do que você pode pedir ou pensar. Para isso, ele precisa que você remova a pedra a fim de que ele opere a ressurreição, pois, assim como antes de multiplicar os peixes ele pediu que os discípulos lançassem as redes e, antes de transformar o vinho, pediu que as talhas fossem cheias para operar os milagres, também pede para você dar o primeiro passo.

Faça neste dia o que lhe cabe, pois certamente Deus irá realizar o milagre. Quando fazemos o possível, Deus realiza o impossível para nos abençoar. Ele jamais fará a nossa parte; o posicionamento, a fé e a atitude para vivermos o milagre dependem de nós.

Jesus é a fonte abundante de vida e a certeza da nossa vitória.

@juniorrostirola

365 **DEVOCIONAL**
64/365

LEITURA BÍBLICA
SALMOS 28

PALAVRA-CHAVE
#RESSURREIÇÃO

ANOTAÇÕES

REALIDADE TRANSFORMADA

06
MAR

#CAFECOMDEUSPAI

E eles me responderam: "Aqueles que sobreviveram ao cativeiro e estão lá na província, passam por grande sofrimento e humilhação. O muro de Jerusalém foi derrubado, e suas portas foram destruídas pelo fogo".

NEEMIAS 1.3

Toda a realidade só será transformada quando você fizer perguntas. Neemias fez a pergunta certa a seu irmão Hanani. É possível que ele já soubesse o que ocorria em Jerusalém, mas desejava saber mais, por isso perguntou a alguém que de fato vivia lá. Uma das maiores lições que aprendemos com essa passagem é que devemos realmente procurar saber a real situação das tempestades que estamos enfrentando. É necessário esse diagnóstico e até mesmo aprofundar ainda mais a busca pelo cerne do problema, não se atendo à conjuntura atual, mas investigando a causa do problema. Muitas vezes, temos medo de saber a real situação, pois, ao sermos confrontados com a verdade, podemos descobrir coisas que não nos agradam.

Todo processo de transformação da realidade inicia-se com perguntas. Então, procure saber o que está acontecendo, na sua vida espiritual, na sua vida emocional, na sua vida financeira. Descubra onde você está errando. Seja ousado para fazer as perguntas certas, mesmo sabendo que as respostas serão amargas e que poderão confrontá-lo de uma forma até mesmo dolorosa. Mas seja corajoso. Como Neemias reconstruiu os muros da cidade de Jerusalém e devolveu a esperança, faça que a razão do seu problema seja o combustível para você lutar e superá-lo; revista-se de fé e coragem.

Saber a raiz do seu problema é fundamental no processo de restauração, pois você agirá de forma assertiva e coerente. Por mais dolorido que seja analisar a realidade para tratar as feridas, precisamos diagnosticar o problema e, a partir de então, iniciar o processo de cura e reconstrução. Peça a Deus que lhe conceda sabedoria para discernir e transformar a sua realidade hoje.

Cada passo na direção de Deus é um passo a menos na direção do mundo.

@juniorrostirola

DEVOCIONAL 365
65/365

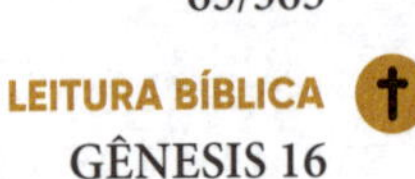

LEITURA BÍBLICA
GÊNESIS 16

PALAVRA-CHAVE
#TRANSFORMAÇÃO

ANOTAÇÕES

EXERÇA O SEU DOM

Cada um exerça o dom que recebeu para servir os outros, administrando fielmente a graça de Deus em suas múltiplas formas.

1PEDRO 4.10

07
MAR

#CAFECOMDEUSPAI

Todos precisam de propósito. Vivemos em busca da resposta de qual o propósito da nossa vida. Talvez você esteja lendo este devocional em busca disso. E certamente encontrará a resposta, pois você foi criado para doar-se por meio do seu potencial, usando as habilidades com que o Senhor lhe presenteou para abençoar vidas. Isso é ministério, serviço vocacionado em favor do próximo.

Quando Jesus se dispôs a lavar os pés dos discípulos, Pedro tentou impedi-lo de lavar os seus, mas Jesus lhe respondeu que naquele momento ele não compreenderia, mas que no futuro entenderia o significado. Jesus ensinou, ao lavar os pés de seus discípulos, que cada um de nós, independentemente de cargo ou função, deve igualar-se aos demais e manter-se humilde, servindo ao menor dos nossos semelhantes como se fosse superior a nós.

Cada um de nós tem habilidades que o outro não tem. Você sabe coisas e tem capacidades que eu não tenho, assim como eu tenho capacidades e sei coisas que você não sabe. Com a união de dons, podemos contribuir uns com os outros para cumprir a proposta do Reino dos céus na terra como uma realidade a ser vivida hoje. Na igreja que pastoreio, aprendi algo que procuro ensinar: não existe pessoa errada; o que existe é a pessoa certa no lugar errado.

Há áreas em que não tenho habilidades para servir; nossos líderes são excelentes em seu chamado ministerial. Ninguém constrói nada grande sozinho; se você faz algo sozinho, é porque não é tão grande assim. Você pode estar parado, ter abandonado seu chamado e renunciado ao talento que o Senhor lhe deu, mas ele o chama hoje para exercê-lo. Aceita o chamado de servir?

Fazer algo extraordinário não depende de uma só pessoa.

@juniorrostirola

365 **DEVOCIONAL**
66/365

LEITURA BÍBLICA
GÊNESIS 17

PALAVRA-CHAVE
#VOCACIONADO

ANOTAÇÕES

ESCOLHA SERVIR

08
MAR

#CAFECOMDEUSPAI

Respondeu Maria: "Sou serva do Senhor; que aconteça comigo conforme a tua palavra". Então o anjo a deixou.

LUCAS 1.38

Mulheres, parabéns pelo seu dia!

Vocês foram criadas para viver o extraordinário. Jesus sempre valorizou a dedicação, o empenho, a fé e a esperança que as mulheres demonstram. Deus as abençoe grandemente! Com amor,

@juniorrostirola

Ao longo de toda a Bíblia, somos impactados com as histórias de fé e coragem de várias mulheres que se destacaram e deixaram um legado às gerações, desde as mais humildes, como Rute, que, em meio à dor de perder seu marido, foi fiel à sua sogra, que também passava pelo luto, até as mais nobres, como Ester, que, sendo coroada rainha, foi um grande exemplo de fidelidade ao Senhor. Também temos Débora, que, em meio a uma sociedade comumente liderada por homens, exerceu influência como juíza ao defender o povo hebreu contra os cananeus.

Contudo, existiu uma mulher que demonstrou coragem e uma fidelidade a Deus tão grande que se tornou fundamental para a história da humanidade ao aceitar a missão de ser a mãe do nosso Salvador.

Maria foi um exemplo de humildade que deve nos inspirar, pois, mesmo sendo a mãe de Cristo, em nenhuma passagem das Escrituras a vemos fazer disso algo para beneficiar-se ou vangloriar-se; pelo contrário, esteve ao lado dele até a morte de cruz.

Trazer à memória a vida de Maria hoje, no Dia Internacional da Mulher, é fundamental para nos ensinar que, para fazer diferença, não é necessário ocupar altos cargos no governo ou liderar uma tropa em uma guerra. Todas as mulheres são fundamentais para o mundo, principalmente aquelas que estão longe dos holofotes, muitas vezes renunciando sonhos e projetos pessoais em favor do sagrado ministério da maternidade!

Se você quer aprender a servir como Jesus, precisa aprender a servir com gratidão e com um coração generoso.

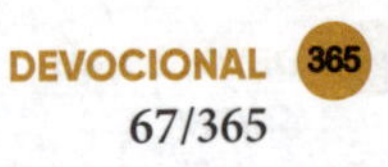

DEVOCIONAL
67/365

LEITURA BÍBLICA
GÊNESIS 18

PALAVRA-CHAVE
#DEDICAÇÃO

ANOTAÇÕES

CLAME AO MESTRE

Ao entrar num povoado, dez leprosos dirigiram-se a ele. Ficaram a certa distância e gritaram em alta voz: "Jesus, Mestre, tem piedade de nós!"
LUCAS 17.12,13

09
MAR

#CAFECOMDEUSPAI

Antigamente, a lepra era terrível. Causava exclusão, isolamento, dor, vergonha, rejeição, orfandade e medo. Uma pessoa leprosa nem ao menos poderia morar com a família, era excluída da cidade, confinada e tinha uma vida de escassez e sem perspectiva.

Quando aqueles homens gritaram para Jesus ter misericórdia deles, reconheceram quem era Jesus e creram que ele poderia mudar a realidade deles. Isso de fato aconteceu: os dez foram curados. No entanto, após serem incumbidos de ir ao sacerdote para que este testemunhasse o milagre, apenas um retornou para agradecer.

Isso nos ensina que nem sempre as nossas boas ações serão reconhecidas, a gratidão nem sempre será expressa, mas não devemos deixar de acolher o próximo. Ser gentil tem mais a ver com o caráter do que com a escolha religiosa.

Atualmente, a lepra é uma doença totalmente tratável, mas, quando leio essa passagem, percebo que há pessoas com alma leprosa, que não perdoam, não amam, têm mágoa e rancor, pessoas que não conseguem viver.

Se hoje o seu coração está incomodado, se você enfrenta ondas contrárias, com dificuldade de ser grato, perdoar e expressar amor, sugiro algo muito bom de ser feito e que certamente mexerá com a sua estrutura: feche os olhos e simplesmente fale ao Senhor como está o seu coração. Talvez você tenha agido com raiva e ficado magoado com alguém. Essa dor não pode permanecer no seu coração, essa ferida precisa cicatrizar; troque-a neste exato momento pelas verdades que o Senhor está trazendo ao seu íntimo. Mais do que se sentir filho, você deve aceitar a paternidade de Deus. Este é o momento de você mudar a realidade.

Doe-se sem esperar nada em troca.

@juniorrostirola

365 **DEVOCIONAL**
68/365

LEITURA BÍBLICA
GÊNESIS 19

PALAVRA-CHAVE
#GENEROSIDADE

ANOTAÇÕES

FOQUE NA PROMESSA

10
MAR

#CAFECOMDEUSPAI

Quando chegaram à casa do dirigente da sinagoga, Jesus viu um alvoroço, com gente chorando e se lamentando em alta voz. Então entrou e lhes disse: "Por que todo este alvoroço e lamento? A criança não está morta, mas dorme".

MARCOS 5.38,39

Quando as tempestades se levantam, somos tentados a olhar para o processo, não para a promessa, com o foco nas coisas ruins. Jairo, dirigente da sinagoga, tinha um grande problema: sua filha estava gravemente doente. Desesperado, ele foi até Jesus. Quando chegou até ele, seus amigos lhe informaram que sua filha já havia morrido.

Quem tem filhos ama de uma forma incondicional e sofre por toda gripe ou noite mal dormida do filho. Imagine quão devastador é receber a notícia do falecimento de um filho; é desesperador, uma dor que humanamente não pode ser curada, pois foge completamente do ciclo natural da vida.

Quantas vezes você, após tanto lutar e planejar, estava às vésperas de resolver o seu problema e, na reta final, foi golpeado por uma notícia ruim, vendo tudo que conquistou desfazer-se diante dos seus olhos e a esperança de dias melhores ir embora? Então, você começa a acreditar na mentira de que está tudo perdido, que esse problema não tem solução e que você está destinado a ser infeliz.

Basta! Não sepulte os seus sonhos! Eles não morreram; somente dormem. Então, como crer quando tudo diz que não é possível? Jesus, antes de chegar à casa de Jairo, foi parado no caminho para que a mulher do fluxo de sangue fosse curada. O Senhor nunca chega atrasado; ao contrário, ele sempre chega no tempo certo. Confie os seus planos ao Senhor. A função de Jairo era ir até Jesus, expor o problema e confiar; a de Jesus era fazer o milagre. Portanto, entenda que aquilo que é papel de Jesus ele cumprirá, desde que façamos o que depende de nós. Você está fazendo a sua parte?

Para existir um milagre, é preciso antes existir um diagnóstico contrário.

@juniorrostirola

69/365

SALMOS 29

O SENTIDO DA VIDA

Porque somos criação de Deus realizada em Cristo Jesus para fazermos boas obras, as quais Deus preparou antes para nós as praticarmos.

EFÉSIOS 2.10

11
MAR

#CAFECOMDEUSPAI

O sentido da vida é um tema sempre debatido ao longo dos séculos. Filósofos da Antiguidade e pensadores contemporâneos debatem o assunto e apresentam respostas díspares, sem jamais chegarem a um denominador comum em suas análises e cogitações.

A grande verdade que muitos ignoram é o fato de que o sentido da vida humana é a salvação por meio de Cristo e que somos salvos para cumprir os propósitos de Deus. Ele preparou boas obras para praticarmos e cumprirmos nossa missão de vida. Ou seja, sem os propósitos de Deus, a vida não faz sentido.

Independentemente das conquistas pessoais ou do sucesso financeiro, uma pessoa que não vive o propósito de Deus para sua vida sente o vazio que traz muita dor ao coração. Pense por um instante sobre qual é o sentido da sua vida? Você se sente perdido ou que vive atarefado, mas perdendo tempo?

Alegre-se, pois Jesus veio por você, e Deus tem planos maravilhosos para a sua vida. Ele deseja trazer plenitude de vida ainda na terra. Então, não pare de buscar até que os propósitos de Deus estejam claros na sua jornada, porque o Senhor Deus reservou para cada um de nós coisas grandiosas e insondáveis.

Você foi criado para adorar a Deus, ter comunhão com ele, comunhão com as pessoas, buscar cada dia ser mais parecido com Jesus, servir a Deus e às pessoas de coração e anunciar o evangelho da salvação de Deus a todo o mundo. Então, viva para cumprir os propósitos de Deus. Tenha uma vida com o verdadeiro sentido.

Quando nos entregamos a Deus sem reservas, ele não tem limites para nos abençoar.

@juniorrostirola

DEVOCIONAL
70/365

LEITURA BÍBLICA
SALMOS 30

PALAVRA-CHAVE
#PROPÓSITO

ANOTAÇÕES

ACREDITE!

12
MAR

#CAFECOMDEUSPAI

Todavia, como está escrito: "Olho nenhum viu, ouvido nenhum ouviu, mente nenhuma imaginou o que Deus preparou para aqueles que o amam".

1CORÍNTIOS 2.9

Deus tem os melhores planos para a sua vida. Ele lhe preparou um tempo extraordinário, reservando para você coisas que você nunca viu, ouviu ou imaginou. Ele quer surpreendê-lo, agindo muito além de sua expectativa, pois a nossa mente está limitada e é incapaz de vislumbrar tudo o que o Senhor tem reservado para cada um de nós.

A confiança e a fé no Senhor são a pedra angular para que possamos viver as suas promessas. Se você me perguntasse na minha adolescência se eu imaginava viver tudo o que estou vivendo hoje, a resposta provavelmente seria não. Mas o fato é que eu cri nas promessas que Deus me fez assim que eu tive um encontro com ele, e tudo na minha história começou a mudar.

Deus já havia preparado para mim a vida que, nem mesmo nos meus melhores sonhos, eu jamais poderia imaginar. Sou um órfão de pai vivo que se tornou pai espiritual de uma multidão.

O que Deus tem para você é único e verdadeiro, está reservado só para você. Podemos ter certeza de que, o que Deus promete, de fato ele cumpre. Ele não é homem para que minta, nem filho do homem para que se arrependa. Ele é soberano e tem com certeza grandes planos para a sua vida.

O Senhor preparou para você um tempo vitorioso. Se você deseja de fato alcançar o favor de Deus, é fundamental crer em seu infinito poder e entregar a ele o rumo da sua vida. Exercite a sua fé e creia que o melhor de Deus ainda está por vir.

Em Cristo, as circunstâncias nunca serão maiores do que o seu propósito.

@juniorrostirola

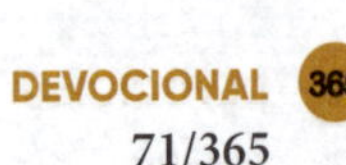

DEVOCIONAL
71/365

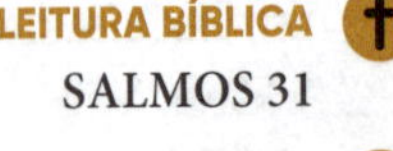

LEITURA BÍBLICA
SALMOS 31

PALAVRA-CHAVE
#FÉ

ANOTAÇÕES

DEUS TEM ALGO ESPECIAL PARA VOCÊ

Mostra-me, Senhor, os teus caminhos, ensina-me as tuas veredas; guia-me com a tua verdade e ensina-me, pois tu és Deus, meu Salvador, e a minha esperança está em ti o tempo todo.

SALMOS 25.4,5

13
MAR

#CAFECOMDEUSPAI

Já se perguntou alguma vez por que você faz o que faz? Essa pergunta parece redundante, mas é fundamental.

Existe um propósito no que você faz? Uma motivação correta? Você luta diariamente, trabalha, estuda, tudo isso por um objetivo. Qual tem sido a sua força motriz? Você deve ser movido por algo; é preciso existir um motivo para você todos os dias se levantar de sua cama e fazer tudo o que faz; caso contrário, você está tendo somente uma sobrevida ou conduzindo a vida para uma direção errada.

Quando jovem, ainda com muitos sonhos, ingressei na faculdade de economia. Eu queria ser um gerente bancário. Contudo, quanto mais eu caminhava rumo a esse sonho, mais distante ele ficava. Como assim? Era o meu sonho, não o projeto de Deus para mim. No sétimo período, do total de oito, tranquei a matrícula, comecei outra faculdade, fui estudar teologia. Motivado e vivendo o início do meu chamado, tudo fez sentido; mesmo no início a jornada se tornou diferente, pois os meus passos estavam direcionados por aquele que me chamou. O texto bíblico de hoje enfatiza que Deus nos mostra seus caminhos e nos ensina suas veredas. É ele quem nos guia com retidão e nos ensina a viver melhor.

Viva plenamente norteado por um propósito que você só descobrirá ao alinhar o seu coração com o nosso Deus Pai, porque somente nele é possível encontrar uma vida com sentido, direção e valor. Com o Senhor você viverá todos os dias com alegria e intensidade!

Faça da oração a prioridade número um da sua vida!

@juniorrostirola

365 **DEVOCIONAL**
72/365

LEITURA BÍBLICA
GÊNESIS 20

PALAVRA-CHAVE
#SOBREVIDA

ANOTAÇÕES

FOI PARA LHE DAR ACESSO

14
MAR

#CAFECOMDEUSPAI

Depois de ter bradado novamente em alta voz, Jesus entregou o espírito. Naquele momento, o véu do santuário rasgou-se em duas partes, de alto a baixo. A terra tremeu, e as rochas se partiram.

MATEUS 27.50,51

Quando Jesus entrega o seu espírito na cruz do Calvário, ocorre um grande terremoto, e o templo em Jerusalém tem o seu véu, que separava o Lugar Santo do Lugar Santíssimo, rasgado de alto a baixo.

A partir da morte de Jesus, o caminho de acesso à presença do Pai foi pavimentado pelo sangue derramado de Jesus. Desse modo, a aliança entre você e Deus foi firmada e garantida.

Existem muitas pessoas que arriscam dizer que todos os caminhos levam a Deus, na tentativa de criar atalhos ou caminhos mais fáceis para chegar a Deus. Essa é uma falácia criada para que nos afastemos do estreito caminho do Senhor e nos percamos na larga via da permissividade, buscando uma crença que se adapte a nós.

A verdade acerca de termos uma relação com o Pai é que Jesus é o Caminho, a Verdade e a Vida.

Mais do que uma religião, Jesus estabeleceu o Reino de Deus, no qual Deus, por meio do seu Filho, vive em comunhão com seus discípulos e traz esperança a todo aquele que busca sua verdadeira identidade; identidade esta que nos tira da orfandade e garante a nossa filiação.

Entendo que talvez seja difícil assimilar que Deus está disponível de uma forma que você nunca imaginou possível. Saiba, porém, que a sua vida é preciosa. O seu coração é um lugar onde o Espírito Santo tem uma vontade imensa de entrar e habitar. Dê acesso a ele.

Deus pode tirar a divisão e trazer a unidade!

@juniorrostirola

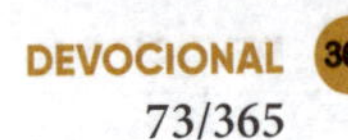

DEVOCIONAL 365
73/365

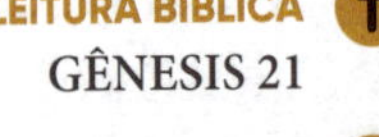

LEITURA BÍBLICA
GÊNESIS 21

PALAVRA-CHAVE
#ACESSO

ANOTAÇÕES

A RELIGIÃO APENAS COMPLICA

Assim, permanecem agora estes três: a fé, a esperança e o amor. O maior deles, porém, é o amor.

1CORÍNTIOS 13.13

15
MAR

#CAFECOMDEUSPAI

Você tem fé? Em quem? Qual é a essência da sua fé? Existe um tripé: fé, esperança e amor; a falta de qualquer um dos três torna incompleta a nossa caminhada aqui na terra.

Você já parou para pensar que pode estar depositando a sua fé em coisas erradas? Às vezes, você faz isso com a melhor das intenções, porque a religião é sobre você, suas boas obras, sua piedade e seu esforço, ao passo que o evangelho é sobre o amor de Deus e a sua graça ao nos entregar Jesus. Então, compreenda que ou você deposita a sua fé em Jesus, ou na religião, porque as duas coisas são distintas, e Jesus sempre estará na contramão dos religiosos.

Jesus chamou os líderes religiosos e mestres de seu tempo na terra de raça de víboras, serpentes, de hipócritas, guias cegos. Muito além de cumprir uma lista de dogmas, Jesus espera que sejamos seus seguidores.

Todas as vezes em que foquei em mim mesmo, buscando enxergar com as lentes da religiosidade, não avancei e me frustrei, pois a religião tende a criar culpados, enquanto o relacionamento com Jesus é transformador. Ele transforma o pecador arrependido em alguém que vive as verdades do Reino. Até entendo que você tenha se frustrado com a igreja, mas saiba que provavelmente aqueles que erraram com você fizeram uso errado daquilo que deveria ser a igreja e o amor que Jesus expressou por ela.

Viva com fé, acreditando que o Senhor é infinitamente poderoso para agir em qualquer área da sua vida. Ame ao próximo, a si mesmo e ao Senhor, pois somente com o amor tudo que o mundo lançar contra você poderá ser superado com serenidade.

O cumprimento da bênção de Deus na sua vida vai abençoar outros também.

@juniorrostirola

DEVOCIONAL
74/365

LEITURA BÍBLICA
GÊNESIS 22

PALAVRA-CHAVE
#AME

ANOTAÇÕES

SÓ HÁ UM CAMINHO: JESUS!

16
MAR

#CAFECOMDEUSPAI

Respondeu Jesus: "Eu sou o caminho, a verdade e a vida. Ninguém vem ao Pai, a não ser por mim".

JOÃO 14.6

Prosperidade é não ter falta de nada. Não ter falta de alegria nem de paz. Para viver o extraordinário de Deus na sua vida, você precisa estar conectado com a verdadeira fonte: Cristo Jesus. Isso revela que tudo que o Senhor reservou para você já está acessível. Mas, do outro lado, o Inimigo tenta nos paralisar e nos desviar do caminho que leva a Cristo.

Certa vez, no início de minha vida pastoral, quando fui chamado para pastorear uma igreja em São Paulo, no município de Presidente Prudente, fiz algumas viagens até aquela cidade, saindo de Itajaí, e retornando posteriormente. Em todas, fui por caminhos diferentes. Numa delas, viajando com toda a família, pegamos até mesmo uma estrada secundária, e ficamos perdidos em meio a uma plantação de cana-de-açúcar que não tinha fim.

Não pegue atalhos. Neles não há segurança nem a bênção do Senhor. Não existem caminhos mais curtos em nosso processo de seguir a Cristo.

Avalie, neste dia, se a sua vida não está seguindo apenas por caminhos secundários, estradas de terra esburacadas, que aparentemente parecem mais rápidas e atrativas. Mas a grande verdade é que você não tem enxergado saída, tampouco confiança em seguir por esse caminho, sem saber onde ele vai dar. Se a sua vida está assim, faça o retorno, recalcule a rota. O caminho de volta é sempre mais difícil, mas o trajeto precisa ser feito, para que as reparações aconteçam.

Portanto, esteja atento para manter-se na única via que o leva a seu verdadeiro destino, que é Cristo.

Não pegue atalhos.

@juniorrostirola

DEVOCIONAL 75/365

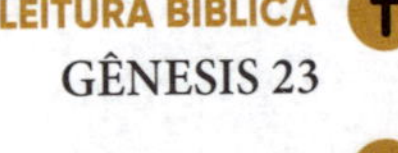

LEITURA BÍBLICA GÊNESIS 23

PALAVRA-CHAVE #ÚNICO

ANOTAÇÕES

ONDE ESTÁ JESUS NA SUA VIDA?

Sendo assim, não corro como quem corre sem alvo e não luto como quem esmurra o ar. Mas esmurro o meu corpo e faço dele meu escravo, para que, depois de ter pregado aos outros, eu mesmo não venha a ser reprovado.

1CORÍNTIOS 9.26,27

17
MAR

#CAFECOMDEUSPAI

O apóstolo Paulo compreendeu o propósito de sua vida, por isso, ao ser transformado por Jesus, passou a correr em direção ao alvo de sua missão, que é viver para Cristo.

Quando você passa seus dias buscando viver para Cristo, entende que todas as áreas da sua vida mudam; até mesmo a sua maneira de ver e pensar. Quando você está em Cristo, realmente vive de forma diferente, sendo um filho, pai, cônjuge e profissional diferente, pois, como cristão, entende que a sua vida na terra tem um propósito maior do que você mesmo.

É claro que a nossa família, o nosso trabalho, nossos *hobbies* e nossos sonhos ocupam lugar importante. Não deixamos de viver quando compreendemos nosso propósito. Na verdade, nós nos tornamos melhores em todas essas áreas, mas cuidando para que nenhuma delas usurpe o lugar de Cristo.

Minha esposa, Michelle, por um período, estava mais preocupada com o nosso filho, que acabara de nascer, do que com o ministério para o qual Deus a chamou. Hoje ela reconhece que, durante aquele tempo, colocou o filho até mesmo no lugar de Deus. É mais ou menos assim: se você tivesse a oportunidade de colocar Jesus sentado numa cadeira à sua frente, ou qualquer pessoa, você tiraria Jesus desse lugar e colocaria o seu cônjuge, o seu filho ou alguém a quem ame muito?

Assim, muitos de nós podemos viver sem entender o devido lugar que Jesus deve ocupar na nossa vida. Passados alguns meses, Michelle entendeu que nada pode ocupar o lugar de Jesus. Pergunto a você: tem alguém no lugar que deveria estar ocupado por Jesus?

Escolha ter pensamentos que honrem a Deus, concentrando-se na bondade dele.

@juniorrostirola

365 **DEVOCIONAL**
76/365

LEITURA BÍBLICA
SALMOS 32

PALAVRA-CHAVE
#PRIORIDADE

ANOTAÇÕES

MANTENHA-SE COM CRISTO

18
MAR

#CAFECOMDEUSPAI

Se afirmarmos que temos comunhão com ele, mas andamos nas trevas, mentimos e não praticamos a verdade. Se, porém, andarmos na luz, como ele está na luz, temos comunhão uns com os outros, e o sangue de Jesus, seu Filho, nos purifica de todo pecado.

1JOÃO 1.6,7

Não há nada que aconteceu com você que Deus não possa resolver, se você decidir deixar nas mãos dele.

@juniorrostirola

77/365

SALMOS 33

#PURIFICADO

Muitas vezes, não levamos a sério o que é seríssimo. Tudo que o Senhor não quer é que você perca a maior de todas as promessas, que é a da vida eterna. Se você a perder em sua caminhada, estará perdido. Perder-se de Jesus na caminhada é conhecer sua Palavra e não obedecer a ela, levando uma vida alicerçada em modismos, religiosidade e corrupção.

Muitas vezes, criticamos os políticos que roubam, mas nós também erramos. Talvez você ache que Jesus está apoiando as suas decisões, mas ele não está se as suas ações estiverem pautadas em mentiras e pecados. Por isso, você tem se sentido solitário, pois Jesus não aprova o caminho que você está trilhando.

Como cristãos, lavados e remidos pelo sangue do Cordeiro, precisamos ser justos e corretos, agir com honestidade. Jamais desvie o seu olhar de Jesus. Jamais fraqueje ou esmoreça diante das tentações e provações, pois, muito mais do que nós, Jesus foi tentado e, muito mais do que nós, ele passou por momentos difíceis.

Em que situação você se encontra? O que mais me impressiona no Reino de Deus é que sempre temos a possibilidade de nos aproximarmos e realinharmos a nossa jornada. O objetivo de Jesus é simples: ele deseja que andemos na luz e tenhamos comunhão com o corpo de Cristo, pois isso significará que temos comunhão com ele. Portanto, tente localizar em que lugar você está nesta jornada e faça os ajustes necessários se for preciso.

PERSEVERE NO SEU CRESCIMENTO

Portanto, também nós, uma vez que estamos rodeados por tão grande nuvem de testemunhas, livremo-nos de tudo o que nos atrapalha e do pecado que nos envolve e corramos com perseverança a corrida que nos é proposta.

HEBREUS 12.1

19 MAR

#CAFECOMDEUSPAI

Assim como um atleta em uma corrida de longa distância, você deve ser paciente para crescer como cristão.

Você não terminará essa corrida em uma semana, um mês ou até um ano, mas levará toda a vida. O plano de Deus para torná-lo a pessoa que ele quer que você seja exige um compromisso vitalício. Você não pode causar um curto-circuito nesse crescimento.

O crescimento espiritual não tem limite; aliás, quanto mais crescemos em Deus, menores nos tornamos em relação a nós mesmos. Em Deus, esse crescimento é estável e seguro.

Comece com etapas simples em direção ao crescimento. Se der um ou dois passos toda semana, estará muito mais adiantado no caminho do crescimento no final do ano do que estaria em outra situação. Em outras palavras, você é responsável pelo seu crescimento, mas não está só.

Quando depositamos nossa fé em Jesus Cristo, acreditando que ele morreu na cruz por nossos pecados, e que Deus o ressuscitou dentre os mortos, nascemos de novo, e o Espírito Santo passa a habitar em nós.

Tornar-se cristão, portanto, é entrar em um relacionamento com Deus por meio de Cristo. Isso envolve uma vida sobrenatural, pois a Bíblia diz que, se alguém está em Cristo, é uma nova criação. Essa nova vida dentro de nós, então, tem que crescer. Temos que crescer na fé, na esperança e na dedicação ao Reino. Qual é a sua escolha hoje?

Quando você recebe Jesus pela fé, deixa de estar só; agora você habita na presença de Deus.

@juniorrostirola

365 **DEVOCIONAL**
78/365

LEITURA BÍBLICA
SALMOS 34

PALAVRA-CHAVE
#HABITAÇÃO

ANOTAÇÕES

COMO ESTÁ SENDO ESTA ESTAÇÃO?

20
MAR

#CAFECOMDEUSPAI

Pregue a palavra, esteja preparado a tempo e fora de tempo, repreenda, corrija, exorte com toda a paciência e doutrina.

2TIMÓTEO 4.2

Em geral, uma estação pode ser compreendida como uma época específica do ano, como inverno, primavera, verão e outono. Mas também pode fazer referência a um tempo caracterizado por uma circunstância específica, um ciclo da vida, como em uma "estação do despertar".

Alguns podem usar essa palavra para descrever um momento adequado ou natural, como quando a "estação" deles chegar, ou pode significar um período indefinido, por exemplo, uma pessoa designada para uma "temporada". Não importa como você queira ver ou definir esses períodos, todos precisamos lembrar as palavras de Paulo a Timóteo: "Esteja pronto na estação e fora da estação".

Deus nunca vai empurrar ou forçar. Ele dirige.

@juniorrostirola

Antes dos dias de Noé, todos continuavam como de costume, divertindo-se de forma irresponsável e inconsequente, sem darem ouvidos ao Senhor. Durante todo o dia em que Noé e sua família embarcaram na arca, o povo não se importava com as coisas que aconteceriam. Embora Noé tenha pregado a justiça a uma geração indolente, nenhum deles deu ouvidos, por isso não escaparam do dilúvio, exceto oito pessoas. O dilúvio atingiu e varreu tudo o que não estava de acordo com a vontade do Pai.

DEVOCIONAL 365
79/365

LEITURA BÍBLICA
GÊNESIS 24

PALAVRA-CHAVE
#ESTAÇÃO

ANOTAÇÕES

Quando estamos acabando um ciclo e começando outro, é importante atentarmos para o que foi feito e o que se pode melhorar. Ontem chegamos ao fim de uma estação. Hoje se inicia um novo ciclo, o outono. Por melhor que tenha sido o seu verão, você quer repeti-lo, ou ter um novo melhor, uma estação completamente nova?

AS COLHEITAS VIRÃO

"Eu as abençoarei e abençoarei os lugares em torno da minha colina. Na estação própria farei descer chuva; haverá chuvas de bênçãos. [...]. Elas saberão que eu sou o Senhor, quando eu quebrar as cangas de seu jugo e as livrar das mãos daqueles que as escravizaram."

EZEQUIEL 34.26,27

21 MAR

#CAFECOMDEUSPAI

Todos nós estamos em constante semeadura em nossa vida. Como consequência disso, estamos constantemente colhendo os frutos do nosso plantio. No texto lido, o Senhor afirma que na estação própria fará descer chuva, e haverá chuva de bênçãos. Essa é uma palavra que traz muita esperança, pois o texto conclui: "Elas saberão que eu sou o Senhor".

Acabamos de entrar numa nova estação. O outono traz consigo algumas particularidades. Com o outono, vêm as chuvas que marcam o período de colheitas. Isso significa que podemos olhar os campos e contemplar frutos maduros.

Mesmo que estejamos apenas no terceiro mês do ano, certamente já podemos iniciar algumas colheitas em nossa caminhada. Nesta estação existirá para você solução de conflitos e preparação para as estações seguintes.

Ainda que você avalie sua realidade e pense que não há nada para colher, quero dizer que já passei por muitos outonos que foram assim, sem ter o que colher, parecendo ser o fim, mas o que fez a minha situação mudar foram as minhas atitudes. Apesar de eu olhar ao redor e não contemplar os frutos desejados, agi ativamente. Atitudes são como sementes, e cada semente é uma promessa, deixando de ser promessa para ser uma realidade quando lançada na terra.

Com a palavra de hoje, somos desafiados a estar no lugar certo para que o Senhor nos abençoe, pois as colheitas são promissoras!

Quando existe gratidão, sempre haverá multiplicação!

@juniorrostirola

DEVOCIONAL
80/365

LEITURA BÍBLICA
GÊNESIS 25

PALAVRA-CHAVE
#TEMPO

ANOTAÇÕES

AO FINAL, VAMOS ORAR

22
MAR

#CAFECOMDEUSPAI

Depois de dizer isso, Jesus olhou para o céu e orou: "Pai, chegou a hora. Glorifica o teu Filho, para que o teu Filho te glorifique".

JOÃO 17.1

No momento mais difícil do ministério terreno de Jesus, sabendo o que viria a seguir — quando a hora chega, a dor aperta e a jornada está terminando — todos se afastam. Jesus sente que o fim se aproxima e ora, abrindo o coração. Ele se entrega e se derrama diante do Pai.

Jesus orava porque era importante estar conectado ao Pai. Todos os dias, devemos orar, não só para demonstrar gratidão pelas graças obtidas, mas também para chamar a presença dele nas horas mais escuras.

Quando Paulo discipulou Timóteo, ele falou que a oração deve ser de intercessão, súplica e ação de graças, mostrando a Timóteo que, ao conversar com o Pai, é necessário primeiramente reconhecer nossa condição limitada pelo pecado.

Todo bom relacionamento, para ser verdadeiro e duradouro, é nutrido por uma boa conversa. E a oração nada mais é que uma conversa genuína e sincera com o nosso Deus Pai, mostrando-lhe quanto somos dependentes de sua graça e misericórdia.

Oração é dependência e intimidade. Jesus orava ao Pai também para ensinar por meio de seu exemplo a importância de estarmos intimamente conectados ao Pai.

Devemos orar sem cessar, pois, quando oramos, algo dentro de nós é transformado. Isso significa ter nossa mente voltada a Deus o tempo todo. Podemos não ver os resultados, mas, sempre que entramos no lugar secreto, Deus está se movendo em nosso favor. Acredite!

Para viver um dia extraordinário, ore. Oração é a chave para seu crescimento.

@juniorrostirola

DEVOCIONAL
81/365

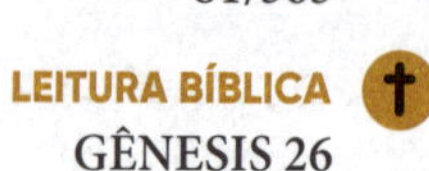

LEITURA BÍBLICA
GÊNESIS 26

PALAVRA-CHAVE
#ORAÇÃO

ANOTAÇÕES

CONECTADOS COM O PAI

Ó Deus, tu és o meu Deus, eu te busco intensamente; a minha alma tem sede de ti! Todo o meu ser anseia por ti, numa terra seca, exausta e sem água.

SALMOS 63.1

23
MAR

#CAFECOMDEUSPAI

Depois que Davi foi ungido rei pelo profeta Samuel e matou o gigante Golias, os ciúmes do rei Saul eram constantes contra ele.

Por diversas vezes, Davi teve que fugir do rei para preservar a própria vida. Ele teve até mesmo que se esconder em território filisteu. Em uma das fugas das investidas agressivas de Saul, Davi escreveu o salmo 63. Nesse salmo, ele expressa intimidade com o Pai diante do processo de sofrimento até o cumprimento do propósito divino em dias futuros.

Quando você desenvolve intimidade com Deus, passa a ouvir a voz dele. Quando é íntimo do Pai, você conhece sua Palavra, cresce na graça e no propósito do Senhor, compreendendo que até mesmo as coisas desagradáveis não são mero acaso, mas fazem parte de um processo para conduzir você ao seu destino.

Como Pai amoroso, Deus o ama e quer ser seu parceiro para capacitá-lo a discernir a vontade dele, a expressar os seus dons espirituais, a fazer coisas muito maiores e a trazer a bênção e a transformação ao mundo ao seu redor.

A sua vida muda quando você vive sob a vontade do nosso Senhor. Tudo muda de tal forma que até mesmo o seu semblante é transformado, não havendo mais pesar nem lamento melancólico diante das contrariedades do dia a dia. O Pai convida você para viver uma jornada de intimidade e intensidade tão profundas que você se tornará um verdadeiro portador da presença e do poder que vêm dele a todos aqueles que estão ao seu redor.

Deus o chamou para um propósito, para uma função! Ele tem um destino profético para derramar sobre a sua vida.

@juniorrostirola

DEVOCIONAL
82/365

LEITURA BÍBLICA
GÊNESIS 27

PALAVRA-CHAVE
#RELACIONAMENTO

ANOTAÇÕES

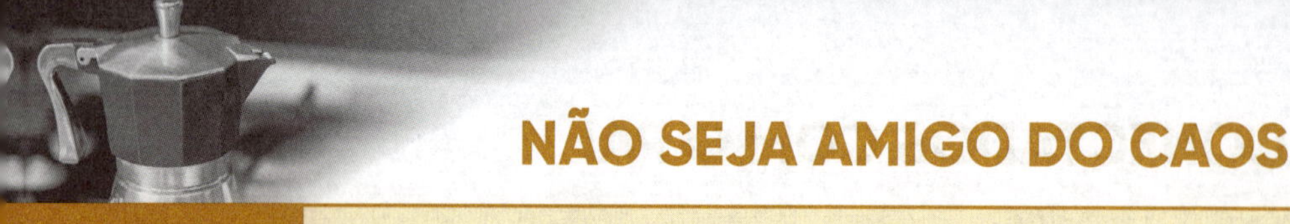

NÃO SEJA AMIGO DO CAOS

24
MAR

#CAFECOMDEUSPAI

O tolo já não será chamado nobre e o homem sem caráter não será tido em alta estima.

ISAÍAS 32.5

Se você não puser a sua fé em prática, certamente as dúvidas inundarão o seu coração.

@juniorrostirola

DEVOCIONAL
83/365

LEITURA BÍBLICA
SALMOS 35

PALAVRA-CHAVE
#CUIDADO

ANOTAÇÕES

A nobreza e a vida real têm a ver com os nossos relacionamentos. Você nunca será um nobre se optar por se deixar influenciar por pessoas com ideais fracassados, por pessoas frustradas, rebeldes; a serviço do mal e do caos; contrárias à Palavra, à fé e à família! O caos não combina com a prosperidade, pois está na contramão do êxito.

Às vezes, podemos sentir que não temos o suficiente. Outras vezes, percebemos que temos mais do que o suficiente. Jesus diz muito sobre quanto Deus nos ama, cuida de nós e provê as nossas necessidades.

Se você deseja ser bem-sucedido na vida, invista em relacionamentos bem-sucedidos. Seja amigo de pessoas reais, honestas e leais. Tenha à sua volta pessoas verdadeiras, originais e reais.

Pessoas nobres, gente que entende os princípios e valores do Reino de Deus, geram príncipes e princesas do Rei. A realeza está mais no coração do que no bolso. O êxito só é alcançado com sucessores, ou seja, com pessoas que sabem passar o bastão da nobreza e da verdade que vem de Deus. Daí a necessidade de sempre cuidarmos para desenvolver bons relacionamentos.

Deus está muito mais disposto a nos ajudar do que somos capazes de imaginar. O amor e a graça de Deus são tão incríveis e consistentes que é difícil de entender. Diante desse imenso amor, ao sair de casa hoje, tenha a certeza de que o Pai está com você. Observe onde está a nobreza, e junte-se a ela. Deus não pode abandoná-lo em nenhuma circunstância, pois seu amor de pai é incapaz de fazer isso.

VOCÊ É IMPORTANTE

Depois disso o Senhor designou outros setenta e dois e os enviou dois a dois, adiante dele, a todas as cidades e lugares para onde ele estava prestes a ir.

LUCAS 10.1

25
MAR

#CAFECOMDEUSPAI

Como filhos de Deus, temos um grande chamado global. Não nascemos tão somente para crescer, casar, ter filhos, trabalhar, nos aposentar e, ao fim disso, morrer, sem ter deixado nenhuma contribuição para o mundo.

Conheci Cristo aos 13 anos de idade. Desse dia em diante, um processo de cura e transformação aconteceu na minha vida. Eu era o caçula de uma família de seis irmãos, na qual meus três primeiros irmãos morreram como consequência da agressividade do meu pai alcoólatra. Essa agressividade se perpetuou com todos em casa, principalmente com a minha mãe.

Criei-me em uma família totalmente desestruturada, tornando-me aquele menino introvertido, esquecido, sempre sozinho no banco da escola. Quanto mais eu permiti que Cristo transformasse a minha vida, mais perguntas eram feitas, em razão de uma inquietação que era gerada dentro de mim, pois o Reino de Deus não se resume a nos reunirmos aos domingos numa celebração, mas, sim, envolve a capacidade de fazermos leituras da realidade e enxergarmos, por meio do Espírito Santo, formas de mudar a realidade ao nosso redor.

Não podemos ser pessoas apegadas a dogmas e adotarmos uma religiosidade legalista e formal. Precisamos, sim, ser uma resposta para o mundo, para as crianças, para os jovens, para a sociedade em geral neste tempo de grandes desafios. Você foi designado por Deus para unir-se a ele. Viva, portanto, esse propósito.

Um dos aspectos da vida cristã é caminhar sem saber o que virá adiante.

@juniorrostirola

DEVOCIONAL
84/365

LEITURA BÍBLICA
SALMOS 36

PALAVRA-CHAVE
#CHAMADO

ANOTAÇÕES

CREIA NO MILAGRE

26 MAR

#CAFECOMDEUSPAI

Ele mesmo levou em seu corpo os nossos pecados sobre o madeiro, a fim de que morrêssemos para os pecados e vivêssemos para a justiça; por suas feridas vocês foram curados.

1PEDRO 2.24

Deus nunca viu um doente que não pudesse curar. Talvez a sua enfermidade não seja física, mas na alma, ou no coração. Eu era um rapaz doente, depressivo, emocionalmente enfermo. Minha baixa autoestima me fazia acreditar que eu não sabia andar. Por achar que as pessoas olhavam e riam do meu jeito de andar, eu me escondia das pessoas. Não praticava nem mesmo o esporte preferido de todo garoto, futebol. Tinha vergonha e não me sentia capaz de aprender. Era pior quando não era escolhido por ninguém; a frustração aumentava.

Hoje, com a minha filiação restaurada no Senhor, sinto-me confiante para andar e correr na frente das pessoas. Acredito que posso todas as coisas naquele que me fortalece.

Não há impossível para Deus.

@juniorrostirola

DEVOCIONAL
85/365

LEITURA BÍBLICA
SALMOS 37

PALAVRA-CHAVE
#CURA

ANOTAÇÕES

Na igreja que pastoreio, a cada celebração, temos um momento específico quando compartilhamos o testemunho de alguém que teve a vida transformada, curada pelo Senhor. São muitos os testemunhos de curas emocionais compartilhados. Um deles marcou muito a minha vida. Foi dado por uma mulher, uma jovem, que por várias vezes disse ter vindo à igreja para tão somente ter a sensação de ser abraçada ao término de cada culto. Ao encerrar a celebração, eu faço um grande abraço com toda a igreja, como se estivesse abraçando todos ao mesmo tempo.

Para muitos, pode parecer apenas um gesto sem valor, mas, para alguém cujas dores estavam tirando sua paz, essa experiência era fundamental. Hoje essa moça vive uma vida totalmente diferente. Por causa do abraço? Não. Por causa do que Jesus fez em sua vida.

Que neste dia você possa se sentir abraçado e acolhido pelo Senhor. A sua vida é preciosa e única. Não viva de qualquer modo, mas viva de forma extraordinária.

A PALAVRA DE DEUS É VIVA

Enraizados e edificados nele, firmados na fé, como foram ensinados, transbordando de gratidão.

COLOSSENSES 2.7

27
MAR

#CAFECOMDEUSPAI

Desde o princípio, o plano de Deus tem sido fazê-lo à semelhança de seu Filho, Jesus. Esse é o propósito para a sua vida. Em toda a criação, somente o homem foi feito "à imagem de Deus". Esse é um grande privilégio, que nos honra sobremaneira. A Bíblia diz que todas as pessoas detêm parte da imagem de Deus. Mas a imagem está incompleta, tendo sido danificada e distorcida pelo pecado. Então, Deus enviou Jesus para restaurar a plena imagem que havíamos perdido.

O supremo objetivo de Deus para sua vida na terra não é o conforto, mas o desenvolvimento de seu caráter. Ele quer que você cresça espiritualmente e se torne semelhante a Cristo. Tornar-se semelhante a Cristo não significa perder a personalidade ou se tornar um clone autômato. Deus criou em você um caráter único; logo, logicamente não quer destruí-lo.

O crescimento espiritual é o processo no qual substituímos as mentiras pelas verdades. Fazemos isso por meio da Palavra de Deus, que é diferente de qualquer outra palavra. A Bíblia é muito mais do que um manual de doutrinas. A Palavra de Deus gera vida, cria fé, produz mudanças, afugenta o Diabo, realiza milagres, cura feridas, edifica o caráter, transforma circunstâncias, transmite alegria, supera adversidades, derrota a tentação, infunde esperança, libera poder, limpa a mente, cria novas coisas e nos garante o futuro eterno!

A Palavra de Deus é o alimento espiritual do qual você tem de se alimentar para cumprir seu propósito. Aproveite a leitura de hoje e tire dela uma lição para a sua vida.

A palavra de Deus nunca volta vazia; ele fará o que disse!

@juniorrostirola

DEVOCIONAL
86/365

LEITURA BÍBLICA
GÊNESIS 28

PALAVRA-CHAVE
#CRESCIMENTO

ANOTAÇÕES

VIDA NOVA

28
MAR

#CAFECOMDEUSPAI

Pois, da mesma forma que em Adão todos morrem, em Cristo todos serão vivificados.
1CORÍNTIOS 15.22

Gênesis nos apresenta como o pecado entrou no mundo pela desobediência do casal Adão e Eva. Esse pecado que os fez perder o acesso ao paraíso e consequentemente a presença do Senhor. Por causa disso, a morte, que não era algo naturalmente programado para nós, passou a ser parte da nossa vida. O ser humano havia sido programado para viver a eternidade celestial. Contudo, escolheu agir contra a vontade do Pai.

O ser humano repetidas vezes desviou-se do seu caminho de retorno ao Pai e pecou contra o seu Criador em atos de rebeldia. Mas, no mesmo momento em que fomos afastados da presença de Deus por causa do pecado original, o Senhor, desde a queda, planejou nos redimir e enviar aquele que pisaria na cabeça da serpente para nos livrar dos efeitos do pecado.

Portanto, a esperança e os planos para a nossa redenção e o resgate das trevas para a luz são o assunto central das Escrituras, e todos os patriarcas, profetas, reis e juízes do Antigo Testamento pavimentaram os caminhos e apontaram para a vinda de Cristo para nos resgatar e nos elevar, de rebeldes destinados à condenação, à condição de filhos salvos e redimidos.

Jesus morreu e ressuscitou por mim e por você. Fez tudo isso para nos reintegrar ao plano de Deus, resgatando-nos do frio e escuro abismo no qual nos encontrávamos para os mais altos montes, onde podemos sentir sua presença e ser iluminados e aquecidos pelo seu amor. Mas, para isso ser uma realidade, você precisa primeiramente se render ao senhorio de Cristo e lhe entregar o controle da sua vida.

A humildade não o faz melhor que ninguém, mas o torna mais parecido com Jesus.

@juniorrostirola

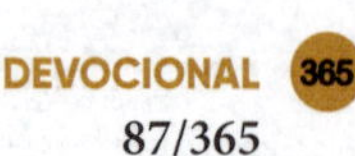

87/365

GÊNESIS 29

#RESGATE

MOLDADOS PARA UMA MISSÃO

"Foram as tuas mãos que me formaram e me fizeram [...]."

JÓ 10.8

29
MAR

#CAFECOMDEUSPAI

Antes de os arquitetos projetarem um novo prédio, eles primeiro perguntam: "Para que propósito? Como será usado?" Deus formou cada criatura neste planeta com uma qualificação especial. Fomos concebidos, ou moldados, com exclusividade para a realização de determinadas tarefas.

A função pretendida sempre determina a forma do prédio. Antes de Deus nos criar, ele tinha em mente uma diversidade de formas e gostos capazes de cumprir vários objetivos na manutenção e no progresso de sua criação. Fez seres humanos diferentes e diversos, com paixões, gostos, formas, moldando-os com suas peculiaridades; assim, todos somos únicos e singulares. Cada um com habilidades próprias para algumas coisas mais do que outras. Cada um formado para cumprir a missão divina de um modo específico.

Não se conforme em apenas alcançar uma boa vida. Em vez disso, almeje a vida melhor e sirva a Deus de tal forma que exprima o que está no seu coração. Reflita sobre o que você gosta de fazer, o que Deus colocou no seu coração, e então faça isso para a glória de Deus.

Você foi formado para servir; então, o seu propósito é demonstrar amor pelas outras pessoas por meio de um ministério. Você foi feito para uma missão; então, o seu propósito é compartilhar a mensagem de Deus por meio da evangelização. Você foi formado para fazer parte da família de Deus; então, o seu propósito é se identificar com a sua igreja por meio da comunhão. Você foi criado para se tornar semelhante a Cristo; então, o seu propósito é amadurecer por meio do discipulado. Você tem cumprido o papel especial para o qual Deus o concebeu?

É melhor estar no mar agitado com Jesus do que numa praia tranquila sem ele.

@juniorrostirola

DEVOCIONAL
88/365

LEITURA BÍBLICA
GÊNESIS 30

PALAVRA-CHAVE
#PROPÓSITO

ANOTAÇÕES

VITORIOSOS PELA CRUZ

30
MAR

#CAFECOMDEUSPAI

"Onde está, ó morte, a sua vitória? Onde está, ó morte, o seu aguilhão?" O aguilhão da morte é o pecado, e a força do pecado é a Lei. Mas graças a Deus, que nos dá a vitória por meio de nosso Senhor Jesus Cristo.

1CORÍNTIOS 15.55-57

O período da Quaresma é uma época muito importante para o cristianismo, porque é o momento em que nos é apontado o ápice da celebração da nossa fé, a Paixão de Cristo.

A entrega voluntária de Jesus na cruz pelos nossos pecados é a síntese de toda a sua mensagem de amor e entrega. Por isso, é um período muito especial. Esse é um tempo de reflexão e de buscar mudança de vida.

Reflita de forma muito séria sobre isso: É sexta-feira, e o Filho de Deus está entregando sua vida na cruz do Calvário. O que ele quis dizer com suas últimas palavras na cruz? O que ele quis transmitir para as pessoas ao pé da cruz?

As palavras de Cristo ecoaram por toda a eternidade como o rugido de um leão e mudaram o mundo. Essa atitude do Senhor fez que toda uma trajetória de pecados e erros fosse removida do nosso ser e lançada no mar do esquecimento. Assim fez o Senhor, para que todos nós pudéssemos ser limpos de nossos pecados pelo sangue de Cristo na cruz que nos renova para uma nova vida.

Neste período da Quaresma, reflita sobre como você tem conduzido a sua vida. Ao pensar sobre isso, considere se você tem buscado uma vida longe do pecado, se você tem realmente valorizado o sacrifício que Jesus fez por você. Se você chegar à conclusão contrária, este é o momento para iniciar uma mudança de direção, saindo da tortuosa estrada do erro em direção ao único caminho, que é Jesus. Essa escolha mudará a sua realidade.

Se você quer que a sua vida tenha impacto, entregue-se a Cristo.

@juniorrostirola

DEVOCIONAL 365
89/365

LEITURA BÍBLICA
GÊNESIS 31

PALAVRA-CHAVE
#REDENÇÃO

ANOTAÇÕES

CUMPRA O SEU CHAMADO

Novamente Jesus disse: "Simão, filho de João, você me ama?" Ele respondeu: "Sim, Senhor, tu sabes que te amo". Disse Jesus: "Pastoreie as minhas ovelhas".

JOÃO 21.16

31
MAR

#CAFECOMDEUSPAI

Esse diálogo entre Jesus e seu discípulo revela que o coração de Cristo estava focado nas pessoas. Ele não entregou a vida por teologia, doutrina ou religião, mas para conectar pessoas ao coração do Pai. Devemos também viver pelo que Cristo morreu. Ele não veio para restaurar ou reformar uma religião, mas para restaurar relacionamentos. O coração de Cristo não está distante, apesar de estar nos céus, pois faz tudo pelo Espírito. Cristo não apenas toca em nós, mas vive dentro de nós. Havia pessoas na época de Cristo que estavam próximas fisicamente, mas distantes existencialmente por causa de um coração fechado e endurecido, a ponto de não enxergarem e não crerem na boa-nova diante de seus olhos.

Que verdade transformadora trago para você hoje: Jesus Cristo está mais próximo de você hoje do que esteve dos pecadores e sofredores com quem conversou e nos quais tocou durante seu ministério terreno! Ele está no nosso meio com um abraço mais afável e apertado que qualquer abraço físico poderia oferecer. Você não se aproxima de Jesus com os pés, mas com a fé. Somos a extensão do coração de Jesus, seu corpo, e assim podemos cuidar uns dos outros como ele cuida de nós.

Você pode senti-lo, tocá-lo e transmiti-lo por meio de decisões e atitudes, de forma intencional, demonstrando o amor dele por meio do seu chamado. Cumpra a missão que Deus Pai confiou a você, diga sim ao seu propósito, restabeleça relacionamentos, conecte pessoas e libere-as para o seu destino profético. O seu posicionamento é fundamental. O Mestre pergunta: "Você me ama?". Se a sua resposta for sim, dê um passo de fé em direção às promessas dele para a sua vida.

Cristo morreu a nossa morte para vivermos a vida dele.

@juniorrostirola

365 **DEVOCIONAL**
90/365

LEITURA BÍBLICA
SALMOS 38

PALAVRA-CHAVE
#RESTAURAÇÃO

ANOTAÇÕES

café com Deus pai

TUDO O QUE
FALTA EM VOCÊ
E PARA VOCÊ,
SOBRA EM JESUS!

@juniorrostirola

ABRIL

#CAFECOMDEUSPAI

café
com
Deus
pai

MENTE VITORIOSA

Não temerá más notícias; seu coração está firme, confiante no SENHOR. O seu coração está seguro e nada temerá. No final, verá a derrota dos seus adversários.

SALMOS 112.7,8

01
ABR

#CAFECOMDEUSPAI

Quando seu coração e sua mente estiverem firmemente estabelecidos em Deus e na sua Palavra, você terá confiança sobrenatural. Independentemente das batalhas que enfrentar, você não terá medo, nada o abalará, porque blindou a mente para a vitória em Cristo.

Essa é a razão por que muitas pessoas não conseguem vencer. Na verdade, as batalhas espirituais não começam fora ou além da nossa visão, mas, sim, em nosso próprio interior. Por isso, devemos estar atentos, pois Satanás tenta todo o tempo distrair a nossa atenção para que não tenhamos consciência do poder da Palavra de Deus. Entenda que somente uma mente vitoriosa é capaz de vencer o medo e as preocupações.

Por isso, se hoje os seus pensamentos o acusam, não os aceite na mente. Lembre-se de que o opositor só tem o poder de atacar o seu coração e mente quando você permite que ele acesse os pensamentos.

Deus lhe deu poder sobre todos os ataques de Satanás em sua mente. Então, tome posse dele hoje para repelir todas as setas enviadas por Satanás. Em vez de pensamentos negativos de medo, de dúvida e preocupação, Deus tem pensamentos de paz para derramar sobre você, entretanto quem deve acessá-los é você.

Muitas pessoas se programaram para a derrota, concentrando-se nas circunstâncias em vez de reagir para a vitória. Somente a mente de Cristo nos torna capazes de vencer todos os conflitos mentais que tentam abortar o nosso destino em Deus!

Você pode estar desanimado agora, mas não caído. Continue acreditando, pois o Senhor sempre vence!

@juniorrostirola

365 **DEVOCIONAL**
91/365

LEITURA BÍBLICA
SALMOS 39

PALAVRA-CHAVE
#TRANSFORMAÇÃO

ANOTAÇÕES

AMOR MAIOR

02
ABR

#CAFECOMDEUSPAI

Antes vocês estavam separados de Deus e, na mente de vocês, eram inimigos por causa do mau procedimento de vocês. Mas agora ele os reconciliou pelo corpo físico de Cristo, mediante a morte, para apresentá-los diante dele santos, inculpáveis e livres de qualquer acusação.

COLOSSENSES 1.21,22

O mundo está perdido em seus pecados, mas em Jesus, pela fé, você pode ter esperança e salvação.

A realidade do mundo sem Jesus é uma realidade de morte como recompensa pelo pecado. Mas Jesus veio para buscar e salvar os perdidos, que somos nós. Cada ser humano foi escolhido por Deus para ser salvo de seus pecados.

Aqueles que, como nós, estavam com sua visão obstruída pelo pecado zombavam de Jesus em meio ao seu sofrimento, ao passo que um dos ladrões crucificados ao seu lado, mesmo nos últimos suspiros de vida, pediu a Jesus que se lembrasse dele e recebeu o perdão dos seus pecados, com a garantia de que herdaria a vida eterna.

No mesmo instante, a vida no céu para esse homem tornou-se uma realidade nos momentos finais da vida terrena. Porque, ao aceitar Jesus como o único que poderia salvá-lo, o ladrão na cruz nasceu de novo. É importante compreender que, da mesma forma em que aconteceu com o ladrão arrependido, a salvação é um estágio crucial na nossa vida.

Assim como ele, o nosso pecado nos colocou na condição de inimigos de Deus, mas o amor do Pai nos resgatou do nosso destino de condenação e nos transportou para a presença de Deus. Entenda que, assim como aquele homem, que soube reconhecer sua condição de erro e percebeu que ainda poderia ser alguém melhor, nunca será tarde para uma mudança de vida.

Jesus nos trouxe a reconciliação e a possibilidade de sermos adotados como filhos pelo Deus Pai.

@juniorrostirola

DEVOCIONAL 365
92/365

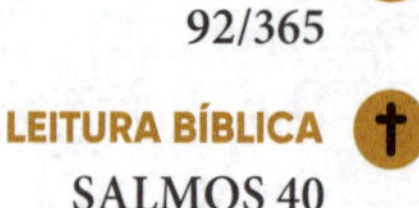

LEITURA BÍBLICA
SALMOS 40

PALAVRA-CHAVE
#RECONCILIAÇÃO

ANOTAÇÕES

CATALISE AS SUAS DORES

"E respondi ao rei: Se for do agrado do rei e se o seu servo puder contar com a sua benevolência, que ele me deixe ir à cidade onde meus pais estão enterrados, em Judá, para que eu possa reconstruí-la".

NEEMIAS 2.5

03
ABR

#CAFECOMDEUSPAI

O contexto no qual vivia Jerusalém durante a narrativa de Neemias era desolador. Após a derrota para os babilônios, a cidade foi dizimada, e as suas muralhas destruídas. A cidade da qual os hebreus tanto se orgulhavam por gerações estava reduzida a escombros, e o povo sofria terríveis humilhações. Neemias, ao tomar conhecimento da situação degradante de sua terra e de seus irmãos, em prantos lamentou e jejuou.

No entanto, Neemias não se prendeu ao pesar. Ele deixou passar o período de luto e corajosamente pediu ao rei autorização para reerguer os muros, reconstruir a cidade e, com isso, restaurar a esperança de seu povo.

Neemias foi um líder catalisador, e, como o catalisador de um carro tem a função de transformar os gases tóxicos decorrentes da combustão em gases não poluentes, Neemias foi um agente de transformação, ensinando-nos que podemos, sim, sofrer com diagnósticos ruins. Mas não podemos nos deixar paralisar por eles; precisamos nos levantar, sacudir a poeira e lutar para reconstruir todos os muros que foram postos abaixo na nossa vida.

Acredite: não há pessoa que nunca tenha perdido. Todos nós em algum momento da vida erramos e, portanto, perdemos, mas a questão é se estamos desistindo de lutar ou se estamos prosseguindo na caminhada.

Não conseguiremos vencer todas as batalhas, mas não podemos permitir que uma derrota do passado nos impeça de seguir em frente. Há pessoas que, por causa da sombra de uma derrota, desistem e nem sequer tentam avançar. Não seja você essa pessoa. Nunca é tarde para recomeçar, e hoje você tem essa oportunidade. Mãos à obra!

Assim como um catalisador, você pode transformar a sua realidade.

@juniorrostirola

DEVOCIONAL
93/365

LEITURA BÍBLICA
GÊNESIS 32

PALAVRA-CHAVE
#REEDIFICAR

ANOTAÇÕES

DEUS SEMPRE NOS SUSTENTA

04
ABR

#CAFECOMDEUSPAI

"Observem as aves do céu: não semeiam nem colhem nem armazenam em celeiros; contudo, o Pai celestial as alimenta. Não têm vocês muito mais valor do que elas?"

MATEUS 6.26

Todos os milagres serão liberados sempre que a fé for acionada.

@juniorrostirola

O sentimento de escassez latente tem cada vez mais assolado a vida das pessoas. Mas confie que Deus está com você e ele o protegerá e o sustentará com sua graça provedora. A graça de Deus não envolve somente a nossa salvação, mas também todas as dimensões da vida.

A graça de Deus está sobre você, por isso é fundamental confiar e entregar a sua vida por inteiro — corpo, alma e espírito — e depender totalmente do Senhor. Ele sempre irá fazer o melhor por você e não lhe deixará faltar nada do que você precisa.

Na minha caminhada com Cristo, uma das decisões que tomei, em 2007, foi pastorear uma igreja na cidade de Presidente Prudente, em São Paulo. Que tempo precioso! Quantos ensinamentos e quantas dificuldades! Lá permaneci alguns meses.

Uma das questões mais marcantes foi quando, mesmo com escassez de recursos financeiros, minha família e eu permanecemos fiéis ao Senhor, confiantes de que ele nos sustentaria. Lembro-me de que, certa vez, só tínhamos arroz em casa. Saí pela manhã para cuidar da igreja e, quando retornei ao meio-dia para almoçar, que surpresa: encontrei nossos armários cheios de alimento, pois uma família da igreja simplesmente entendeu que precisava comprar algo para nós.

Deus cuida de nós de formas que não conseguimos entender. Troque a sua angústia por fé e esperança no Pai. Por mais que você não consiga agora enxergar o que vem depois da curva da estrada da sua vida, ele reservou um amanhã muito especial para você.

DEVOCIONAL 365
94/365

LEITURA BÍBLICA
GÊNESIS 33

PALAVRA-CHAVE

#VALOR

ANOTAÇÕES

FORÇAS RENOVADAS

Até os jovens se cansam e ficam exaustos, e os moços tropeçam e caem; mas aqueles que esperam no SENHOR renovam as suas forças. Voam alto como águias; correm e não ficam exaustos, andam e não se cansam.

ISAÍAS 40.30,31

05
ABR

#CAFECOMDEUSPAI

Todo e qualquer indivíduo tem sua vida dirigida por algo. Neste exato momento, você pode estar sendo dirigido por um problema, por pressão, por uma crise de ansiedade, por um diagnóstico ruim, pela depressão ou por abandono. Você pode estar sendo dirigido por uma lembrança dolorosa ou uma mentira na qual tem acreditado a seu respeito. Existem centenas de circunstâncias, valores e emoções que podem dirigir a sua vida de forma negativa neste momento. E não ter o controle sobre tudo isso é tão desesperador quanto estar a bordo de um veículo desgovernado.

Toda essa fragmentação do eu faz que você perca o seu senso de identidade e com isso consequentemente também deixa de ter uma vida com propósito. Até que você saiba quem é, não poderá cumprir o seu propósito nem seguir para o seu destino. Permita a ação de cura do Senhor na sua vida; assim, você pode restaurar a sua verdadeira identidade de filho e viver uma vida com propósito.

Deixe-me compartilhar com você o seguinte: eu já estava na igreja e já era casado. Mas sentia-me justamente assim, preso a circunstâncias e palavras contrárias. No entanto, certo dia, ao ouvir os versículos desta reflexão, essa palavra fez toda diferença em mim. Ela trouxe renovo e esperança naquele tempo, e hoje posso testemunhar acerca de como Deus tem sido bom comigo.

Por isso, entregue o controle da sua vida ao Senhor. Os problemas não deixarão de existir; no entanto, você terá força e sabedoria para enfrentá-los com a ferocidade e a coragem de um leão somadas à mansidão e à serenidade de um cordeiro.

Só abandonando as mentiras é que conseguimos viver as verdades de Deus.

@juniorrostirola

DEVOCIONAL
95/365

LEITURA BÍBLICA
GÊNESIS 34

PALAVRA-CHAVE
#CORAGEM

ANOTAÇÕES

RECOMECE!

06
ABR

Todos os anos seus pais iam a Jerusalém para a festa da Páscoa. Quando ele completou doze anos de idade, eles subiram à festa, conforme o costume. Terminada a festa, voltando seus pais para casa, o menino Jesus ficou em Jerusalém, sem que eles percebessem.

LUCAS 2.41-43

#CAFECOMDEUSPAI

É muito interessante observar o contexto no qual essa passagem ocorre. Maria e José perderam Jesus durante a festa da Páscoa. Como é fácil esquecer Jesus quando tudo vai muito bem.

Um dos maiores perigos que corremos na vida é nos acostumarmos com Jesus. Tem muita gente perdendo Jesus na caminhada, mesmo o amando.

Em Nazaré, um dia Jesus entrou no templo e pregou, e todos os parentes e amigos que ali estavam o reconheceram. Visto que o conheciam desde a infância, não creram nele. Isso nos ensina que, mesmo tendo nascido e crescido conhecendo Jesus, podemos sofrer da "síndrome de Nazaré", ou seja, nós nos acostumamos com ele e esquecemos de fato quem ele é.

Quando retornei da igreja que pastoreava em Presidente Prudente, em São Paulo, para Itajaí, julgava que o meu ministério pastoral tivesse se encerrado, justamente por essa palavra de que o profeta não possui honra em sua própria terra. Mas Deus agiu em meu favor e age em seu favor também!

Não fique paralisado pelo medo ou pelas palavras contrárias; avance em direção ao que Deus tem para realizar na sua jornada. Se você se esqueceu de Jesus na caminhada, chame-o para realinhar o seu trajeto; caso você esteja atemorizado por causa das palavras contrárias que as pessoas proferiram, escolha ouvir o que Jesus fala a seu respeito: "Ele perguntou: 'Por que vocês estavam me procurando? Não sabiam que eu devia estar na casa de meu Pai?' ". Ocupe-se daquilo que o Pai o encarregou, e Deus o julgará fiel.

Deus nunca vai deixar você perder um passo. Até mesmo aos seus erros ele pode dar sentido.

@juniorrostirola

DEVOCIONAL 365
96/365

LEITURA BÍBLICA
GÊNESIS 35

PALAVRA-CHAVE
#HÁBITO

ANOTAÇÕES

INQUIETAÇÕES DA ALMA

Nisso veio uma mulher samaritana tirar água. Disse-lhe Jesus: "Dê-me um pouco de água".

JOÃO 4.7

07
ABR

#CAFECOMDEUSPAI

Aquela samaritana estava completamente fechada para qualquer coisa vinda de um homem, ainda mais de um judeu. Jesus sabia muito bem disso. Se ele chegasse ensinando, ela iria se fechar ainda mais e não permitiria ser ministrada por ele. Jesus quebrou o gelo daquele primeiro contato de forma humilde, pedindo água, valorizando o que ela tinha nas mãos. Ela morava na cidade, tinha domínio da região e do poço, e era possuidora do cântaro e da água; no entanto, Jesus não tinha nada; só sede.

Podemos até imaginar a cena: Jesus pediu água àquela mulher, aparentando não ter nada a oferecer. Ele fez a ponte correta: demonstrou àquela mulher o que aqueles que se apegam a tradições não tinham humildade nem humanidade de fazer: saciar a sede daquela mulher. Este é o genuíno evangelho de Jesus. Ele era rico, mas fez-se de pobre para nos enriquecer. Era o maior de todos e se fez o menor ao lavar os pés de seus discípulos.

Enquanto eu vaguei pelas inquietações da minha alma procurando algo que saciasse a minha sede, nada mudou; pelo contrário, fiquei mais fragilizado, ferido e machucado. Por isso, quando eu vejo alguém expressar suas dores, não dores físicas, mas suas inquietações na alma, consigo compreender exatamente o que seu coração está dizendo. Assim como Jesus encorajou aquela mulher e lhe mostrou onde encontrar água que jorre para a vida eterna, hoje ele também vê você à beira do poço e lhe oferece de sua água viva.

Jesus o saciará à medida que você demonstrar sede.

Você tem sede?

Só em Jesus podemos nos sentir completos. Só ele preenche o vazio em nosso coração e renova as nossas forças!

@juniorrostirola

DEVOCIONAL
97/365

LEITURA BÍBLICA
SALMOS 41

PALAVRA-CHAVE
#SEDE

ANOTAÇÕES

O PODER DA RESSURREIÇÃO

08
ABR

#CAFECOMDEUSPAI

"Ele não está aqui! Ressuscitou! Lembrem-se do que ele disse, quando ainda estava com vocês na Galileia: 'É necessário que o Filho do homem seja entregue nas mãos de homens pecadores, seja crucificado e ressuscite no terceiro dia'."

LUCAS 24.6,7

Nós precisamos conhecer todos os dias o maior poder do mundo, o poder da ressurreição. Muitas vezes, as pessoas buscam mudar, procuram melhorar sua condição atual. Todavia, na maioria das vezes, buscam em lugares errados, que não suprem nem preenchem o vazio que elas sentem, pois, por mais que momentaneamente essas alternativas possam trazer uma sensação boa, elas não são duradouras, e pouco depois o sentimento de vazio retorna. Esse vazio é enorme, e nada deste mundo é capaz de preenchê-lo, pois ele só pode ser preenchido por Jesus em seu poder sobrenatural.

A melhor coisa na vida é conhecer Jesus Cristo e experimentar o poder da ressurreição.

@juniorrostirola

No Novo Testamento, a palavra "poder" é mencionada 57 vezes e é utilizada para descrever o fato mais maravilhoso da humanidade: a ressurreição de Cristo. É esse poder que opera em cada um de nós. Pois nós temos poder por meio de Jesus, e com ele podemos transformar qualquer tipo de realidade e trazer à existência coisas que não existem.

DEVOCIONAL
98/365

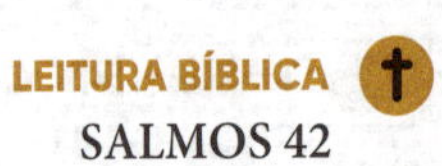

LEITURA BÍBLICA
SALMOS 42

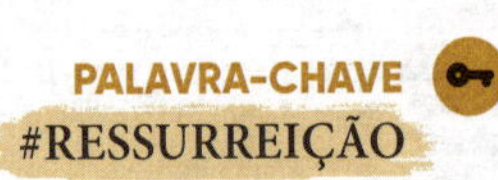

PALAVRA-CHAVE
#RESSURREIÇÃO

ANOTAÇÕES

Então, qual é a sua história? Você tem enxergado que Jesus está com você, que ele quer curá-lo e empoderá-lo? Deus vai usar pessoas improváveis para agir na sua vida, restaurando os sonhos e projetos que você abandonou há muito tempo. Ele tem o poder de tornar o impossível em possível, por isso, confie e obedeça aos sinais que o Senhor tem mostrado a você. A sua atitude determina a altura a que você chegará. O Senhor tem o poder de fazer o extraordinário e de manifestar o sobrenatural. Em Cristo, o que estava (ou parecia estar) morto pode voltar a vida. Qual sua escolha: crer ou duvidar?

O PREÇO JÁ FOI PAGO

"Sou eu, eu mesmo, aquele que apaga suas transgressões, por amor de mim, e que não se lembra mais de seus pecados."

ISAÍAS 43.25

09
ABR

#CAFECOMDEUSPAI

Imagine você, com uma pena a ser paga, com uma dívida com a justiça, e repentinamente a sua ficha fica limpa. Imagine se todas as suas dívidas desaparecessem e, ao consultar o seu cartão de crédito e os seus financiamentos, você visse que eles estão totalmente quitados. Imagine alguém pagar essas contas para você.

Diante de Deus, o principal problema não é a dívida, não é o pecado, pois nele todos os pecados são perdoados. Jesus se importa mais é com a sua rendição, porque a sua dívida espiritual já foi paga na cruz do Calvário, bastando apenas você se arrepender, se render e crer nele. Porque, ainda que os pecados tenham sido pagos por Jesus na cruz, essa verdade só inundará a nossa alma se crermos e aceitarmos Jesus como Salvador e Senhor.

A maior dificuldade é reconhecer o seu erro e admitir que precisa de perdão. Tenha a atitude de chegar diante do Senhor e clamar pelo seu perdão. Às vezes, nos tornamos acumuladores de lixo, e isso vai trazendo peso. Quanto mais acumulamos, pior fica. Este é o desejo de nosso inimigo: manter-nos sujos pelo pecado.

Considerando que todos nós tivemos nossos pecados remidos na cruz do Calvário, precisamos, em gratidão, ser sal da terra e luz do mundo para os que andam nas trevas. Assim como Deus Pai quer aliviar o seu fardo porque o ama incondicionalmente, ele também deseja ver você liberto de todas as amarras para que possa fazer diferença no meio em que vive. Tome a melhor decisão, que é viver em novidade de vida.

Deus Pai o ama incondicionalmente e deseja aliviar o seu fardo.

@juniorrostirola

DEVOCIONAL
99/365

LEITURA BÍBLICA
SALMOS 43

PALAVRA-CHAVE
#PERDÃO

ANOTAÇÕES

PREPARADOS PARA A ETERNIDADE

10 ABR

#CAFECOMDEUSPAI

Vocês não sabem que, de todos os que correm no estádio, apenas um ganha o prêmio? Corram de tal modo que alcancem o prêmio. Todos os que competem nos jogos se submetem a um treinamento rigoroso, para obter uma coroa que logo perece; mas nós o fazemos para ganhar uma coroa que dura para sempre.

1CORÍNTIOS 9.24,25

O apóstolo Paulo ficou popularmente conhecido como o apóstolo do mundo em decorrência de suas viagens para tantas nações pregando o evangelho. Uma técnica muito sábia e astuta de Paulo para atrair a atenção de seus ouvintes era usar elementos da cultura na qual ele se encontrava, para que seus interlocutores se identificassem com a sua pregação.

Nesse sentido, ao pregar em uma cultura greco-romana, Paulo fez referência às competições olímpicas, conhecidas pelos ouvintes locais, para descrever a forma em que o cristão deve viver e preparar-se para a conquista da salvação eterna, tendo Cristo como alvo e centro de sua busca.

Somos seres espirituais com experiências humanas.

@juniorrostirola

Assim como os atletas, que, para vencer, precisam de um rigoroso treinamento e de uma dieta direcionada, nós também, para a batalha que travamos neste mundo rumo ao pódio da eternidade, precisamos que o nosso espírito carnal seja controlado pelo Espírito por meio da prática da oração e que o nosso corpo vença a carne mediante o jejum.

É mais do que certo que seremos vitoriosos rumo à conquista do nosso lugar junto ao Senhor. Reflita sobre como você tem se preparado para essa corrida em direção à eternidade. Saiba que esta é uma realidade da qual não podemos fugir. As suas escolhas impactarão não somente a sua vida aqui na terra, mas ecoarão por toda a eternidade. A verdade é que todos devemos verificar como estamos correndo e a que nos submetemos a fim de ganhar o prêmio que não perece mas dura para sempre.

DEVOCIONAL 365
100/365

LEITURA BÍBLICA
GÊNESIS 36

PALAVRA-CHAVE

#SALVAÇÃO

ANOTAÇÕES

DECIDA CONFIAR

E disseram a toda a comunidade dos israelitas: "A terra que percorremos em missão de reconhecimento é excelente. Se o SENHOR se agradar de nós, ele nos fará entrar nessa terra, onde há leite e mel com fartura, e a dará a nós".

NÚMEROS 14.7,8

11
ABR

#CAFECOMDEUSPAI

Quando o Senhor prometeu ao povo de Israel a terra prometida, fez que aquele povo, outrora escravo, fosse para a terra. Eles peregrinaram quarenta anos, mas poderiam ter realizado o trajeto em poucos dias. Quando Moisés enviou os espias para observarem a terra prometida, havia a promessa de que eles possuiriam aquela terra. A Bíblia nos mostra que, dos doze espias, dez voltaram com relatório pessimista.

É surpreendente que os doze viram as mesmas coisas, mas só Josué e Calebe foram otimistas. Disseram que, se fosse do agrado do Senhor, teriam vitória. Já aconteceu com você de outras pessoas verem o mesmo cenário, mas as percepções serem diferentes e, consequentemente, as ações também? Foi justamente o que aconteceu. Como resultado dessa percepção negativa, todo aquele povo arcou com as ações de apenas dez pessoas.

Na vida temos duas escolhas: trilhar o caminho da dúvida, das circunstâncias contrárias, quando você usa a força dos braços, acreditando ser autossuficiente, ou trilhar o caminho de fé e confiança, sabendo que aquilo que lhe cabe fazer você fará, mas, no tocante àquilo que foge das suas possibilidades, você confia em que Deus entrará com providência e, se for preciso trazer à existência aquilo que não existe, ele o fará, para abençoar você.

Se outros veem dificuldades, tenha fé e veja ali o milagre e o mover de Deus. Muitas vezes, o cenário é de caos, mas será que tudo que há é só caos? Se for um lugar sem vida, clame ao Senhor que dá a vida para que ele sopre um novo fôlego sobre a situação em que você se encontra. Você só será um fracasso se desistir antes de começar.

Onde você vê uma dificuldade, Deus vê uma oportunidade de o promover.

@juniorrostirola

365 **DEVOCIONAL**
101/365

LEITURA BÍBLICA
GÊNESIS 37

PALAVRA-CHAVE
#CONFIANÇA

ANOTAÇÕES

VEJA O IMPOSSÍVEL ACONTECER

12
ABR

#CAFECOMDEUSPAI

"Pois nada é impossível para Deus."
LUCAS 1.37

A fé em Deus nos faz crer no impossível, ver o invisível e realizar o inimaginável. Quando você entende isso, começa a viver o sobrenatural. As circunstâncias contrárias virão, sim. Não é porque você está em Deus que os ventos contrários deixarão de soprar, mas entenda uma coisa: as circunstâncias contrárias, os gigantes que se erguerem contra você irão promovê-lo, não destruí-lo. Afinal, o gigante Golias promoveu Davi.

As circunstâncias contrárias serão como plataformas para o lançar. Quando você compreende isso, cumpre a Palavra, e a Palavra nos ensina a buscar em primeiro lugar o Reino de Deus, e as demais coisas nos serão acrescentadas. Mas o grande problema é que muitas vezes diante do Senhor a única coisa que sabemos fazer é pedir, quando deveríamos agradecer por ele se fazer presente e caminhar conosco.

Todas as nossas impossibilidades passam a ser possibilidades diante de Deus; todas as nossas faltas se tornam alvo do milagre de Deus neste tempo. Para quem tem fé em Deus, o impossível é temporário. Os desertos da vida não são para permanecermos neles; são temporários. Mas para isso é preciso uma visão de fé e confiança, em que o medo perde a vez, e a dúvida se transforma em certeza, para que o impossível aconteça bem diante de seus olhos.

Decida hoje caminhar com fé e confiança de que ele agirá em seu favor. Não importa quão impossível pareça, se você não desistir, irá experimentar o cuidado de Deus e, ao final da prova, será aprovado. As lutas que você enfrentar hoje não são para morte, mas para lançá-lo ao seu destino profético.

Para quem tem fé, o impossível é temporário.

@juniorrostirola

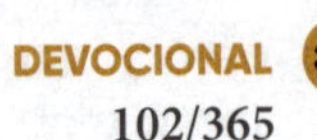

DEVOCIONAL
102/365

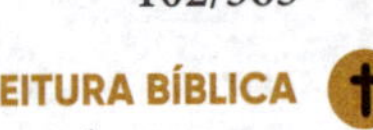

LEITURA BÍBLICA
GÊNESIS 38

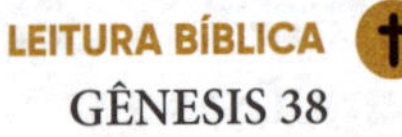

PALAVRA-CHAVE
#INIMAGINÁVEL

ANOTAÇÕES

TOQUE DE FÉ

Quando ouviu falar de Jesus, chegou por trás dele, no meio da multidão, e tocou em seu manto, porque pensava: "Se eu tão somente tocar em seu manto, ficarei curada".
MARCOS 5.27,28

13 ABR

#CAFECOMDEUSPAI

Vivemos em uma sociedade enferma, doente, tanto do corpo quanto da mente e da alma. Os cientistas fazem novas descobertas e buscam a cura para cada nova doença, mas novas doenças surgem.

O Evangelho de Marcos relata a trajetória de uma mulher que recorrera a muitos médicos e, durante doze anos, gastara toda a sua riqueza com seu tratamento, sem alcançar a cura. Naquele dia, mais do que rastejar em sua dor, ela rastejou sobre sua fé, uma fé que a expôs diante de todos como uma pessoa ousada, cheia de fé e esperança. Mais do que curar uma enfermidade física, que certamente era algo difícil de ser experimentado em sua realidade, ela teve as emoções curadas naquele dia.

Quando Jesus expôs a mulher diante de todos os presentes, ele estava dando a ela a possibilidade de viver de forma digna novamente; era como se a credencial que a identificasse como pura aos olhos da sociedade fosse liberada pelas palavras do Mestre naquele exato momento.

Jesus estava ao alcance das mãos daquela mulher, e ela não perdeu a oportunidade; ela venceu os obstáculos e, em meio à multidão que se aglomerava, alcançou seu objetivo em ato de fé, quebrando até mesmo paradigmas de sua época. O poder de Cristo é sempre atual e age sobre o nosso corpo, e todos nós necessitamos dele.

Aquela mulher foi ousada em sua atitude. Qual é a atitude ousada que você está disposto a tomar para que o poder sobrenatural de Cristo Jesus se manifeste na sua vida? Só cabe a você esticar o braço e estender a mão para poder tocá-lo e receber o seu milagre, pois ele tem passado diante de nós e está pronto para nos curar.

Jesus está ao seu alcance; toque-o.

@juniorrostirola

DEVOCIONAL
103/365

LEITURA BÍBLICA
GÊNESIS 39

PALAVRA-CHAVE
#CURA

ANOTAÇÕES

CONVIDE JESUS PARA UM CAFÉ

14
ABR

#CAFECOMDEUSPAI

[...] que nos reconciliou consigo mesmo por meio de Cristo e nos deu o ministério da reconciliação, ou seja, que Deus em Cristo estava reconciliando consigo o mundo, não levando em conta os pecados dos homens, e nos confiou a mensagem da reconciliação.

2CORÍNTIOS 5.18B,19

O apóstolo Paulo se tornou um agente de transformação entre Deus e o homem. Foi o maior pregador de todos os tempos.

Ele escreve para os cristãos de Corinto em sua carta e diz que nós também temos o ministério da reconciliação. Isso não diz respeito à religião, pois a religião, quando seguida de forma demasiadamente dogmática, afasta o homem de Deus. No passado, a imposição de severos dogmas no cristianismo afastou o homem de Deus, e ainda hoje o fundamentalismo religioso tem afastado muitas pessoas do Criador. As religiões estão contaminadas quando não põem Deus e o amor dele como o centro de tudo.

Ao nos lembrarmos de que o pecado nos separa de Deus, compreendemos o motivo de precisarmos da reconciliação que Cristo nos provê.

Quando vemos os milagres realizados por Jesus, descritos nos evangelhos, percebemos que em cada um deles Jesus agia como reconciliador de Deus Pai com cada filho. Vemos Jesus mover-se de forma intencional, e cada pessoa que buscava algo em Jesus, por mais que não compreendesse, fazia uso das mais simples palavras para expressar sua necessidade e seu anseio.

Isso nos revela que o Deus da reconciliação é um Deus de relacionamento. Assim como um amigo se assenta para conversar e tomar um café com outro, Jesus espera que você o chame para essa conversa, a fim de se reconciliar com ele e viver uma nova vida. Ao convidar Jesus para esse café, não se esqueça de que ele reconciliou o mundo consigo mesmo e não levou em conta os pecados da humanidade.

No final, você ainda vai olhar para trás e agradecer. Acredite, Deus não falha.

@juniorrostirola

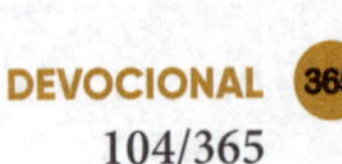
DEVOCIONAL
104/365

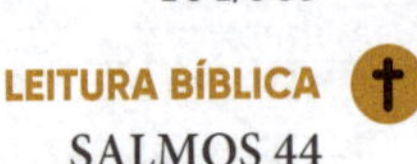
LEITURA BÍBLICA
SALMOS 44

PALAVRA-CHAVE
#RECONCILIAÇÃO

ANOTAÇÕES

MOVA-SE PARA O MILAGRE

"Então Naamã foi com seus cavalos e carros e parou à porta da casa de Eliseu. Eliseu enviou um mensageiro para lhe dizer: "Vá e lave-se sete vezes no rio Jordão; sua pele será restaurada e você ficará purificado".

2REIS 5.9,10

15
ABR

#CAFECOMDEUSPAI

Você sabia que Deus fala conosco não só por meio de sua Palavra, de visões e sonhos, mas também por meio de pessoas? Podemos testemunhar isso ao longo das Escrituras, uma vez que o Senhor usou uma menina escrava para falar com Naamã. Ele era um homem importante, com alta patente no exército sírio, mas, por trás de toda a pompa e todo o respeito, ele escondia debaixo de sua armadura a lepra. Vendo isso, a pequena cativa o orientou rumo à cura por meio do Deus de Israel.

É assim que acontece quando Deus coloca pessoas na sua vida para lhe falar de tudo que você precisa. Naamã poderia não dar ouvidos às palavras de uma humilde serva estrangeira, mas ele tomou posse da palavra, deixou o orgulho de lado e foi em busca da cura. Ele viajou para uma terra estrangeira, acreditando no poder do Deus de sua serva estrangeira, e isso fez toda a diferença.

Quando Deus fala conosco, ele espera que façamos a nossa parte. Não podemos ficar inertes, caso contrário, os anos passarão e não veremos a promessa se cumprir. Deus promete a nós, mas algumas coisas só nós precisamos fazer. Parte da promessa envolve o nosso agir. Existem promessas sobre a sua vida, mas, para você poder viver o extraordinário, é preciso se esforçar e trabalhar sob a luz da palavra que o Senhor liberou sobre a sua vida.

Hoje você poderá dar início ao cumprimento das promessas de Deus. Por meio de um posicionamento seu, a sua vida, a sua família, os seus negócios e ministério poderão romper extraordinariamente em direção ao cumprimento do seu milagre e do seu chamado.

Somente uma fé ousada, constante e paciente em Deus Pai o fará viver o melhor que ele tem para você.

@juniorrostirola

365 **DEVOCIONAL**
105/365

LEITURA BÍBLICA
SALMOS 45

PALAVRA-CHAVE
#OUVIDOS

ANOTAÇÕES

NO REINO, VOCÊ É BEM-VINDO

16
ABR

#CAFECOMDEUSPAI

Em amor nos predestinou para sermos adotados como filhos, por meio de Jesus Cristo, conforme o bom propósito da sua vontade, para o louvor da sua gloriosa graça, a qual nos deu gratuitamente no Amado.

EFÉSIOS 1.5,6

Muitos de nós sofremos algum tipo de rejeição como resultado de alguma experiência traumática. Pode ser que isso tenha sido tão pesado que você seja incapaz de liberar esses sentimentos, que o paralisaram em alguma área da vida. Você tem uma raiz de rejeição que leva com você em todos os momentos; como resultado, muitas coisas que você sente ou faz estão relacionadas a ela.

Substitua essa mentira a seu respeito pela verdade de que Jesus pagou o preço por toda angústia, dor e rejeição que você experimentou, e talvez ainda experimente, para que você possa viver em liberdade.

João 8.2-11 registra a história da mulher apanhada em um ato de adultério. Se existe alguém que foi rejeitado pelas pessoas, foi essa mulher. Ela estava sendo ameaçada de morte em público, por causa de um erro cometido. A morte parecia iminente. De acordo com a Lei, ela poderia ser apedrejada até a morte por seu pecado.

A mulher apanhada em adultério era inocente? Claro que não, o que aquelas pessoas estavam fazendo era permitido pela Lei. Mas Jesus escolheu não a condenar. O que vejo Jesus fazer é aperfeiçoar o que foi descrito por Moisés, ou seja, lembrar-nos que nós também não somos inocentes. Contudo, mesmo sendo pecadores, vamos ouvir as palavras de Jesus: "Onde estão seus acusadores? Nenhum deles a condenou?".

Deus tornou possível que você o conhecesse e experimentasse uma mudança incrível na sua própria vida. Descubra como você pode encontrar a paz com Deus.

Deus quer mudar o seu destino hoje. Não perca tempo!

@juniorrostirola

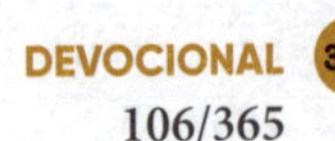

DEVOCIONAL 365
106/365

LEITURA BÍBLICA
SALMOS 46 E 47

PALAVRA-CHAVE
#ACEITAÇÃO

ANOTAÇÕES

VOCÊ NÃO ESTÁ SÓ

Então, Jesus [...] disse: "Foi me dada toda a autoridade no céu e na terra. [...] vão e façam discípulos de todas as nações [...]. E eu estarei sempre com vocês, até o fim dos tempos".

MATEUS 28.18-20

17 ABR

#CAFECOMDEUSPAI

Essa passagem descreve um grande e glorioso encontro de Jesus ressurreto com os seus discípulos. A Bíblia relata que Jesus apareceu 11 vezes após sua ressurreição a indivíduos e grupos, fazendo que todas essas testemunhas oculares proclamassem o seu poder sobre a morte.

Antes de serem visitadas pelo Jesus ressurreto, todas aquelas pessoas estavam escondidas, com medo e desmotivadas, acreditando que o sonho apresentado pelo seu Senhor havia terminado. Mas, com a manifestação do Ressurreto, eles reacenderam a chama e correram para proclamar sua boa-nova, não temendo nem mesmo a morte.

Os discípulos receberam do próprio Jesus a missão de anunciar o Reino a todos os povos. Para reafirmar isso, Jesus reaparece e diz que, após sua ressurreição, estaria com eles, dando-lhes poder para cumprirem essa missão.

Jesus dedicou a eles, e a cada um de nós, a missão de contar que ele venceu a morte para que nós tenhamos vida, e vida em abundância.

Sempre que Jesus nos encontra, ele nos traz esperança renovadora. Além de trazer salvação, o Senhor quer aliviar esse fardo que você está carregando há muito tempo. Ficamos fadigados e cansados em meio às circunstâncias que a vida nos impõe. Mais do que fazer uma visita a você, Jesus quer entrar na sua casa e fazer morada em seu coração. Para que isso seja uma verdade, ele o chama para segui-lo, para viver uma vida nova com ele.

Quero estar disposto a sacrificar os meus objetivos para alcançar a vontade de Deus na minha vida.

@juniorrostirola

DEVOCIONAL
107/365

LEITURA BÍBLICA
GÊNESIS 40

PALAVRA-CHAVE
#SALVAÇÃO

ANOTAÇÕES

O PRESENTE DA SALVAÇÃO

18 ABR

#CAFECOMDEUSPAI

Pois vocês são salvos pela graça, por meio da fé, e isto não vem de vocês, é dom de Deus; não por obras, para que ninguém se glorie.

EFÉSIOS 2.8,9

A salvação é um dom de Deus, um presente celestial eterno e gratuito dado por Jesus a todos nós, que recebemos por meio da fé, não por aquilo que fazemos, pois por nossa força jamais conseguiríamos vencer o pecado e alcançar a salvação.

A graça de Deus é um favor imerecido, uma dádiva proveniente do seu amor por nós. Merecíamos a morte, mas Deus decidiu enviar o seu único Filho para morrer em nosso lugar, carregando a nossa culpa. A Páscoa, que comemoramos há poucos dias, trata exatamente disto: a ira de Deus veio sobre aquele que recebeu todas as nossas transgressões: Jesus.

De todas as pessoas que já passaram pela terra, certamente Jesus era o único que não merecia sofrer. Mas ele escolheu sofrer em nosso lugar, para nos ofertar a redenção.

Receba com alegria o presente da salvação. Mas, para que o sacrifício de Jesus na cruz seja ressignificado no seu coração, é preciso que você honre e desenvolva nova vida em Jesus. Seja grato por tudo que ele fez por você e por lhe dar uma nova vida. Pois só com ele podemos ter esperança de dias melhores.

Entenda que o seu objetivo de vida é viver com Jesus e para Jesus. Agora, você tem a mente de Cristo. Tudo se fez novo. Somos embaixadores do céu na terra. Somos capacitados pelo Espírito Santo a viver em santidade e na verdade de Deus. Com essa mentalidade, conseguimos compreender que Jesus se fez semelhante aos homens para que os homens sejam semelhantes a ele.

A esperança não é um sonho, mas a oportunidade de transformar os sonhos em realidade.

@juniorrostirola

DEVOCIONAL 365
108/365

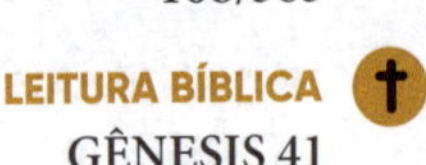

LEITURA BÍBLICA
GÊNESIS 41

PALAVRA-CHAVE
#GRAÇA

ANOTAÇÕES

TUDO VAI FICAR BEM

Pois tudo o que Deus criou é bom, e nada deve ser rejeitado, se for recebido com ação de graças, pois é santificado pela palavra de Deus e pela oração.

1TIMÓTEO 4.4,5

19 ABR

#CAFECOMDEUSPAI

Você não nasceu por acaso. Quando Deus o criou, ele sonhou com você. Ele o ama. Tudo que aconteceu de bom na sua vida carrega as digitais do Pai. Esteja certo de que ele sempre esteve presente e não irá abandoná-lo.

Creia que Deus vai surpreender você, pois, não importa o que você tenha passado até aqui, tudo vai terminar bem. No final, você vai ver o seu milagre acontecer. Lembre-se de que é no final da pista que o avião decola.

O avião não consegue decolar se o vento não soprar contrário. Entenda que há circunstâncias na vida que não vêm para destruir; muito pelo contrário, acontecem para nos promover, nos lançar a outro nível. Deus está falando ao seu coração. Ele não quer que você desista nem desanime por causa dos fortes ventos. Mesmo com ventos contrários, ele o levará a alçar voos cada vez mais altos.

Sei que não é fácil manter-se sempre animado. Por muito tempo, os ventos contrários me fizeram desanimar também. Diversas vezes, achei que não haveria mais solução para a minha vida. Quando adolescente, eu não conseguia nem acreditar que teria uma família.

Mas, quando entendi o plano perfeito do meu Pai para mim, minhas circunstâncias mudaram. Eu vivo o extraordinário de Deus todos os dias. E o que parecia impossível se tornou realidade. Tenho a família mais linda do mundo. Não deixe nenhum vento forte parar você. Deus está logo ali, pronto para fazer você levantar voos cada vez mais altos.

Quando temos fé em Deus, os problemas tornam-se como trampolins para saltarmos mais longe.

@juniorrostirola

DEVOCIONAL
109/365

LEITURA BÍBLICA
GÊNESIS 42

PALAVRA-CHAVE
#SUPERAÇÃO

ANOTAÇÕES

CONCERNTRE-SE EM DEUS

20
ABR

#CAFECOMDEUSPAI

"Quem de todos eles ignora que a mão do Senhor fez isso? Em sua mão está a vida de cada criatura e o fôlego de toda a humanidade."

JÓ 12.9,10

A procura pelo propósito da vida tem intrigado o ser humano ao longo dos séculos, isso porque normalmente erramos já no ponto de partida ao fazermos perguntas egocêntricas, tais como: "O que eu quero ser?", "O que devo fazer da minha vida?", "Quais são os meus objetivos, as minhas ambições, sonhos e planos para o futuro?". Concentrar tudo em nós mesmos jamais desvendará o propósito para o qual nascemos.

Isso não significa que você não possa sonhar, realizar os seus projetos ou ter uma vida profissional bem-sucedida, pois Deus o abençoará e cooperará para que tudo isso ocorra. Tudo isso, porém, não pode ofuscar o seu propósito, e só quem sabe o seu propósito é Deus. Se o objetivo de vida for simplesmente focado em coisas que buscamos para satisfazer o ego e o orgulho, viveremos frustrados e sem destino.

Ao contrário daquilo que muitos filmes e livros ensinam, você não descobrirá o sentido da vida olhando para si mesmo. Se for entregue em suas mãos uma nova invenção, você não saberá sua função, por não ser o inventor. Você precisará de ajuda, seja do inventor, seja do manual de instruções do equipamento. Isso quer dizer que só em Deus descobrimos de fato o nosso propósito.

Hoje, se você se encontra assim, perdido, sem saber o real propósito da vida, eu o convido a entregar a direção de tudo àquele que o criou. E uma das formas de conhecermos melhor a Deus é ler a Bíblia, o manual de instruções deixado pelo Pai. Deus sabe o que é melhor para você e tem os melhores planos para a sua vida.

Respeite o processo, e você entenderá o propósito.

@juniorrostirola

DEVOCIONAL 365
110/365

LEITURA BÍBLICA
GÊNESIS 43

PALAVRA-CHAVE
#PROPÓSITO

ANOTAÇÕES

DESPERTE, LEVANTE-SE!

Por isso é que foi dito: "Desperta, ó tu que dormes, levanta-te dentre os mortos e Cristo resplandecerá sobre ti".

EFÉSIOS 5.14

21
ABR

#CAFECOMDEUSPAI

É provável que, em alguns dias, você desperte durante a noite sem o despertador tocar. Isso acontece porque seu corpo entende que você descansou o suficiente.

Outros dias, sem o auxílio do despertador, você se atrasaria, pois o cansaço é tamanho que leva à sensação de que as horas de sono foram insuficientes. No entanto, existem muitas pessoas dormindo, enquanto a vida se esvai como a água derramada de uma torneira aberta.

É tempo de despertar, erguer-se e clamar ao Senhor para que derrame a glória dele sobre você, pois ele tem poder para enterrar o seu passado e reacender a chama da vida em você.

Assim como em um carro o espelho retrovisor é muito menor que o para-brisas, precisamos deixar o passado no lugar dele, para nos ensinar, sendo apenas um ponto de referência em nossa jornada. Devemos ter os olhos voltados para o futuro, pois é para lá que vamos, e não vamos sozinhos, pois o nosso Deus Pai nos conduz.

Quando não estamos focados nos propósitos de Deus, nós ficamos perdidos e desorientados. É como se nossa vida fosse um barco a vela: se o capitão não sabe a direção em que deve seguir, é melhor recolher as velas do que navegar sem destino. Talvez você esteja exatamente assim neste dia. Se essa é a sua realidade, eu o desafio a entregar a direção da sua vida ao Senhor Jesus. Mesmo que venham as tempestades, você não precisa se preocupar, pois ele cuidará de você.

Em vez de falar sobre os seus problemas para todo o mundo, fale com Deus.

@juniorrostirola

365 **DEVOCIONAL**
111/365

LEITURA BÍBLICA
SALMOS 48

PALAVRA-CHAVE
#DESPERTAR

ANOTAÇÕES

LIVRE PARA VIVER

22 ABR

#CAFECOMDEUSPAI

Mas ele foi traspassado por causa das nossas transgressões, foi esmagado por causa de nossas iniquidades; o castigo que nos trouxe paz estava sobre ele, e pelas suas feridas fomos curados.

ISAÍAS 53.5

A palavra "moído", em sua semântica hebraica, significa amassado, ou seja, Jesus foi esmagado e ferido. Ele também sofreu de uma hemorragia interna.

Então, não houve só o derramamento de sangue que deixou seu rastro de dor por nossos pecados em toda a sua via dolorosa. Mas, por dentro, seu corpo também sangrava. Isso nos fala da redenção do espírito do homem, porque, quando o homem pecou, ele morreu espiritualmente, e depois veio a morte, porque toda morte espiritual leva à morte física.

Hoje, quando aceitamos Jesus como Senhor e Salvador da nossa vida, nascemos novamente, porque nascemos de novo por meio do Espírito. É pelo sangue de Jesus que encontramos perdão dos nossos pecados, tornando-nos de fato livres no Espírito.

Em algum momento da vida, certamente você cometeu algum tipo de erro, que inevitavelmente ficou gravado em sua mente, algo que talvez tenha sido capaz de tirar o seu sono ou ainda de levar você a ficar no mínimo incomodado.

E se, neste exato momento, essa falha fosse apagada de todo e qualquer registro, tal como um arquivo deletado do computador e, mais do que isso, apagado permanentemente da sua mente?

Saiba que o perdão de Jesus é isto: ele apaga, deleta, elimina de todo e qualquer registro os pecados cometidos. Desfrute hoje dessa liberdade que foi dada a você por Jesus. Seja fiel e grato a ele hoje e sempre.

A verdadeira liberdade é mais do que não pecar. É deixar de querer pecar.

@juniorrostirola

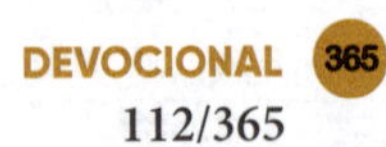

DEVOCIONAL
112/365

LEITURA BÍBLICA
SALMOS 49

PALAVRA-CHAVE

#LIVRE

ANOTAÇÕES

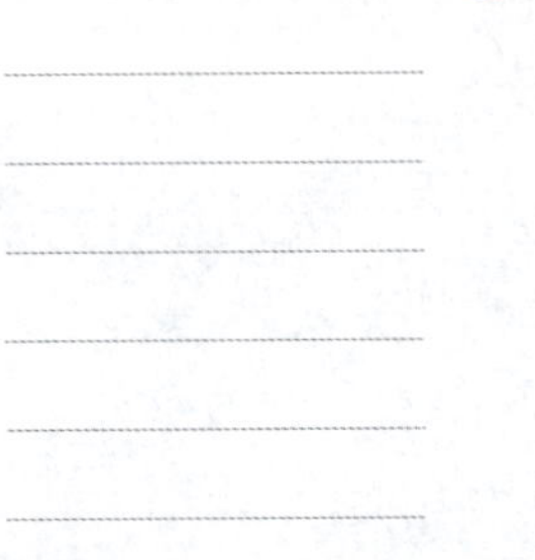

FOI DE GRAÇA, MAS CUSTOU TUDO!

Mas, quando chegaram a Jesus, constatando que já estava morto, não lhe quebraram as pernas. Em vez disso, um dos soldados perfurou o lado de Jesus com uma lança, e logo saiu sangue e água.

JOÃO 19.33,34

23
ABR

#CAFECOMDEUSPAI

Jesus, após entregar o seu espírito e expirar na cruz, teve o corpo perfurado por uma lança. É muito provável que a lança tenha perfurado o seu coração, do qual verteu sangue e água. Isso representa para nós a cura da alma.

O sangue do coração de Jesus que verteu internamente foi para nos curar. Pois é internamente, na alma, onde estão alojadas muitas das nossas feridas. É ali que residem dores, tristezas e traumas. Jesus teve um coração quebrantado, ferido. Seu coração não foi ferido pelos soldados apenas, mas pela própria humanidade.

A Palavra diz que ele foi moído pelas nossas iniquidades, ferido para que nós, por meio de suas feridas, pudéssemos encontrar cura interior.

O que nos chama a atenção é o fato de que, enquanto estava preso à cruz, Jesus orou ao Pai pedindo perdão por seus malfeitores, pois eles não tinham ideia do que faziam, de quem estavam matando. Com isso, Jesus nos ensina que em Deus não podemos perder tempo com ressentimentos, e que o perdão, por ser uma escolha, não um sentimento, deve ser instantâneo.

Jesus está com o coração aberto para nós. No sacrifício de Jesus, temos vida abundante, salvação eterna, cura para a nossa alma e sustento para os nossos dias.

Tem algo de que você precisa? Saiba que tudo o que precisamos foi conquistado na cruz. Nada fizemos por merecer; sim, foi de graça, mas custou tudo a Jesus. E sabe por quê? Para que eu e você tenhamos vida eterna.

Só vive a promessa quem acredita.

@juniorrostirola

DEVOCIONAL
113/365

LEITURA BÍBLICA
SALMOS 50

PALAVRA-CHAVE
#CONQUISTADO

ANOTAÇÕES

UMA ATMOSFERA DE FÉ

24
ABR

#CAFECOMDEUSPAI

Ela respondeu: "Sim, Senhor, mas até os cachorrinhos, debaixo da mesa, comem das migalhas das crianças". Então ele lhe disse: "Por causa desta resposta, você pode ir; o demônio já saiu da sua filha".

MARCOS 7.28,29

Você ainda está de pé, e essa é a prova de que as circunstâncias não conseguiram interromper os planos de Deus na sua vida.

@juniorrostirola

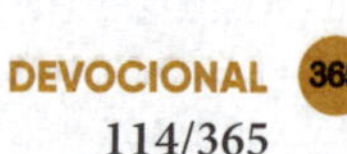

DEVOCIONAL 365
114/365

LEITURA BÍBLICA
GÊNESIS 44

PALAVRA-CHAVE
#POSICIONAMENTO

ANOTAÇÕES

Certamente esse é um dos maiores testemunhos de fé que podemos ver nos evangelhos.

Fico imaginando toda a admiração de Jesus diante de tamanha fé. Uma mulher que vivia numa terra de cultura pagã reconhece o poder salvador de Jesus e clama a ele pela cura de sua filha.

Assim como aquela mulher vivia num contexto de desesperança completa, eu também já vivi. Já tive dias em minha vida que tudo parecia impossível. Assim como aquela mulher deu passos de fé até Jesus, minha realidade foi mudada quando dei passos de fé rumo ao impossível. Isso porque a atmosfera muda quando Jesus aparece.

Todos nós precisamos dar um passo de fé. Dar passos de fé é andar sem ter a certeza de que existe chão a sua frente, mas crendo que Deus o proverá.

Lembro-me de que, no dia em que vi o terreno onde hoje estamos estabelecidos com a Igreja Reviver, era impossível aos olhos humanos construir o que hoje possuímos e viver essa realidade. Mas, assim como aquela mulher sabia onde estava a esperança de que ela precisava, eu também sabia que o Senhor estava comigo em cada decisão.

Não sei qual é o seu impossível. Sei que um ambiente de fé faz o milagre acontecer. Basta você clamar. Independentemente do cenário onde você vive, a sua resposta diante das circunstâncias pode provocar o milagre e trazer à existência aquilo que não existe. As suas atitudes o posicionarão para receber a promessa.

JESUS NUNCA O DEIXARÁ

Quando ele completou doze anos de idade, eles subiram à festa, conforme o costume. Terminada a festa, voltando seus pais para casa, o menino Jesus ficou em Jerusalém, sem que eles percebessem.

LUCAS 2.42,43

25
ABR

#CAFECOMDEUSPAI

Você sabia que, no Brasil, muitos pais perdem os filhos em vários lugares? O maior índice de crianças perdidas é nas praias brasileiras. Algumas são encontradas, mas outras infelizmente não. Eu me coloco no lugar desses pais e imagino quão doloroso deve ser perder um filho assim.

Certa vez, em um parque de diversões, perdi de vista a minha filha, Isabella, por alguns minutos. É uma sensação muito ruim.

O alívio que senti ao vê-la novamente não pode sequer ser verbalizado, de tão forte. Quando olhamos para a palavra de Deus, José e Maria viveram o mesmo drama que muitos pais já viveram, e essa passagem nos mostra que, assim como eles, devemos ter todo o cuidado e todo o zelo para não perdermos Jesus na caminhada.

Assim como a maioria dos pais que perdem os filhos, do mesmo modo que José e Maria, ou Michelle e eu, o risco de perdermos Jesus no meio do caminho se dá pelo mesmo motivo que acontecem os acidentes automobilísticos. Na grande maioria, ocorrem próximo à residência do condutor. A autoconfiança, presumir que está tudo bem, faz que o zelo diminua e seja gradativamente substituído pelo comodismo. Por acharmos que Jesus sempre estará conosco porque já o aceitamos como Salvador, esfriamos na oração e gradativamente na intimidade com o Pai.

Não podemos perder Jesus no meio do trajeto; temos que segurar firme em suas mãos, como crianças guiadas para longe do perigo. Cuidado!

Precisamos de Deus para iluminar o nosso entendimento.

@juniorrostirola

DEVOCIONAL
115/365

LEITURA BÍBLICA
GÊNESIS 45

PALAVRA-CHAVE
#PRUDÊNCIA

ANOTAÇÕES

ELE VIVE E REINA!

26
ABR

#CAFECOMDEUSPAI

E a incomparável grandeza do seu poder para conosco, os que cremos, conforme a atuação da sua poderosa força. Esse poder ele exerceu em Cristo, ressuscitando-o dos mortos e fazendo-o assentar-se à sua direita, nas regiões celestiais.

EFÉSIOS 1.19,20

O poder da intimidade com Deus o leva a viver a realidade do céu aqui na terra.

@juniorrostirola

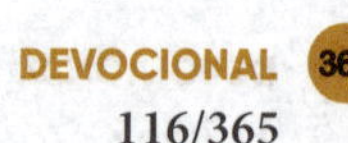

DEVOCIONAL
116/365

LEITURA BÍBLICA
GÊNESIS 46

PALAVRA-CHAVE
#AUTORIDADE

ANOTAÇÕES

Quando os seguidores de Jesus recordaram o dia em que ele subiu ao céu, eles começaram a ver como isso marcou um ponto de virada no entendimento deles sobre Jesus ser o Filho de Deus. Foi naquele dia que tudo se tornou diferente.

Até aquele momento, eles haviam trabalhado ao lado de Jesus, reconhecendo-o como um grande professor, o mestre, e alguém poderoso e tão alinhado com o coração de Deus a ponto de fazer milagres, e muitos desses milagres levavam as pessoas a reconhecer a divindade de Jesus. Mas, depois de sua ascensão, aqueles homens começaram a perceber que ele é o Senhor de todos.

Muitas das nossas rotinas diárias parecem normais, sem relevância e repetitivas. Conversamos com os vizinhos, vamos para o trabalho, pagamos as contas, lavamos as roupas, e assim por diante; passamos os dias vivendo do modo mais confortável possível. No entanto, o Espírito de Deus quer que vejamos que o mesmo poder que ressuscitou Cristo dos mortos e o colocou à direita de Deus não ficou preso no passado, mas opera em nós hoje. O Espírito está conosco o tempo todo.

A mesma autoridade que o Cristo que subiu ao céu tem como Senhor de tudo e de todos se estende às nossas ações e interações rotineiras. Se você tiver dificuldade em acreditar nisso, pare por um momento e relembre a história do Senhor que ascendeu ao céu. Lembre-se de quem você adora e serve, para que você o conheça melhor, tenha esperança nele e tenha vida abundante e plena! Ele é o Rei dos reis e o Senhor dos senhores!

FOI POR VOCÊ

Ele é a imagem do Deus invisível, o primogênito sobre toda a criação, pois nele foram criadas todas as coisas nos céus e na terra, as visíveis e as invisíveis, sejam tronos sejam soberanias, poderes ou autoridades; todas as coisas foram criadas por ele e para ele.

COLOSSENSES 1.15,16

27
ABR

#CAFECOMDEUSPAI

Você já deve ter ouvido o ditado popular que diz "Tal pai, tal filho!". Mas você sabia que esse ditado também diz respeito a Jesus, o Deus Filho, e ao nosso Deus Pai? Pois não é possível desvincular um do outro, ou servir e amar somente a um em detrimento do outro. Pai, Filho e Espírito são um.

Quando você escolhe amar e seguir a Jesus, você está escolhendo amar e seguir a Deus Pai. Ou seja, se você tem Jesus, tem também Deus Pai, pois Cristo é Deus, e Jesus precede toda a criação.

É de fundamental relevância compreendermos e vivenciarmos essa verdade de que o próprio Deus se fez homem, esvaziou-se a si mesmo e habitou em nosso meio, fazendo-se servo humilhado e desprezado em nosso favor.

É impossível medir o amor de Deus pela humanidade. Ele é paradoxal, incomparável, imensurável, profundo e verdadeiro. Esse é o amor de Deus. Ele nos ama a ponto de Jesus, com os braços pregados em uma cruz, declarar com essa atitude o quanto ele está disposto a nos levar consigo para a eternidade.

Deus preferiu se tornar homem e morrer na cruz a ter de passar a eternidade longe de nós.

Seja grato pelo que Jesus fez por você e por ele nunca desistir de nós. A melhor forma de mostrar gratidão por tudo o que o Senhor fez por você é levar uma vida de humildade e obediência a Deus e de amor ao próximo de modo incondicional.

O amor de Jesus o faz abrir os braços para suprir você!

@juniorrostirola

DEVOCIONAL
117/365

LEITURA BÍBLICA
GÊNESIS 47

PALAVRA-CHAVE
#AMOR

ANOTAÇÕES

O AMOR DO PAI

28
ABR

#CAFECOMDEUSPAI

"O Senhor, o seu Deus, está em seu meio, poderoso para salvar. Ele se regozijará em você; com o seu amor a renovará, ele se regozijará em você com brados de alegria."

SOFONIAS 3.17

Por mais que a iniquidade nos cerque e venha até mesmo a nos afetar, a Bíblia diz que maldade nenhuma tem o poder de eliminar o soberano amor salvador da presença do Pai.

Muitas vezes, nós nos vemos tão aprisionados, com medo da rejeição que sofremos no passado que nos tornamos cativos e paralisados. Ficamos incapazes e nos sentimos sem forças para reagir às investidas do mundo.

Somos tão afetados pela atmosfera espiritual negativa que nos conformamos e começamos a acreditar nas mentiras que são ditas a nosso respeito. Muitas vezes aceitamos como verdadeira a mentira de que não nascemos para ser felizes ou até para realizar os nossos sonhos, de modo que estamos fadados a uma vida triste e vazia.

A presença do Senhor entre nós não é somente real; ela é poderosa para mudar a nossa realidade e nos salvar. Só o amor do Deus Pai pode nos resgatar da posição de humilhação a que muitas vezes nos submetemos. Independentemente do motivo de você se sentir desvalorizado, saiba que receber a salvação de Jesus é trocar o fardo pesado das mentiras que carregamos por anos pela leveza das verdades que o Pai tem a respeito de nós.

Então, não dê ouvidos ao que o mundo diz sobre você. Não dependa dele para sua autoafirmação. Confie que existe um Pai que o ama e que deseja tirá-lo da sua condição de medo e vergonha, para elevá-lo ao lugar da sua verdadeira condição, a de filho.

Reconhecer quem Jesus é traz para a minha vida o discernimento de quem eu realmente sou.

@juniorrostirola

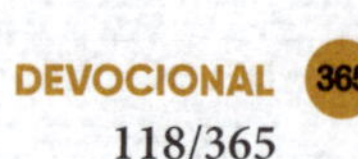

118/365

SALMOS 51

#FILIAÇÃO

DE JESUS SÓ RECEBEMOS O MELHOR

"Pois os meus pensamentos não são os pensamentos de vocês, nem os seus caminhos são os meus caminhos", declara o SENHOR. *"Assim como os céus são mais altos do que a terra, também os meus caminhos são mais altos do que os seus caminhos; e os meus pensamentos, mais altos do que os seus pensamentos."*

ISAÍAS 55.8,9

29 ABR

#CAFECOMDEUSPAI

O relacionamento com Deus não é simplesmente cumprir um ritual de ir às celebrações dominicais, como um compromisso na agenda semanal, nem conhecer Deus apenas de ouvir falar em uma pregação; tampouco como ouvimos falar na escola das várias figuras históricas distantes que jamais conheceremos. Nada disso representa uma vida relacional com o Pai.

Antes, o relacionamento verdadeiro com Deus implica em criar vínculos, intimidade espiritual, conhecer sua instrução, adotar os princípios éticos e morais da Bíblia, viver em satisfação e prosperidade, receber consolo nas horas difíceis e desenvolver os dons com os quais graciosamente o Senhor nos presenteou.

Como é o seu relacionamento com o seu cônjuge, com seus pais, amigos, filhos ou alguém que você admira e de quem gosta muito? Com essas pessoas, queremos interagir ativamente, muitas vezes em decisões fundamentais. É assim que o nosso amado Senhor quer desenvolver um relacionamento conosco, algo intenso e funcional que vai muito além de ir à igreja aos domingos.

Para isso se tornar uma realidade, assim como compartilhamos com nossos entes queridos sonhos e projetos, precisamos compartilhá-los com Deus e permitir que ele nos dê a bênção de concretizá-los! Tome hoje mesmo a iniciativa de se aproximar do Pai. Ele está à espera de que você dê um passo na direção dele. Conte seus planos e sonhos e ele certamente lhe responderá.

Quem já se encontrou com Jesus tem provas de que ele vive e de que suas palavras são verdadeiras.

@juniorrostirola

DEVOCIONAL
119/365

LEITURA BÍBLICA
SALMOS 52

PALAVRA-CHAVE
#ABUNDÂNCIA

ANOTAÇÕES

RENDA-SE AO SENHORIO DE CRISTO

30
ABR

#CAFECOMDEUSPAI

Não ofereçam os membros do corpo de vocês ao pecado, como instrumentos de injustiça; antes ofereçam-se a Deus como quem voltou da morte para a vida; e ofereçam os membros do corpo de vocês a ele, como instrumentos de justiça.

ROMANOS 6.13

Preocupar-se não muda nada, mas uma palavra encorajadora pode mudar tudo quando Deus está nela.

@juniorrostirola

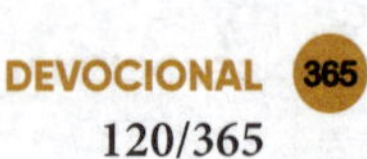

DEVOCIONAL 365
120/365

LEITURA BÍBLICA
SALMOS 53

PALAVRA-CHAVE
#RENDIÇÃO

ANOTAÇÕES

"Rendição" não é uma palavra popularmente aceita nos dias de hoje. Acredito que seja quase tão malvista quanto a palavra "submissão". Rendição evoca a desagradável ideia de admitir a derrota em uma batalha, perder uma competição ou capitular perante um adversário mais forte, não prestar resistência.

A palavra é quase sempre utilizada num contexto negativo: "Criminosos capturados se rendem às autoridades, quando não veem mais escapatória de saírem impunes de seus atos". Na civilização competitiva de hoje, somos ensinados a ser irredutíveis e a nunca desistir ou ceder. Logo, não ouvimos falar muito de rendição.

Preferimos contar sobre nossas vitórias, nossos sucessos, triunfos e conquistas a falar de complacência, submissão, obediência e rendição. Mas render-se a Deus é a essência da adoração. A rendição é uma resposta natural ao maravilhoso amor e à misericórdia de Deus.

Render-se a Deus não é resignação passiva, fatalismo ou desculpa para a preguiça. Significa exatamente o oposto: sacrificar a vida ou sofrer, a fim de mudar o que precisa ser mudado. Render-se não é para covardes ou subservientes; é uma escolha tomada somente por aqueles que têm coragem e coração intencional.

Render-se não é suprimir a própria personalidade; é entregar a Deus, que é infinitamente soberano, detém o controle total da nossa vida, mostrando que ele é Rei, governando-nos com todo o seu amor e sabedoria. Você se rendeu às suas razões e aos seus achismos?

QUEM TEM JESUS
TEM TUDO.

@juniorrostirola

#CAFECOMDEUSPAI

VOCÊ AINDA
ESTÁ DE PÉ.
ESSA É A **PROVA**
DE QUE AS
CIRCUNSTÂNCIAS
NÃO CONSEGUIRAM
PARAR OS PLANOS
DE DEUS NA
SUA VIDA!

@juniorrostirola

MAIO

#CAFECOMDEUSPAI

café com Deus pai

DECIDA PERDOAR

"Afaste-se do mal e faça o bem; busque a paz com perseverança."

1PEDRO 3.11

01
MAI

#CAFECOMDEUSPAI

Muitas vezes, nos associamos ao que é errado, e isso rouba de nós o relacionamento com Deus, fazendo que nos sintamos distantes, culpados e até mesmo indignos do amor dele. Tudo o que você precisa é pedir perdão e retomar seu relacionamento com o Pai.

O texto que lemos descreve que devemos nos empenhar em buscar a paz. Ao longo da história, várias nações assinaram acordos de paz, como forma de reatar relações, contudo o que se vê é que nem sempre a paz se concretiza. As guerras são noticiadas com grande frequência.

Nas relações sociais, seja na família, seja com amigos, seja na vida profissional, quando falamos de perdão e da retomada de um relacionamento, é sabido que se trata de duas coisas diferentes. Perdão é o que você faz como pessoa ofendida, dando o primeiro passo em direção ao processo de restauração. Retomar o relacionamento é o que você faz para voltar a ter graça diante do Pai. Dizer "desculpe-me" não é suficiente, porque isso pode ser dito de forma mecânica e vazia comparado ao verdadeiro arrependimento. Você precisa aprender a restaurar um relacionamento por meio do arrependimento. Isso não é apenas dizer: "Sinto muito". Significa ser humilde para dizer: "Eu estava errado. Por favor, me perdoe".

Restaurar um relacionamento requer reconstruir a aliança da confiança. O perdão é construído na graça e é incondicional, já a confiança deve ser reconstruída pelo convívio. Deus o ama e quer voltar a lhe confiar seus maiores tesouros. Ele confia em você.

Comprometa-se a fazer todos os ajustes para que a sua trajetória seja vitoriosa.

@juniorrostirola

DEVOCIONAL
121/365

LEITURA BÍBLICA
GÊNESIS 48

PALAVRA-CHAVE
#PERDOAR

ANOTAÇÕES

SERÁ QUE VOCÊ PRECISA MUDAR?

02
MAI

#CAFECOMDEUSPAI

"Eu sou o bom pastor; conheço as minhas ovelhas, e elas me conhecem."

JOÃO 10.14

Quando desejamos ser íntimos de alguém, precisamos nos aproximar dessa pessoa e iniciar um vínculo de relacionamento, amizade e companheirismo, passando o máximo de tempo possível com ela. Principalmente quando falamos de relacionamento conjugal, é extremamente necessário que exista diálogo, um compartilhar do coração, desejos, sonhos e segredos em comunhão, além da convicção de que ambos caminham na mesma direção.

Ao vivermos dessa forma, o nosso relacionamento com Deus Pai cresce na medida em que valorizamos o diálogo e compartilhamos o nosso coração, buscando sempre uma direção apontada por ele para todas as coisas a fazer em nossa vida.

Quando procuramos compreender o que se passa no coração de Deus, o que ele deseja de nós e como podemos ser úteis ao seu Reino, a nossa vida se torna mais feliz, porque passa a ter um sentido eterno, ao ganhar um propósito verdadeiro.

O desejo de Deus como Pai é que venhamos a entender quanto ele nos ama e se preocupa com cada momento que vivemos, buscando compartilhar conosco seus planos e sonhos. Se for necessário, mude os hábitos diários, mas não deixe de ter tempo com Deus todos os dias, para regar a semente da intimidade, a fim de que ela cresça e frutifique grandemente.

Você verá como a sua fé vai aumentar, e o direcionamento da sua vida será mais claro, porque agora você tem um norte a seguir. O Senhor revelará as maiores fontes de seu coração para você, porque ele o tem como filho muito amado.

Ninguém permanece o mesmo depois que se encontra com Jesus!

@juniorrostirola

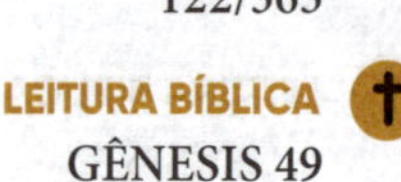

DEVOCIONAL
122/365

LEITURA BÍBLICA
GÊNESIS 49

PALAVRA-CHAVE
#ENTENDIMENTO

ANOTAÇÕES

NÃO HÁ IMPOSSÍVEL PARA DEUS

[...] um tanque que, em aramaico, é chamado Betesda, [...]. Ali costumava ficar grande número de pessoas doentes e inválidas: cegos, mancos e paralíticos. [...] De vez em quando descia um anjo do Senhor e agitava as águas. O primeiro que entrasse no tanque, depois de agitadas as águas, era curado de qualquer doença que tivesse.

JOÃO 5.2-4

03
MAI

#CAFECOMDEUSPAI

A palavra "Betesda" deriva de duas palavras hebraicas: uma relacionada a casa, habitação, e a segunda, a bondade e misericórdia. Betesda pode ser traduzido por "casa ou lugar de misericórdia".

Nesse lugar em que muitas pessoas enfermas buscavam por cura sobrenatural, Jesus encontra um homem que havia trinta e oito anos estava paralítico. Por muito tempo, ele tentava obter a cura oferecida no tanque, sem êxito. O encontro com Jesus trouxe a cura tão almejada, sem precisar tocar na água daquele tanque.

Dias atrás, a minha mãe relembrou uma história de quando estava grávida de mim, no final de 1979. Ela teve rubéola. Foi aconselhada a abortar. Então, após sair daquele consultório, uma amiga lhe disse: "Edite, não desista, confie em Deus. Ele não vai permitir que esta criança sofra consequência alguma por causa dessa doença".

Cheia de esperança, a minha mãe decidiu prosseguir com a gravidez. Finalmente, eu nasci, cheio de vida, e com vigor, e, o melhor de tudo, em perfeita saúde.

Talvez você esteja diante de um diagnóstico contrário quanto à sua vida ou a de alguém que você conhece. Só Deus sabe os planos que ele tem para nós. Não podemos dimensionar aonde ele nos levará, embora, sim, saibamos que ele tem poder para transformar a água em vinho. Saiba que hoje mesmo esse diagnóstico pode ser mudado, e o milagre pode acontecer se ele assim determinar.

Deus está mais disposto a nos ajudar do que somos capazes de imaginar.

@juniorrostirola

DEVOCIONAL
123/365

LEITURA BÍBLICA
GÊNESIS 50

PALAVRA-CHAVE
#MOVIMENTO

ANOTAÇÕES

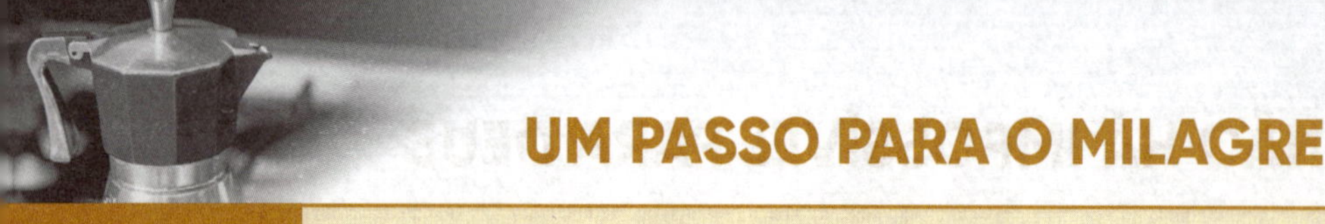

UM PASSO PARA O MILAGRE

04
MAI

#CAFECOMDEUSPAI

"Já tínhamos dito a você no Egito: 'Deixe-nos em paz! Seremos escravos dos egípcios!' Antes ser escravos dos egípcios do que morrer no deserto!" Moisés respondeu ao povo: 'Não tenham medo. Fiquem firmes e vejam o livramento que o SENHOR trará hoje, porque vocês nunca mais verão os egípcios que hoje veem'."

ÊXODO 14.12,13

Após séculos de escravidão no Egito, guiado por Deus, Moisés consegue finalmente libertar o povo hebreu. O povo começa a murmurar contra Moisés, como se ele os houvesse tirado de um lugar bom, não da escravidão.

Há muitas pessoas que se conformam com pouco, com a escassez, com uma vida mediana. Para algumas pessoas, literalmente "qualquer coisa está bom". Mas eu aprendi na minha vida que o bom é inimigo do ótimo.

Há coisas que não precisamos entender, mas podemos simplesmente obedecer, dar o primeiro passo, para, então, o Senhor agir.

Alguns anos atrás, ao ver que as nossas reuniões contavam com um número de pessoas cada vez maior, vi-me diante de duas opções: ou eu limitava o crescimento que vinha acontecendo, permanecendo naquele espaço, ou eu dava um passo de fé para nos mudarmos para um lugar maior.

A fé daquele grupo de pessoas nos impulsionou para um espaço extremamente amplo e confortável, onde estamos estabelecidos hoje. Foram muitas as vezes em que o administrador me chamava, alertando sobre os compromissos financeiros, mas eu tinha uma palavra no meu coração: *Vai dar e vai sobrar*. Com essa verdade de Deus, construímos, inauguramos e hoje usufruímos do novo templo.

Quais desafios estão diante de você neste dia? Quais passos o Senhor está esperando que você dê para que o milagre aconteça? Esteja preparado para uma temporada de milagres.

Quais passos que você está disposto a dar em direção ao seu milagre?

@juniorrostirola

DEVOCIONAL 365
124/365

LEITURA BÍBLICA
1CORÍNTIOS 1

PALAVRA-CHAVE
#DESAFIO

ANOTAÇÕES

O PADRÃO DO CÉU

Havia um homem chamado Lázaro. Ele era de Betânia, do povoado de Maria e de sua irmã Marta. E aconteceu que Lázaro ficou doente.

JOÃO 11.1

05
MAI

#CAFECOMDEUSPAI

Mesmo seguindo Jesus, convictos da nossa salvação, somos seres humanos sujeitos a ser acometidos por qualquer enfermidade. Embora existam pessoas que acreditam estar imunes, por qualquer motivo que seja, independentemente do tamanho da nossa fé, não somos super-humanos. Estamos no mundo, mas o mundo não está em nós. Isso, porém, não nos isenta de ficarmos doentes, passarmos por lutas e adversidades, mesmo depois de encontrarmos Jesus e passarmos a viver uma vida nova.

As doenças nem sempre são consequências do pecado. Podem ser simplesmente decorrentes de idade, de causas naturais, de acidentes, ou mesmo consequências do pecado do próximo. Mas não é por isso que devemos deixar de buscar dos céus a cura para as nossas doenças. Basta que nos lembremos de quantas pessoas acometidas por doenças físicas Jesus curou com seu poder. Tantos foram os milagres de Jesus que o Evangelho de João, em 21.25, relata que não caberiam nos livros já escritos no mundo todo. Quando João faz essa declaração, ele também está listando o milagre que Jesus está por fazer na vida dele.

Creia que Deus pode fazer um milagre na sua vida hoje. Precisamos trazer a realidade do céu à terra, ou seja, no céu não há doença nem enfermidade; o padrão do céu é de vida e abundância. À medida que buscamos viver a realidade celestial, passamos a experimentar a boa, agradável e perfeita vontade de Deus.

Chegou a hora de não perder tempo com situações que estão além do seu controle. Abra espaço para a intervenção divina.

@juniorrostirola

DEVOCIONAL
125/365

LEITURA BÍBLICA
SALMOS 54

PALAVRA-CHAVE
#HUMANIDADE

ANOTAÇÕES

DEUS TEM PLANOS PARA A SUA VIDA

06
MAI

#CAFECOMDEUSPAI

No vigésimo terceiro ano do reinado de Joás, filho de Acazias, rei de Judá, Jeoacaz, filho de Jeú, tornou-se rei de Israel em Samaria e reinou dezessete anos.

2REIS 13.1

Veja o futuro além das suas dificuldades.

@juniorrostirola

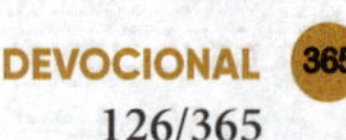

DEVOCIONAL
126/365

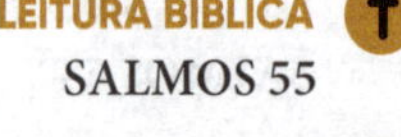

LEITURA BÍBLICA
SALMOS 55

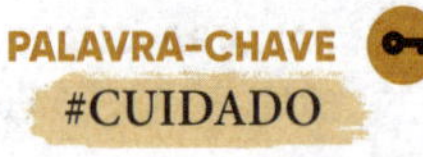

PALAVRA-CHAVE
#CUIDADO

ANOTAÇÕES

Joás era filho de Acazias e Zíbia, de Judá. Ele começou a reinar muito precocemente, com apenas 7 anos de idade, e reinou durante quarenta anos em Jerusalém sobre Judá. Quando seu pai, Acazias, foi morto, toda a família real foi assassinada, exceto ele.

Em meu livro *Encontrei um Pai*, descrevo a morte dos três primeiros filhos da minha mãe. A violência e a brutalidade do meu pai contribuíram para essas perdas. A minha mãe conta que aos 7 meses eu apanhei muito do meu pai. Eu era apenas um bebê de 7 meses de vida quando sofri violência pela primeira vez.

Impedida de me acudir, ela diz que permaneci soluçando toda a noite, uma imagem que não se apaga de sua mente. Apenas pela manhã, quando o meu pai foi para o trabalho, ela teve condições de cuidar de mim e aconchegar-me ao seu colo materno.

Confesso que, enquanto escrevia estas palavras, as lembranças de quanto a minha mãe foi importante em minha vida se tornaram ainda mais vivas.

Depois da conspiração e morte na família do jovem rei, Joás se tornou o único descendente vivo de Salomão, cumprindo Deus assim a promessa de que não deixaria a casa de Davi sem um descendente no trono. Dessa descendência viria o Messias, Jesus Cristo.

Seu dom aponta para o seu chamado! Sua dor será sua especialidade! Sua semente determina sua colheita! Defenda o que Deus lhe deu! Lute por tudo o que o Senhor lhe entregou na vida.

DEUS NÃO DESISTIU DE VOCÊ

Confie no Senhor e faça o bem; assim você habitará na terra e desfrutará segurança. Deleite-se no Senhor, e ele atenderá aos desejos do seu coração. Entregue o seu caminho ao Senhor; confie nele, e ele agirá.

SALMOS 37.3-5

07
MAI

#CAFECOMDEUSPAI

Você sabia que Deus tem um propósito e um destino unicamente e exclusivamente para você? O objetivo do destino que Deus tem para você é o de crescimento e frutificação.

O nível de sucesso para alcançar o seu propósito depende da sua vontade em permitir que esse crescimento seja operado pelo Senhor. A maioria das frustrações da vida vem de agendas concorrentes que colidem e tiram do trilho o nosso foco principal.

Felizmente, Deus é fiel conosco. Ele é paciente com você e não fica aborrecido quando você não aceita o plano dele. Ele concede a você liberdade para seguir o caminho que você escolheu. Se Deus tivesse a mesma oscilação de sentimentos que nós, seres humanos, temos, ele se frustraria com nossas escolhas que nos levam a erros e acertos. Ao contrário, Deus sempre nos leva de volta para onde ele sabe que precisamos ir.

Deus não o abandonará em seu caminho. O Bom Pastor não desiste de nenhuma de suas ovelhas e vai atrás daquelas que estão perdidas.

O salmo 37 diz que Deus tem prazer em nos conceder os desejos do nosso coração. Para que isso aconteça, temos que nos alinhar com seus planos. Busque em primeiro lugar o Reino de Deus e a sua justiça, e todas essas coisas serão acrescentadas a você. Peça ao Senhor que continue a transformar a sua vida diariamente. Não estamos prontos, mas, à medida que nos relacionamos com Deus, tornamo-nos mais e mais parecidos com o Pai.

Aquilo que eu ouço tem impacto direto na direção que dou à minha vida.

@juniorrostirola

365 **DEVOCIONAL**
127/365

LEITURA BÍBLICA
SALMOS 56

PALAVRA-CHAVE
#SONHAR

ANOTAÇÕES

CUIDE DOS SEUS

08
MAI

#CAFECOMDEUSPAI

Se alguém não cuida de seus parentes, e especialmente dos de sua própria família, negou a fé e é pior que um descrente.

1TIMÓTEO 5.8

O primeiro compromisso e ministério que um seguidor de Cristo deve ter é a família. Não desista de você, tampouco da sua família, apesar do problema que possa estar enfrentando. Pessoas bem-sucedidas são bem maiores que os próprios problemas. Seja você marido, mulher, pai ou filho, precisa investir na sua família. Ela tem que ser a sua prioridade. Decida ser bem-sucedido! Existe crescimento para quem encara os desafios com fé e confiança em Deus.

Talvez até hoje você tenha conduzido a sua vida com a força do braço, mas agora deixe o Senhor conduzir, pois com certeza vai ser muito mais fácil.

Quando criança ou adolescente, eu não tinha muitas possibilidades de mudar a realidade da minha família, pois, além de ser extremamente tímido, não conseguia ver possibilidade de mudar nenhum cenário; contudo, chegou o dia em que tive a oportunidade de formar a minha família.

Aquele menino que se tornou homem, sem referência paterna, tornou-se pai. Eu não tive um bom modelo, um exemplo para ser seguido. Então, tive de construir, por meio do relacionamento que tenho com o Senhor, o caráter de pai que os meus filhos precisavam.

Como disse, não sei qual é a posição que você ocupa na sua família, se apenas de filho ou de alguém que já é responsável por outras pessoas. A grande questão é que, com a ajuda de Deus, todo cenário caótico pode mudar, toda história pode ter um novo rumo. Então, decida hoje viver algo novo.

Alimente a sua fé, e os seus medos morrerão de fome.

@juniorrostirola

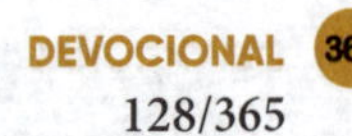

128/365

1CORÍNTIOS 2

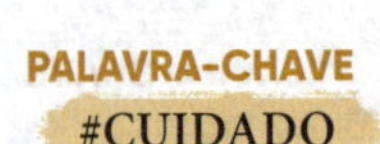

#CUIDADO

NÃO DESISTA; PERMANEÇA FIEL!

Perto da cruz de Jesus estavam sua mãe, a irmã dela, Maria, mulher de Clopas, e Maria Madalena. Quando Jesus viu sua mãe ali, e, perto dela, o discípulo a quem ele amava, disse à sua mãe: "Aí está o seu filho".

JOÃO 19.25,26

09
MAI

#CAFECOMDEUSPAI

Quando Jesus estava no momento mais difícil de seu ministério, estava preso e era julgado e punido por nossos pecados, sem jamais ter cometido pecado algum ele mesmo, os seus discípulos, temendo morrer, esconderam-se. Até mesmo Pedro, o mais eloquente defensor do Mestre, negou conhecê-lo.

Desse modo, no ápice de sua missão na terra, quando Jesus dava seu suspiro final, ali estavam ao pé da cruz o único apóstolo que não o abandonou: João; ao seu lado, sofrendo calada, estava sua mãe, que de forma discreta esteve ao seu lado durante todo o seu ministério terreno, sem jamais abandoná-lo.

Hoje me sinto muito confiante em continuar a caminhada, mas já tive dias de querer ficar na cama desejando a morte, querendo que o tempo passasse o mais depressa possível para que eu fosse embora deste mundo, pois sei o que é ter dores que nem mesmo o colo da minha mãe podia aliviar.

Imagino que a maioria das pessoas, senão todas elas, já tenha sofrido dores paralisantes. Se você estiver neste momento com muita dificuldade de querer continuar, saiba que eu também já me senti assim, sem esperança de que as coisas mudariam. No entanto, não há nada que possa impedir você de passar por dificuldades e situações injustas. Isso não quer dizer que não haja alguém capaz de levar você à vitória.

Eis o meu conselho: levante a cabeça, creia nas palavras de Jesus sobre a sua vida e vença as circunstâncias que se levantaram contra você.

Assim como as dores do parto geram vida, as dores do processo geram a vitória.

@juniorrostirola

DEVOCIONAL
129/365

LEITURA BÍBLICA
1CORÍNTIOS 3

PALAVRA-CHAVE
#PERMANECER

ANOTAÇÕES

UM AMOR IMENSURÁVEL

10
MAI

#CAFECOMDEUSPAI

“Muitas mulheres são exemplares, mas você a todas supera.”

PROVÉRBIOS 31.29

Ao longo da Bíblia, somos impactados com os vários relatos do amor de Deus para conosco. Todavia, o amor que, mesmo distante, mais se assemelha ao do nosso Criador por nós, é o amor de mãe.

Quem conhece a minha história sabe que em minha casa não havia um bom pai, mas, em contraponto, havia uma grande mãe. Uma mulher que me inspira, que me ensina todos os dias. Muito do que eu sou hoje, devo à minha mãe. Atribuo muitos dos meus sucessos a ela. Ao longo de sua história, foi uma mulher perseverante, que, mesmo diante das circunstâncias difíceis, não desistiu. Foram 28 anos de luta.

Deus vai levantar você para curar a dor de outras pessoas.

@juniorrostirola

Não posso afirmar que a sua realidade foi igual à minha, na qual uma mulher que tanto sofreu pela agressividade do seu marido foi tão forte, dócil e guerreira na criação dos filhos. Ela demonstrou amor sem tê-lo recebido, cuidando sem que ninguém dela cuidasse. Ainda que a sua realidade tenha sido diferente da minha, que o amor da sua mãe não tenha sido uma realidade presente na sua vida, tenho plena certeza de que o amor de Deus por você é imenso.

Jesus levou sobre si toda a dor e toda a amargura para que possamos viver uma vida abundante. Então, não desista; acredite que os dias serão diferentes daqui para a frente. Se for preciso liberar perdão, faça isso. Tenha uma atitude de perdão para que você possa desfrutar de uma realidade completamente diferente daquela que você viveu até hoje.

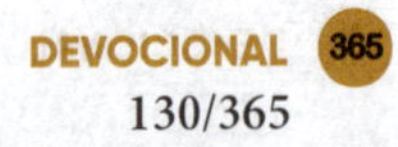

DEVOCIONAL 365
130/365

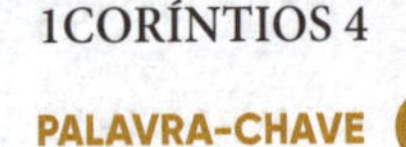

LEITURA BÍBLICA
1CORÍNTIOS 4

PALAVRA-CHAVE

#IMENSURÁVEL

ANOTAÇÕES

JESUS CURA

Mas ele foi traspassado por causa das nossas transgressões, foi esmagado por causa de nossas iniquidades; o castigo que nos trouxe paz estava sobre ele, e pelas suas feridas fomos curados.

ISAÍAS 53.5

11
MAI

#CAFECOMDEUSPAI

Muitas vezes, diante das circunstâncias, quando você compreende que a sua vida aqui na terra é uma guerra espiritual, as coisas começam a ter outro sentido. Então, você passa a entender que não é um ser humano com experiências espirituais, e sim um ser espiritual com experiências humanas.

O texto que abre esta nossa reflexão ensina que Jesus tem cura para todas as áreas da nossa vida. Pode ser que o trauma do passado ainda o paralise, e você acredite ser impossível libertar-se dele. O fato é que por si só você não consegue a cura, mas com Jesus, sim. Ele já saldou as suas dívidas e agora quer curar as suas feridas. Basta só você estender a mão para ele e deixar-se ser acolhido pelo seu amor.

Durante muito tempo da minha vida, os pensamentos me assombravam e me faziam ficar parado, mais do que qualquer dor física, pois as feridas na minha alma ainda pulsavam de dor. Eu consigo imaginar o que o seu coração está sentindo neste momento.

Uma mudança de pensamento fez que os meus passos passassem a ter novo sentido. Quando comecei a acreditar nas verdades do Senhor, as feridas que outrora me paralisavam foram cicatrizadas, e o meu destino de filho passou a ser vivido com toda a intensidade que Deus tem para nós. Quem tem Jesus não tem falta de nada, simplesmente porque Jesus tomou as nossas dores e entregou-se de corpo e alma para que a paz de Deus fosse instaurada na minha e na sua vida. Comece hoje a ver que Jesus pode curar todas as feridas e extinguir todas as dores da sua alma.

Quem tem Jesus, não tem falta de nada.

@juniorrostirola

365 **DEVOCIONAL**
131/365

LEITURA BÍBLICA
1CORÍNTIOS 5

PALAVRA-CHAVE
#SARADOS

ANOTAÇÕES

DEUS NÃO ABANDONA

12
MAI

#CAFECOMDEUSPAI

Samuel apanhou o chifre cheio de óleo e o ungiu na presença de seus irmãos, e, a partir daquele dia, o Espírito do SENHOR apoderou-se de Davi. E Samuel voltou para Ramá.

1SAMUEL 16.13

O amor de Deus Pai é sobrenatural e imensurável e o faz suportar todas as situações que o possam abater.

@juniorrostirola

DEVOCIONAL 365
132/365

LEITURA BÍBLICA
SALMOS 57

PALAVRA-CHAVE
#EXCELÊNCIA

ANOTAÇÕES

Davi viveu por muitos anos no deserto. Ele não era reconhecido pelo pai como os demais irmãos. Quando o profeta Samuel visitou a casa de Jessé e pediu para ver seus filhos, Davi não foi chamado. Estava no campo cuidando das ovelhas de seu pai. Quantas vezes ele não deve ter se sentido só, abandonado ou rejeitado?

Talvez você se sinta como Davi. Talvez você se sinta abandonado, talvez esteja passando por momentos difíceis. Mas lembre-se de que foi no campo, cuidando das ovelhas, que Davi pôde ver a mão de Deus sobre ele. Debaixo de chuvas fortes e do sol escaldante, longe dos olhos das outras pessoas, ele enfrentou leões e ursos, passou por provações com mansidão, até chegar a ser ungido rei pelo profeta. Ainda depois disso, levou anos até que ele assumisse o trono.

Você pode se sentir pequeno, esquecido, rejeitado, não amado, mas o seu dia vai chegar, assim como chegou o dia de Davi ser ungido o rei de Israel. E todo o período em que ele passou no anonimato, pastoreando as ovelhas de seu pai e enfrentando leões e ursos para defendê-las, o preparou para enfrentar gigantes e reinar com amor sobre o seu povo. Assim como aconteceu com Davi, o que você tem passado está servindo de preparo para o dia em que as promessas do Senhor se cumprirão na sua vida.

Ainda que ninguém veja o que você faz hoje, não se preocupe, porque há coisas que servem de trampolins para viver a jornada profética que o Senhor preparou para você.

Tudo o que você precisa é continuar fazendo a obra com excelência. Entregue o seu melhor ao Senhor, e ele o honrará.

PRIORIZE A INTIMIDADE

"Que todas estas palavras que hoje lhe ordeno estejam em seu coração. Ensine-as com persistência a seus filhos. Converse sobre elas quando estiver sentado em casa, quando estiver andando pelo caminho, quando se deitar e quando se levantar."
DEUTERONÔMIO 6.6,7

13
MAI

#CAFECOMDEUSPAI

Nada é mais importante na vida de um cristão que manter a chama acesa. As demais coisas são acrescentadas. Durante a visita de Jesus à casa de Marta e Maria, Maria se derrama aos pés do Senhor. Ela faz isso porque quer de fato viver em intimidade com ele e aproveitar a oportunidade. Marta, porém, está preocupada com os afazeres domésticos.

Ao longo da minha vida pastoral, atendo e aconselho casais. São bons cônjuges, zelosos com a casa e educação dos filhos, mas o mais importante eles não têm: intimidade. O problema não é dinheiro ou filhos; é a ausência de intimidade. A falta de intimidade faz uma família se romper. Dias antes de escrever este texto, ouvi da minha filha, Isabella, que ela aprendeu a ter fé comigo. Sabe, isso não foi do dia para a noite, mas uma construção de vida. Eu exerço minha fé em comunhão com a Isabella.

Muitos casais, pais, filhos e irmãos, apesar de viverem sob o mesmo teto, se tornam completos estranhos uns em relação aos outros. Esse distanciamento geralmente é atribuído à vida agitada entre trabalho, escola e demais compromissos, e assim cada um passa o dia em um local diferente. Quando vêm para casa, estão todos cansados.

Isso, porém, não pode ser desculpa para negligenciar um tempo de qualidade e intimidade com a família e com o Senhor. Edifique o seu lar reservando um tempo de qualidade juntos e, com isso, traga a presença do Senhor para o seu lar. Faça hoje uma surpresa: invista tempo de qualidade com a sua família. Você verá como isso irá se refletir no seu relacionamento. Priorize a intimidade.

A renovação que você quer está na mudança de vida que você precisa!

@juniorrostirola

DEVOCIONAL
133/365

LEITURA BÍBLICA
SALMOS 58

PALAVRA-CHAVE
#FAMÍLIA

ANOTAÇÕES

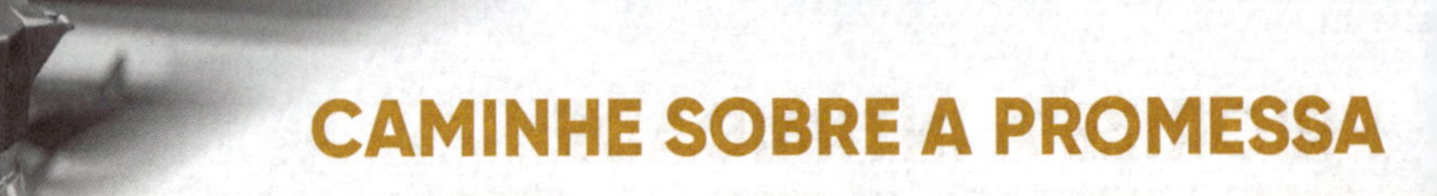

CAMINHE SOBRE A PROMESSA

14
MAI

#CAFECOMDEUSPAI

Logo em seguida, Jesus insistiu com os discípulos para que entrassem no barco e fossem adiante dele para Betsaida, enquanto ele despedia a multidão.
MARCOS 6.45

Com certeza, você já ouviu alguém falar que fez algo involuntariamente porque foi manipulado por forças malignas. Segundo tal pessoa, todo o ônus de seus maus hábitos está "na conta" do Devorador; todas as coisas ruins de sua vida ocorrem por ato do Inimigo. É possível que, quando Jesus convenceu os discípulos a entrarem no barco, eles já estivessem avistando a tempestade se formar.

Pedro era pescador experiente e sabia fazer uma leitura das condições de navegação. Apesar disso, Jesus deu a ordem, e ele obedeceu, navegando pelo mar. Mas por que será que Jesus os enviou em direção ao perigo? Precisamos entender que certas tempestades são inevitáveis e que, para sobreviver a elas, precisamos do básico da fé: a fé prospera nos caminhos mais difíceis e nos caminhos mais terríveis. Então, uma fé inabalável é quando desvio o olhar das circunstâncias e miro naquilo que Deus já pôs em mim, um espírito de ousadia.

Quando eu ia me casar, as condições eram totalmente desfavoráveis. Michelle e eu tínhamos uma promessa e fé para que ela se cumprisse. A minha mãe e os meus sogros tinham medo de que a realidade enfrentada não fosse possível de ser vencida. Mas, quando temos uma palavra, nada pode nos paralisar, a menos que não prossigamos.

Pare de olhar para as circunstâncias, não foque nas tempestades. Lembre-se de que Pedro, ao andar sobre as águas, caminhava com base na palavra proferida por Jesus. Somente quando ele passou a olhar para o forte vento e perdeu o foco é que ele afundou. Não permita que hoje algo tire a sua atenção e os seus olhos de Jesus; caminhe firme na promessa que ele lhe fez.

Silencie a voz do medo e descubra o seu potencial em Deus.
@juniorrostirola

DEVOCIONAL 365
134/365

LEITURA BÍBLICA
SALMOS 59

PALAVRA-CHAVE
#CAMINHAR

ANOTAÇÕES

VOCÊ FAZ PARTE DA FAMÍLIA DE DEUS

Ao levar muitos filhos à glória, convinha que Deus, por causa de quem e por meio de quem tudo existe, tornasse perfeito, mediante o sofrimento, o autor da salvação deles.

HEBREUS 2.10

15
MAI

#CAFECOMDEUSPAI

Dar satisfação a Deus, vivendo para seu prazer, é o primeiro propósito de sua vida. Se você é tão importante para Deus, e ele o considera valioso o suficiente para mantê-lo consigo por toda a eternidade, que maior relevância você poderia alcançar?

Toda a Bíblia é a história de Deus formando uma família que irá amá-lo, honrá-lo e reinar com ele para sempre. Você e eu seremos parte dessa família. Deus é amor, por isso dá um imenso valor aos relacionamentos.

A própria natureza de Deus é definida em relação aos relacionamentos; ele identifica a si mesmo em termos familiares: Pai, Filho, Espírito Santo. Ele não precisava de uma família, mas desejou uma; então, arquitetou um plano para nos criar, trazer-nos para sua família e dividir conosco tudo o que possui. Isso dá a Deus um grande prazer.

Quando depositamos a nossa fé em Cristo, Deus se torna nosso Pai, nós nos tornamos seus filhos, as outras pessoas se tornam nossos irmãos e irmãs, e a igreja se torna nossa família espiritual. Ser incluído na família de Deus é a maior honra e o maior privilégio que se pode receber. Eu já tomei a decisão de receber o amor de Deus por Jesus, e você? Sempre que você se sentir insignificante, desprezado ou inseguro, lembre-se daquele que cuida de você.

Podemos não entender algumas das coisas que nos acontecem, mas a Palavra diz que todas elas cooperam para o bem daqueles que amam a Deus.

Hoje é o Dia Internacional da Família

Em Deus, você é aceito e amado, recebe filiação e nunca estará sozinho. Não existe família perfeita, mas a unidade é possível. Nunca se esqueça disso!

@juniorrostirola

365 **DEVOCIONAL**
135/365

LEITURA BÍBLICA
1CORÍNTIOS 6

PALAVRA-CHAVE
#FAMÍLIA

ANOTAÇÕES

VOCÊ É AMADO

16 MAI

#CAFECOMDEUSPAI

Nisto consiste o amor: não em que nós tenhamos amado a Deus, mas em que ele nos amou e enviou seu Filho como propiciação pelos nossos pecados.

1JOÃO 4.10

Deus deseja apagar o seu passado, cuidar do seu presente, para direcionar o seu futuro.

@juniorrostirola

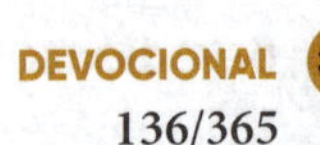

DEVOCIONAL
136/365

LEITURA BÍBLICA
1CORÍNTIOS 7

PALAVRA-CHAVE
#AFETO

ANOTAÇÕES

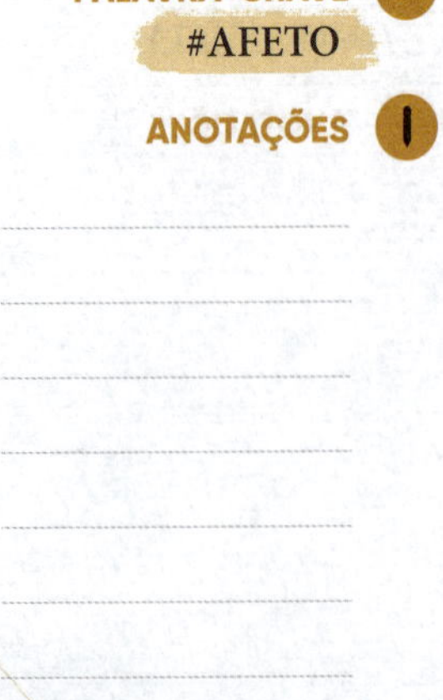

Deus nunca viu um homem a quem não possa amar. O amor de Deus quer nos alcançar, invadir e curar. Para isso, precisamos aceitar o amor de Deus, porque muitas vezes não conseguimos reconhecê-lo, ou nos impomos uma condenação que ele mesmo não nos impôs, como no exemplo do filho pródigo, que, acreditando em uma mentira, julgou-se não ser mais digno de sua condição de filho. Entretanto, ao retornar para a casa do pai, teve seu lugar restabelecido.

Existem muitas barreiras que nos afastam do amor de Deus, e essas barreiras muitas vezes nos são impostas pela religiosidade, que nos dá a visão de um Deus sisudo, severo e acusador, alguém que não se importa tanto assim com seus filhos e que está mais interessado em nos proibir de viver do que nos trazer liberdade.

Por muito tempo na minha vida, eu não conseguia enxergar nem sentir o amor de Deus. Por não ter o amor de um pai biológico, a minha visão de Deus como Pai era deformada, pois eu tinha pai ausente, e também enxergava Deus assim; como o meu pai era violento, esse meu referencial me levava a julgar Deus também como violento.

Como não me sentia amado por meu pai, eu não me sentia amado por Deus e achava que não era importante para ele. Mas a grande verdade é que Deus nunca viu e nunca verá uma pessoa a quem ele não possa amar, independentemente de seus atos, circunstâncias e até mesmo falhas. Entenda que não há nada que você possa ter feito que fará com que Deus o ame menos. Dê um passo de fé em direção a esse amor e viva-o abundantemente na sua vida.

SEJA OTIMISTA

Então Calebe fez o povo calar-se perante Moisés e disse: "Subamos e tomemos posse da terra. É certo que venceremos!" Mas os homens que tinham ido com ele disseram: "Não podemos atacar aquele povo; é mais forte do que nós".

NÚMEROS 13.30,31

17
MAI

#CAFECOMDEUSPAI

O período de quarenta anos que o povo de Deus peregrinou pelo deserto rumo à terra prometida teve mais a ver com murmuração e incredulidade. Eles não estavam prontos para entrar na terra prometida.

Enquanto Josué e Calebe viram a oportunidade de viver o sobrenatural com Deus, os demais espias viram a mesma terra de forma pessimista; por isso, muitos que haviam saído do Egito não puderam entrar na terra prometida, perecendo no deserto. Visualizaram a promessa e a prosperidade da terra, a capacidade local de prover recursos e mantimentos para toda a nação, mas, no processo do milagre, não confiaram que Deus daria a eles toda a terra por herança. Com isso, aprendemos que, já que o Inimigo não podia roubar a terra prometida, roubou a fé do povo. Uma viagem que levaria poucos dias durou quarenta anos. Já vi muitas pessoas receberem promessas de Deus, mas, no momento de o milagre se concretizar, a falta de fé no impossível fez que a verdade de Deus ficasse pelo caminho.

Você já recebeu uma palavra do Senhor e depois pareceu que eram apenas palavras soltas ao vento? Uma promessa só deixa de ser promessa quando tocamos o sobrenatural com nossa fé e ousadia. Acredito que Deus gosta de ver pessoas ousadas diante dele. Não significa pôr o Senhor contra a parede, mas ter a certeza de que, se foi Deus quem prometeu, deve-se aplicar fé, ter ousadia, cumprir com a responsabilidade, pois tudo que depender de Deus será cumprido.

Não deixe as promessas do Senhor para você perecerem e escaparem por entre os dedos; seja confiante. Neste dia, enfrente os desafios com fé e conquiste a sua vitória.

O Inimigo não pode roubar a sua promessa, mas pode roubar a sua mente.

@juniorrostirola

DEVOCIONAL
137/365

LEITURA BÍBLICA
1CORÍNTIOS 8

PALAVRA-CHAVE
#OPORTUNIDADE

ANOTAÇÕES

NÃO SEJA GUIADO PELO CAOS

18 MAI

#CAFECOMDEUSPAI

Então os dois contaram o que tinha acontecido no caminho e como Jesus fora reconhecido por eles quando partia o pão. Enquanto falavam sobre isso, o próprio Jesus apresentou-se entre eles e lhes disse: "Paz seja com vocês!"

LUCAS 24.35,36

O fascínio do evangelho é que não há dúvida quanto aos benefícios e às implicações que envolvem seguir Cristo.

@juniorrostirola

Jesus é o nosso Príncipe da paz! Quem dele recebe essa paz, não se torna mais protagonista de divisões e contendas, pois recebe a mansidão e a humildade que somente Jesus pode dar àqueles que o buscam em espírito e em verdade.

Alguém que vive segundo os ensinamentos de Jesus precisa viver em paz e promover a paz onde quer que esteja: "Façam todo o possível para viver em paz com todos" (Romanos 12.18); "E a paz de Deus, que excede todo o entendimento, guardará o coração e a mente de vocês em Cristo Jesus" (Filipenses 4.7).

Se você não praticar a sua fé e não a exercer, é mais que certo de que as dúvidas inundarão o seu coração como um córrego alagado em uma temporada de rigorosas chuvas. Cristo não deseja ver a nossa fé trancada em casa de forma egoísta e avarenta, criando mofo. Ele quer ver essa fé aplicada na sua comunidade, sendo exercida no meio daqueles que mais precisam do nosso apoio.

Quem já se encontrou com Jesus tem provas de que ele vive e reina e de que suas palavras são verdadeiras e totalmente eficazes. O problema é que o mundo está tão incerto, confuso, tenso, com medo e sem esperança, que, se cada um de nós não for prudente, esses problemas acabarão invadindo a nossa vida e a nossa casa.

Por isso, é fundamental que você tenha uma fé ativa, forte e ousada, para que toda essa falta de esperança e de coragem não o atinja e você possa viver de fato a paz que Cristo oferece.

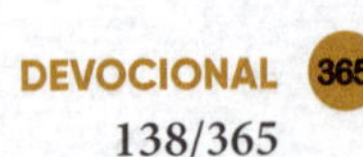

DEVOCIONAL 365
138/365

LEITURA BÍBLICA
1CORÍNTIOS 9

PALAVRA-CHAVE
#REPOUSO

ANOTAÇÕES

PORÇÃO DOBRADA

Depois de atravessar, Elias disse a Eliseu:
"O que posso fazer em seu favor antes que eu seja levado para longe de você?" Respondeu Eliseu: "Faze de mim o principal herdeiro de teu espírito profético".

2REIS 2.9

19
MAI

#CAFECOMDEUSPAI

Eliseu foi um grande exemplo de fé extraordinária. Quando recebeu o chamado do Senhor para seguir o profeta Elias, ele se desfez de todos os seus bens, matando seus bois, distribuindo a carne ao povo e queimando todas as suas carroças e arados.

A fé do profeta foi tamanha que ele realizou o dobro de milagres que seu mentor Elias havia realizado. É o profeta com o maior número de milagres descritos nas Escrituras, tendo até mesmo ocorrido um milagre de ressurreição de um morto que caiu na cova em que o profeta estava sepultado. Mas tudo isso só foi possível porque Eliseu em toda a sua vida teve uma fé ousada, tão ousada que seu último pedido ao seu mentor, o profeta Elias, antes de este ascender ao céu em uma carruagem de fogo, foi uma porção dobrada do espírito de seu mestre, ou, como também pode ser interpretado, ser o principal herdeiro do seu espírito profético.

Da mesma forma que Eliseu, que foi ousado desde o início até o fim de seu ministério, tenha uma fé corajosa e determinada. Acredite no poder do Senhor sobre sua vida.

Quando comecei a desenvolver a liderança que hoje exerço na igreja que pastoreio, tudo foi consequência da motivação, tanto o crescimento e a excelência com os detalhes estruturais, quanto o compromisso com as pessoas e a fidelidade com o Reino, em tudo a nossa motivação precisa ser a mais correta possível. Um coração alinhado com o de Deus alcança a graça de viver a vontade plena e agradável do Pai.

A honra é o passaporte para os lugares altos.

@juniorrostirola

DEVOCIONAL
139/365

LEITURA BÍBLICA
SALMOS 60

PALAVRA-CHAVE
#FÉ

ANOTAÇÕES

UMA FÉ OUSADA

20
MAI

#CAFECOMDEUSPAI

Tendo acabado o vinho, a mãe de Jesus lhe disse: "Eles não têm mais vinho". Respondeu Jesus: "Que temos nós em comum, mulher? A minha hora ainda não chegou". Sua mãe disse aos serviçais: "Façam tudo o que ele mandar".

JOÃO 2.3-5

Como podemos ter uma atitude capaz de mudar a nossa realidade? Capaz de mudar a agenda dos céus?

Tudo aconteceu em Caná da Galileia. Jesus, seus discípulos e Maria haviam sido convidados para um casamento, e aqueles noivos estavam diante de um problema. Mas Jesus tinha a solução. Naquela época, as festas de casamento duravam dias, e a falta de vinho causaria grande vergonha ao casal, porque acarretaria um fim prematuro da festa.

Maria teve uma atitude proativa. Ela recorre a Jesus, que a princípio responde não ter chegado a hora de manifestar-se publicamente. Mas, com a insistência e ousadia de sua mãe, ele realiza seu primeiro milagre publicamente em Caná.

Maria foi uma mulher de fé, e, diante de sua compaixão por aqueles noivos, toda a agenda do céu foi mudada.

Era comum também servir o melhor vinho no início da festa e, à medida que o paladar dos convidados ia perdendo a sensibilidade, servir um vinho de qualidade inferior. Isso nos mostra que, com Jesus, não existe cilada. O melhor que ele tem para nós está por vir. A exemplo de Maria, tenha compaixão dos que estão ao seu redor e uma fé ousada, capaz de mudar a agenda do céu.

Chame por Jesus. Peça a ele. Ele tem a solução para o seu problema. Não existe nada que ele não possa fazer. Tenha uma atitude de fé e provoque o seu milagre.

Em todo grande avanço, você encontrará oposições.

@juniorrostirola

DEVOCIONAL 365
140/365

LEITURA BÍBLICA

SALMOS 61

PALAVRA-CHAVE
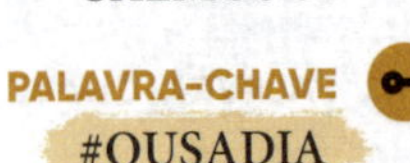
#OUSADIA

ANOTAÇÕES

OUSADIA PARA VENCER

Davi disse a Saul: "Ninguém deve ficar com o coração abatido por causa desse filisteu; teu servo irá e lutará com ele".

1SAMUEL 17.32

21
MAI

#CAFECOMDEUSPAI

Por quarenta dias, Golias insultou o povo de Israel e blasfemou contra Deus, sem que ninguém tivesse coragem de enfrentá-lo. Mas Davi, indignado com a afronta, apesar de ser fisicamente muito inferior, foi ousado e se dispôs a enfrentar o gigante. Só que o ato de coragem de Davi não fez Golias ficar mais baixo ou mais fraco; somente mudou a perspectiva de Davi.

Talvez até hoje Deus não tenha mudado as circunstâncias, porque as está usando para mudar você. Deus está esperando em você uma atitude: que você seja ousado e confie plenamente. Por mais que as circunstâncias sejam desfavoráveis, a sua coragem vai trazer a mudança que você precisa para vencer.

Ventos contrários que sopram sobre você hoje servirão para conduzi-lo ao propósito para o qual você nasceu. A sua história de perseverança irá colocá-lo no alto da montanha, onde os ventos são mais fortes, mas o Senhor estará com você. Sua perseverança, sua determinação e sua ousadia o colocarão em alto-mar, onde as ondas são maiores, mas o Senhor será com você, e você não vai naufragar. Com Deus, não haverá obstáculo intransponível, porque você não está mais lutando sozinho.

Muitos de nós enfrentamos gigantes que nem existem; são apenas pensamentos fantasmas que temos tido a respeito das questões à nossa volta, que normalmente não irão se concretizar e que, por isso, não nos trarão nenhum dano ou desconforto. Por isso, não tema. O Senhor está com você.

Quando pagamos o preço da fidelidade, provamos que confiamos em Deus.

@juniorrostirola

DEVOCIONAL
141/365

LEITURA BÍBLICA
SALMOS 62

PALAVRA-CHAVE
#ATITUDE

ANOTAÇÕES

CONFIE NAQUELE QUE PROMETEU

22
MAI

#CAFECOMDEUSPAI

Consagre ao Senhor *tudo o que você faz,*
e os seus planos serão bem-sucedidos.
PROVÉRBIOS 16.3

Como você avalia a sua vida no que tange a realização de seus sonhos? Você tem sonhado, planejado, corrido em busca de seus ideais? Muitas pessoas, mesmo servindo ao Senhor e crendo nele, deixaram de sonhar, sepultando seus talentos e seus dons, por acreditarem que não conseguiriam obter êxito.

Vivemos em um tempo em que é preciso um despertar para muitas coisas, porque os céus já estão abertos, Jesus já conquistou na cruz o direito de vivermos as promessas que, pelo Pai, foram determinadas para cada um de nós.

Numa negociação, haverá no mínimo dois envolvidos, de modo que cada um firma diante do outro o compromisso de honrar a negociação, por exemplo, num casamento, por meio do qual o casal firma um com o outro o compromisso de honrar a aliança que por eles foi estabelecida.

O que eu quero dizer com isso é que, se um não fizer a sua parte, o outro acaba não conseguindo cumprir a dele. De igual forma, em relação ao Senhor, tudo o que precisava ser conquistado por Jesus foi obtido na cruz. Portanto, creia no cuidado e na provisão. Faça a sua parte como filho, viva o seu relacionamento de forma íntima e verdadeira com o Senhor. Saia do comum e caminhe em direção ao extraordinário de Deus, para colher os frutos das promessas do Senhor que já estão disponíveis para você acessar. Mais do que confiar nas promessas, confie naquele que prometeu.

Seja o que for, isso não vai tirá-lo do propósito.

@juniorrostirola

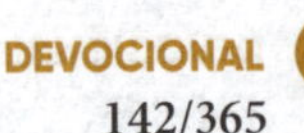

DEVOCIONAL 365
142/365

LEITURA BÍBLICA

1CORÍNTIOS 10

PALAVRA-CHAVE

#ESTABELECER

ANOTAÇÕES

VOCÊ ESTÁ PRÓXIMO DE JESUS

Portanto, também nós, uma vez que estamos rodeados de tão grande nuvem de testemunhas, livremo-nos de tudo o que nos atrapalha e do pecado que nos envolve e corramos com perseverança a corrida que nos é proposta, tendo os olhos fitos em Jesus, autor e consumador da nossa fé.

HEBREUS 12.1,2a

23
MAI

#CAFECOMDEUSPAI

Com quantas pessoas você deixou de manter o contato ao longo da sua história? Você até as conhece, mas perdeu o contato: pessoas da escola, da faculdade, com as quais tinha uma bela amizade. É possível que você já tenha considerado algumas delas suas melhores amigas. Mas com o tempo vocês trilharam caminhos diferentes. Ao perder o contato, a amizade foi embora. Para manter a amizade, é necessário manter o contato.

Com nosso Senhor não é diferente. Não basta conhecer Jesus de vista ou de ouvir falar; é preciso caminhar com ele todos os dias da sua vida. Jesus nos diz que ele é o caminho, a verdade e a vida, e ninguém vai ao Pai senão por ele. Como diz o texto de hoje: devemos "correr com perseverança a corrida [...] tendo os olhos fitos em Jesus", simplesmente porque, se não fizermos isso, é muito fácil cair ou desistir. Então, jamais deixe a sua amizade com ele esfriar nem tome atalhos que o desviem desse trajeto.

Você pode até se distanciar de algumas amizades na vida, mas não pode se distanciar de Cristo. Talvez você hoje viva uma perda, esteja em uma situação não tão agradável, e já tenha vivido dias melhores, mas não desanime, pois com Jesus você pode todas as coisas. Uma vez salvos por Jesus, estamos salvos, mas a nossa comunhão e a nossa vida com ele revelarão se somos seus filhos. A nossa amizade com ele tem que ser realmente intencional, diária, um verdadeiro relacionamento. Como está o seu relacionamento com Jesus?

Deus cuida de você e das coisas com as quais você se preocupa. Nada é pequeno demais para a atenção dele.

@juniorrostirola

DEVOCIONAL
143/365

LEITURA BÍBLICA
1CORÍNTIOS 11

PALAVRA-CHAVE
#PROXIMIDADE

ANOTAÇÕES

O PODER DA MESA

24
MAI

#CAFECOMDEUSPAI

Quando Jesus chegou àquele lugar, olhou para cima e lhe disse: "Zaqueu, desça depressa. Quero ficar em sua casa hoje". Então ele desceu rapidamente e o recebeu com alegria.

LUCAS 19.5,6

Sabia que hoje é o Dia Nacional do Café?

É tão bom apreciar uma boa xícara de café em boa companhia. Aproveite esta data e convide alguém especial com quem você não se encontra há algum tempo para desfrutar com você.

@juniorrostirola

De todos os lugares em uma casa, não existe um de maior comunhão do que a mesa. É ao redor dela que nos reunimos com nossa família para as refeições, mas não só isso; é ao redor dela que nos reunimos tanto para confraternizar quanto para decidir coisas fundamentais.

Zaqueu foi ao encontro de Jesus naquele dia com uma única missão: ver Jesus. Contudo, algo mais aconteceu: ele teve a graça de ouvir Jesus dizer-lhe que iria à sua casa. Então, pôde se assentar à mesa com o Senhor. No lugar em que Jesus está a transformação acontece, por isso, a vida de Zaqueu foi transformada pela comunhão que teve com Cristo.

Hoje procuro viver muitos momentos construtivos que gerem crescimento, desde a experiência de tomar um café com minha família e meus amigos, até os planejamentos das coisas do Reino. Mas nem sempre foi assim. Houve um longo período da minha vida em que eu nem sabia que uma família poderia se reunir para fazer uma simples refeição. Quando estou à mesa, principalmente para um café, gosto de conversar, olhar nos olhos e, claro, sentir o aroma de um bom e delicioso café.

Zaqueu criou memórias para ele e toda a sua família ao buscar se encontrar com Jesus. Quando fui ao encontro de Jesus, também passei a criar memórias marcantes. Faça como Zaqueu: busque o Senhor para viver uma vida intencional, com lembranças marcantes.

A vida com Deus é sobre relacionamentos, não regras.

ANOTAÇÕES

O PAI NÃO O ABANDONA

Por volta das três horas da tarde, Jesus bradou em alta voz: "Eloí, Eloí, lamá sabactâni?", que significa "Meu Deus! Meu Deus! Por que me abandonaste?"

MATEUS 27.46

25
MAI

#CAFECOMDEUSPAI

O sentimento de solidão é uma ferida que rasga profundamente a alma. Acredito que em algum momento de sua vida você já tenha se sentido abandonado.

O pecado nos leva a esse sentimento quando nos afastamos da presença de Deus. Foi justamente o que aconteceu com Adão e Eva, que se esconderam de Deus por causa do pecado.

Jesus passou por inimagináveis sofrimentos, mas sua maior dor não foram os cravos que lhe perfuraram as mãos e os pés, nem as chibatadas e os golpes que moeram o seu corpo, mas foi o peso do nosso pecado em seus ombros e de toda a ira amarga que recaía sobre ele.

Isso aconteceu para que eu e você hoje estejamos convictos de que nunca seremos abandonados por Deus. A dor do abandono, do isolamento, da distância, de se sentir sozinho e da terrível solidão realmente foi inevitável e necessária para que o plano do Senhor fosse consumado. Pelo sacrifício de Jesus, hoje somos adotados como filhos de Deus, elevados à condição de herdeiros com Cristo.

Assim como uma criança precisa da segurança que sua família proporciona, nós também precisamos da certeza de que Deus é Pai e de que ele está sempre conosco. Você pode até pensar: "Meus pais são bons, não tenho nenhuma mágoa", mas inevitavelmente pode ter ficado com alguma pequena ferida que marcou sua vida. A dor daqueles que não tiveram um pai torna-se a principal referência de suas vidas. Em Jesus, nós órfãos somos amados e aceitos incondicionalmente.

Deus nos aceita como filhos amados e nos integra numa família maravilhosa, a sua igreja.

@juniorrostirola

365 **DEVOCIONAL**
145/365

LEITURA BÍBLICA
1CORÍNTIOS 13

PALAVRA-CHAVE
#ADOÇÃO

ANOTAÇÕES

REALINHE SUA VISÃO

26
MAI

#CAFECOMDEUSPAI

Ao amanhecer, Jesus estava na praia, mas os discípulos não o reconheceram. Ele lhes perguntou: "Filhos, vocês têm algo para comer?" Eles responderam que não.

JOÃO 21.4,5

A jornada pode não fazer sentido agora, mas Deus o levará aonde ele disse que levaria.

@juniorrostirola

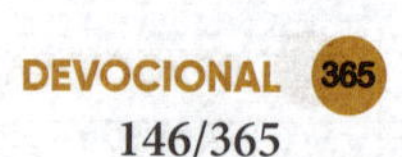

DEVOCIONAL
146/365

LEITURA BÍBLICA
SALMOS 63

PALAVRA-CHAVE
#RECONHECER

ANOTAÇÕES

Imagine esta cena: os discípulos estavam cansados, frustrados e tristes. Haviam decidido pescar sem maiores planejamentos, e nada trouxeram de volta, a não ser frustração. A decepção estava tão evidente que lhes turvou a visão do mundo em derredor. Jesus havia ressuscitado e estava diante deles, mas eles não o reconheceram. Isso acontece porque, diante das adversidades, é muito comum ficarmos com os olhos focados somente no problema e não enxergarmos amplamente o todo ao nosso redor. Às vezes, a resposta para o nosso problema pode estar diante de nós, mas o desânimo não nos permite erguer a cabeça para vermos a solução.

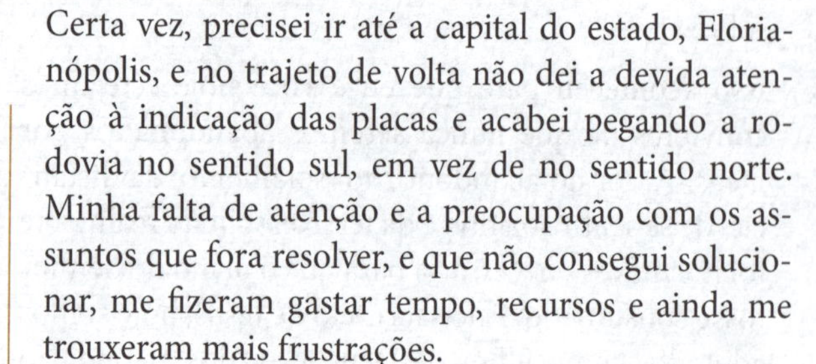

Certa vez, precisei ir até a capital do estado, Florianópolis, e no trajeto de volta não dei a devida atenção à indicação das placas e acabei pegando a rodovia no sentido sul, em vez de no sentido norte. Minha falta de atenção e a preocupação com os assuntos que fora resolver, e que não consegui solucionar, me fizeram gastar tempo, recursos e ainda me trouxeram mais frustrações.

Deixe-me perguntar-lhe algo. Como foi a sua última noite? E a semana passada? Será que as coisas não deram errado justamente por que você agiu como Pedro e seus amigos? Por impulso, sem planejamento, sem consultar ninguém? Quando agimos por impulso, não conseguimos ver o Jesus Cristo ressurreto bem à nossa frente, por isso nos perdemos com as nossas preocupações. Assim como aconteceu com Pedro, Jesus está diante de você, ele quer resolver o seu problema, mas espera primeiro que você desobstrua a sua visão para que, assim, você possa vê-lo estender-lhe a mão.

OBEDECER FAZ VOCÊ VIVER O PROPÓSITO

Tendo acabado de falar, disse a Simão: "Vá para onde as águas são mais fundas", e a todos: "Lancem as redes para a pesca".

LUCAS 5.4

27
MAI

#CAFECOMDEUSPAI

Os simples pedidos de Deus para nós são muitas vezes trampolins para maiores bênçãos em nossa vida. Embora possamos considerar esses eventos menores sem importância, o Senhor os vê como algo importante.

O apóstolo Pedro é exemplo de um homem que deu pequenos passos que levaram a um grande destino. Quando Jesus pediu a Pedro que lançasse as redes, o pescador poderia ter dito que não. Afinal, ele dedicara uma noite inteira de trabalho e provavelmente estava exausto.

Contudo, ao dar esse pequeno passo, Pedro recebeu um assento na primeira fila para ouvir o melhor professor do mundo e começou uma aventura transformadora. Embora o primeiro pedido de Jesus fosse bastante comum, sua sugestão desafiaria tudo o que Pedro sabia ser lógico. Ir para águas profundas ao meio-dia era ridículo para esse especialista em pesca.

Às vezes, o Senhor nos pede para fazer o que parece irracional aos olhos humanos. Devemos lembrar que o Senhor trabalha dentro daquilo que é legítimo, mas no sobrenatural, pois ele não está preso aos limites que nos são impostos.

Se Pedro tivesse recusado esse pedido incomum, ele teria perdido uma grande experiência em sua vida, e não me refiro apenas à pesca. Esse milagre abriu os olhos de Pedro para avistar o Messias, que havia sido prometido desde a fundação do mundo. Não perca a grande aventura! Mesmo quando seus caminhos parecerem irracionais, siga-o fielmente, e um novo destino se revelará diante dos seus olhos.

Há coisas que você não vai entender. Apenas obedeça.

@juniorrostirola

DEVOCIONAL
147/365

LEITURA BÍBLICA
SALMOS 64

PALAVRA-CHAVE
#OBEDIÊNCIA

ANOTAÇÕES

VOCÊ ESTÁ SEGURO

28
MAI

#CAFECOMDEUSPAI

Depois dessas coisas o Senhor *falou a Abrão numa visão: "Não tenha medo, Abrão! Eu sou o seu escudo; grande será a sua recompensa!"*

GÊNESIS 15.1

Muitas pessoas estão à procura ou à espera da palavra de direção de Deus para a sua vida. Eu não sei qual é a sua realidade, mas uma coisa posso lhe assegurar: Deus pode mostrar a direção que você precisa de diversas formas. Em uma visão, como fez com Abrão, em sonhos e até mesmo por meio de sua Palavra ou de alguém.

O grande "Eu Sou" é maior do que todos os seus pequenos "eu não sou".

@juniorrostirola

Quando lemos a Palavra de Deus com atenção, vemos que o agir de Deus é realmente imprevisível. Ele age de muitas maneiras e com grande poder opera maravilhas na vida das pessoas. Infelizmente, não temos tempo para expor mais sobre o agir imprevisível de Deus, mas quero destacar três palavras importantes do versículo que lemos que acredito serem a chave para você entender e receber o agir do Senhor na sua vida.

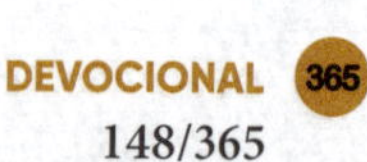

DEVOCIONAL 365
148/365

LEITURA BÍBLICA
SALMOS 65

PALAVRA-CHAVE

#SEGURANÇA

ANOTAÇÕES

A primeira palavra é *visão*: Você e eu precisamos alinhar a nossa visão sobre Deus. Deus é o autor de tudo. E, por ser quem é, ele pode tudo!

A segunda palavra é *medo*: O medo é uma arma que limita a maioria das pessoas. O medo na Bíblia é descrito também como espírito ou manifestação maligna. Portanto, não devemos temer, porque no próprio versículo Deus se revela como "escudo", isto é, como nossa proteção.

A terceira palavra é *recompensa*: Deus é fiel e justo. Ele recompensa todos aqueles que nele confiam. Precisamos ter em mente que servimos a um Deus de resultados e recompensas.

MOLDADOS POR ELE

Aproximem-se de Deus, e ele se aproximará de vocês! Pecadores, limpem as mãos, e vocês, que têm a mente dividida, purifiquem o coração.

TIAGO 4.8

29 MAI

#CAFECOMDEUSPAI

Todas as coisas foram criadas pela palavra de Deus. Bastava somente que o Senhor verbalizasse para que aquilo se tornasse realidade. Ele disse: "Haja luz", e houve luz! Em seis dias, Deus criou todas as coisas e todos os seres. Tudo que Deus criou veio por meio de sua palavra criadora.

Mas você já parou para pensar que, na criação do homem, Deus usou um método diferente? Na criação do homem, houve um toque para moldá-lo. Deus tocou a terra, deu forma ao barro e então soprou nas narinas do homem o fôlego de vida. Diferentemente da criação das demais coisas, a criação do homem pressupõe intimidade e uma atenção especial do Criador.

Deus nos criou para termos um relacionamento com ele. Isso é maravilhoso.

É como se o Senhor nos falasse: "Eu toco em você e o moldo para que você tenha intimidade comigo". Antes mesmo de você existir, Deus já desejava se relacionar com você. Foi Deus quem tomou a iniciativa de criar cada um de nós. Ter um relacionamento com Deus é genuinamente um grande privilégio.

Os que temem ao Senhor são atraídos para conhecê-lo, deixando-o agir não de forma limitada, mas em todas as áreas. Na intimidade, Deus é participante e livre para nos moldar em qualquer área ou circunstância da nossa vida. Na intimidade, Deus faz o que ele quer e quando quer, porque somos barro em suas mãos. Como Oleiro, ele nos molda segundo a sua vontade. Pode a criação questionar o Criador? Deus o molda rumo ao seu destino profético.

Não torne banal a presença real de Deus na sua vida.

@juniorrostirola

DEVOCIONAL
149/365

LEITURA BÍBLICA
1CORÍNTIOS 14

PALAVRA-CHAVE
#CRIAÇÃO

ANOTAÇÕES

OLHE PARA O PAI

30
MAI

#CAFECOMDEUSPAI

Jesus lhes deu esta resposta: "Eu digo verdadeiramente que o Filho não pode fazer nada de si mesmo; só pode fazer o que vê o Pai fazer, porque o que o Pai faz o Filho também faz".

JOÃO 5.19

Não há maior exemplo de intimidade relacional com Deus do que a vivida pelo próprio Senhor Jesus. Ele tinha um nível de intimidade profundo com o Pai e era cheio do Espírito Santo.

O desenvolvimento do relacionamento e da intimidade de Jesus com Deus Pai era tão grande que ele não se abalava com as causas impossíveis, porque tinha confiança e intimidade com o Pai e sabia que para ele nada é impossível.

A oração é para todos, mas nem todos são para a oração.

@juniorrostirola

Desenvolver intimidade com o Pai não era só um privilégio de Jesus, mas ele foi o primeiro a tê-lo; ele abriu o caminho para dar a todos a oportunidade de também viver assim.

DEVOCIONAL 365
150/365

LEITURA BÍBLICA
1CORÍNTIOS 15

PALAVRA-CHAVE
#ORAÇÃO

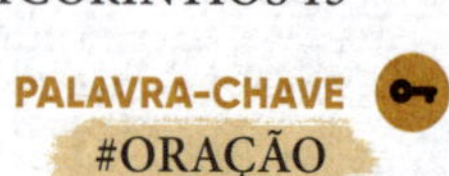

ANOTAÇÕES

Dessa forma, para ter intimidade com o Senhor em sua vida, separe um tempo do dia para orar e para ler a Bíblia. Conviva com pessoas maduras na fé que oram, e assim você verá que, quanto mais busca Deus, mais capacitado estará para compreender e fazer a vontade dele.

A oração é o meio mais democrático de falarmos com Deus. Não importa a classe social, os gostos pessoais ou as opiniões, todos temos o direito de expressar por meio da oração o que estamos sentindo, e Deus ouve cada uma das nossas palavras.

Deus Pai está totalmente disponível para você. Ele espera ter conversas diárias com você.

Então, desenvolva uma vida de oração com o Pai, para que sua oração deixe de ser um monólogo, e passe a ser um diálogo com o Pai Eterno.

EXERÇA A GRATIDÃO

"O maior entre vocês deverá ser servo. Pois todo aquele que a si mesmo se exaltar será humilhado, e todo aquele que a si mesmo se humilhar será exaltado."

MATEUS 23.11,12

31 MAI

#CAFECOMDEUSPAI

Só ama quem é grato. O mundo e a sociedade precisam de amor. As pessoas têm sofrido por causa da falta de amor.

Se queremos viver em uma igreja mais grata, com certeza isso passa por escolher amar as pessoas. Se o mundo afunda na indiferença, nossa resposta deve ser amar. Sabemos que amar não é fácil. Relacionar-se com pessoas não é uma tarefa isenta de riscos, desafios e boas doses de entrega e sacrifício.

Para exercer gratidão, precisamos amar em qualquer circunstância, perdoar em qualquer circunstância, honrar em qualquer circunstância. A mágoa, a raiva e a intolerância nos impedem de amar, de aceitar, de perdoar e, em consequência, de ser gratos. Honramos porque somos nobres, não porque as pessoas necessariamente merecem.

Sobre o que você tem falado, celebrado e agradecido? Fale do que Deus tem feito! Só testemunha quem é grato. Depois de receber uma bênção, o grato volta para contar a quem o abençoou que ele foi abençoado. O grato conta para outras pessoas como foi honrado e abençoado por Deus ou por alguém usado por ele.

O testemunho exalta a Deus. O testemunho abre portas para falarmos do amor dele. O testemunho abre o coração das pessoas e o nosso. O testemunho é a expressão de quem é agradecido. Compartilhe em sua igreja algo bom que Deus fez em sua vida nesta década em sua igreja. Compartilhe quanto Deus o abençoou este ano.

O ingrato passa pela vida sem ver o poder da multiplicação. O agradecido vivencia o milagre a cada partir do pão.

@juniorrostirola

DEVOCIONAL
151/365

LEITURA BÍBLICA
1CORÍNTIOS 16

PALAVRA-CHAVE
#TESTEMUNHAR

ANOTAÇÕES

QUE SEJAMOS
SEMPRE
RENOVADOS PELA
ESPERANÇA,
A FIM DE QUE
NUNCA FALTE VISÃO
DE FÉ E CONFIANÇA
PARA RECOMEÇAR
A NOSSA
CAMINHADA.

@juniorrostirola

JUNHO

#CAFECOMDEUSPAI

café
com
Deus
pai

DEUS SOBERANO

E disse: "Louvado seja o nome de Deus para todo o sempre; a sabedoria e o poder a ele pertencem. Ele muda as épocas e as estações; destrona reis e os estabelece. Dá sabedoria aos sábios e conhecimento aos que sabem discernir".

DANIEL 2.20,21

01
JUN

#CAFECOMDEUSPAI

O profeta Daniel recebeu essa revelação do Senhor, e precisamos lembrar dessas palavras com frequência.

O Senhor é soberano em todas as coisas. Então, não tenha dúvida daquilo que o Deus Pai pode fazer. Jamais duvide de tudo aquilo que ele projetou e planejou a seu favor. Mesmo que as circunstâncias digam não, entenda que o Senhor diz sim para você.

Você irá viver o profundo de Deus, porque tudo que ele quer é que nós venhamos a nos lançar em fé e a confiar plenamente nele. Entenda que ele tem poder para mudar as estações. Independentemente do que você esteja vivendo, essa estação pode ser mudada por Deus. O Senhor pode acrescentar anos a mais à nossa vida, se for da sua vontade.

Nosso Deus Pai é soberano em todas as coisas, por isso não há o que temer. Mesmo que as pessoas não vejam nenhuma qualidade em você nem o valorizem, o Senhor o ama e tem planos para você. Confie plenamente.

Lembre-se de que há um Deus soberano, que pode mudar as estações em seu favor, trazendo-lhe um dia quente e ensolarado em pleno inverno ou um vento frio em meio ao verão. Nosso Pai é poderoso para abrir mares, multiplicar a provisão e devolver a vida aos mortos.

Lembre-se da revelação de Daniel. Recorde-se de que o Deus que nos criou pode todas as coisas, porque ele tudo criou. Confie no poder do Senhor e entregue a ele o seu impossível.

Enquanto há vida e fé em Deus, há esperança.

@juniorrostirola

DEVOCIONAL
152/365

LEITURA BÍBLICA
2CORÍNTIOS 1

PALAVRA-CHAVE
#PODER

ANOTAÇÕES

VIVA SEU PROPÓSITO

02
JUN

#CAFECOMDEUSPAI

"O Espírito do SENHOR está sobre mim, porque ele me ungiu para pregar boas-novas aos pobres. Ele me enviou para proclamar liberdade aos presos e recuperação da vista aos cegos, para libertar os oprimidos."

LUCAS 4.18

Muitas vezes, nos sentimos perdidos, sem saber a direção que devemos seguir, quais planos traçar e se nossos planos estão alinhados com a vontade de Deus.

A ausência de conhecimento sobre o nosso propósito gera um vazio existencial, custa a nossa paz e até mesmo abala a nossa fé. Era exatamente assim que eu me sentia antes de conhecer o meu propósito de vida.

Havia dentro de mim uma cobrança terrível, como se nada do que eu fizesse fosse suficiente, mas isso acontecia porque eu não tinha conhecimento sobre minha verdadeira identidade em Deus. Essa crise foi tão intensa que cheguei a acreditar nas mentiras de Satanás, de modo que passei a pensar que Deus não tinha um plano para a minha vida.

Entretanto, houve um dia em que Deus destravou a minha mente, e entendi que a minha missão, ou seja, o meu propósito, é anunciar o evangelho por onde eu andar.

Entenda que a nossa missão independe de profissão, lugar ou circunstâncias; consiste em fazer que toda e qualquer pessoa tenha acesso ao amor do Pai por meio de Jesus, para que o Espírito Santo faça a obra na vida dela.

Foi assim que tudo passou a fazer sentido na minha vida. Então, declaro sobre você que este vazio de propósito nunca mais o acompanhará. A partir de hoje, entregue-se completamente ao Senhor e permita ser usado por ele. Este é o sentido da vida: viver os planos do Senhor.

Você descobre o seu propósito de vida conhecendo Deus. Tudo começa com Deus.

@juniorrostirola

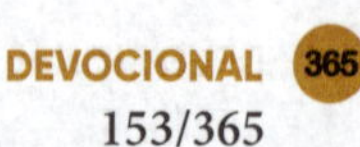

DEVOCIONAL 365
153/365

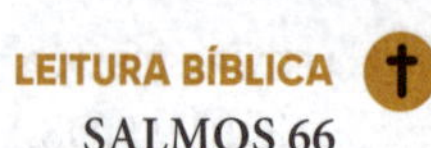

LEITURA BÍBLICA
SALMOS 66

PALAVRA-CHAVE
#PROPÓSITO

ANOTAÇÕES

VOCÊ TEM VIVIDO SEUS PLANOS?

"'Porque sou eu que conheço os planos que tenho para vocês', diz o SENHOR, 'planos de fazê-los prosperar e não de causar dano, planos de dar a vocês esperança e um futuro'."

JEREMIAS 29.11

03
JUN

#CAFECOMDEUSPAI

"As coisas acontecem por uma razão" se, por um lado, as pessoas costumam dizer isso quando algo inesperado acontece, mas também buscam aceitar o imprevisível com serenidade. Por outro lado, muitos em nosso mundo discordam dessa afirmação. Em vez disso, estes afirmam que nossa vida consiste apenas em uma série de eventos aleatórios e que não temos nenhum propósito real além de tentar manter nossa espécie viva e esquivando-se dos infortúnios.

Algo no coração humano, no entanto, se enche de medo com a noção de que não temos controle nenhum sobre o futuro e de que a incerteza nos aguarda a cada esquina. O ser humano gosta de sentir que está no controle da própria vida e das situações que o rodeiam. Ao perceber que esse controle não existe, pode ser tomado por desespero.

Como a vida poderia ser aleatória e sem propósito? O que a Bíblia diz a respeito disso?

Até o momento em que conheci Cristo e seus planos para a minha vida, eu pensava que a vida era sem graça e vazia, que as outras pessoas tinham sorte e que eu é que era um fracasso. Contudo, como a nossa melhor versão está em Deus, quando tive essa compreensão, a minha realidade mudou, e aquilo que parecia inalcançável se tornou possível.

Não quero simplesmente dizer que tudo vai dar certo e pronto, mas testemunho com fé que, se você permitir viver uma vida de acordo com os planos do Senhor, certamente a sua trajetória será outra. Então, creia nesta verdade: Deus tem planos para você, planos de prosperidade, esperança e vida.

O coração que teme a Deus obedece a ele, não importa o que aconteça.

@juniorrostirola

DEVOCIONAL
154/365

LEITURA BÍBLICA
SALMOS 67

PALAVRA-CHAVE
#ENTREGA

ANOTAÇÕES

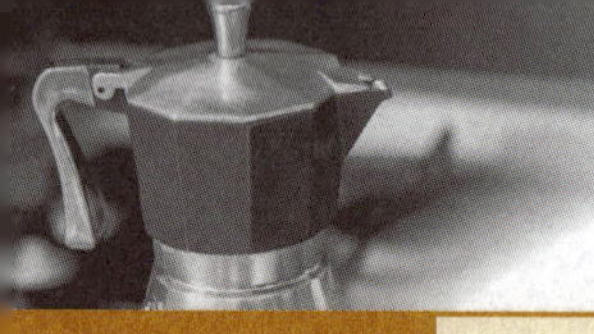

VOCÊ É CHAMADO PARA SERVIR

04
JUN

#CAFECOMDEUSPAI

Afinal de contas, quem é Apolo? Quem é Paulo? Apenas servos por meio dos quais vocês vieram a crer, conforme o ministério que o Senhor atribuiu a cada um. Eu plantei, Apolo regou, mas Deus é quem fez crescer.

1CORÍNTIOS 3.5,6

Deus o projetou para que você faça diferença. Você foi criado para acrescentar à vida da terra. Esse é o propósito de Deus para a sua vida, e se chama ministério, serviço, missão ou propósito. Independentemente da palavra, todas elas definem o motivo da sua existência.

Talvez você pense que receber um "chamado" por Deus é algo restrito a missionários, pastores e outros obreiros de tempo integral, mas preciso informá-lo: você está equivocado. Todo cristão é chamado para servir ao Deus Pai.

Seu chamado para ser salvo incluiu o chamado para servir; ambos estão intimamente interligados. Independentemente do seu emprego ou da sua carreira, você é chamado para ser um cristão que serve em tempo integral. "Tudo o que fizerem, façam de todo coração, como para o Senhor, e não para os homens" (Colossenses 3.23).

Jesus ensinou que a maturidade espiritual nunca é um fim em si mesma, ou seja, a maturidade é para o ministério! Seguir aprendendo mais e mais não é o suficiente. Precisamos agir de acordo com o que sabemos e pôr em prática o que acreditamos.

A antiga comparação entre o mar da Galileia e o mar Morto ainda é verdadeira. O mar da Galileia é cheio de vida porque recebe água e a escoa, tendo um propósito de existir. Ao passo que no mar Morto nada vive, pois, ao contrário do primeiro, não há saída de água, existindo somente para si mesmo. A qual desses mares você quer se comparar?

O medo de cometer um erro o manterá estagnado.

@juniorrostirola

155/365

SALMOS 68

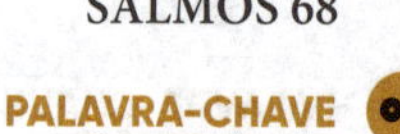

SEJA UM PACIFICADOR

Tudo isso provém de Deus, que nos reconciliou consigo mesmo por meio de Cristo e nos deu o ministério da reconciliação.

2CORÍNTIOS 5.18

05
JUN

#CAFECOMDEUSPAI

Deus quer que valorizemos os relacionamentos e nos esforcemos para mantê-los em vez de descartá-los sempre que houver um desacordo, uma mágoa ou um conflito. Na verdade, a Bíblia diz que Deus nos deu o ministério da restauração de relacionamentos.

Como você foi moldado para ser parte da família de Deus e o segundo propósito de sua vida na terra é aprender a amar e a se relacionar com as pessoas, promover a paz é uma das habilidades mais importantes que você pode desenvolver. Promover a paz não é evitar conflitos.

Fugir de um problema, fingindo que ele não existe, ou ter medo de falar nele é na verdade covardia. É por isso que precisamos orar pedindo a direção contínua do Espírito Santo. Pacificar também não é acalmar. Sempre desistir, agir como capacho e permitir que os outros sempre o atropelem não era o que Jesus tinha em mente. Somos chamados para ajustar os nossos relacionamentos uns com os outros.

Embora seja muito mais fácil permanecer em silêncio enquanto os outros à sua volta prejudicam a si próprios e aos outros com alguma prática pecaminosa, essa não é a atitude de amor a ser tomada.

Poucas pessoas podem contar com alguém que as ame o suficiente para dizer-lhes a verdade, por isso continuam em caminhos de autodestruição. Fale a verdade ao seu próximo. Afinal, no corpo de Cristo, estamos todos ligados uns aos outros. Mas lembre-se: as suas palavras devem ser ditas em amor.

O propósito que Deus tem para você é mais forte do que qualquer problema que esteja enfrentando!

@juniorrostirola

DEVOCIONAL
156/365

LEITURA BÍBLICA
2CORÍNTIOS 2

PALAVRA-CHAVE
#RESTAURAÇÃO

ANOTAÇÕES

ESCOLHA O AMOR

06
JUN

#CAFECOMDEUSPAI

"Mas, se não perdoarem uns aos outros, o Pai celestial não perdoará as ofensas de vocês."
MATEUS 6.15

O que você costuma chamar de solidão é, na verdade, saudade de Deus.
@juniorrostirola

DEVOCIONAL 365
157/365

LEITURA BÍBLICA
2CORÍNTIOS 3

PALAVRA-CHAVE
#PROFUNDIDADE

ANOTAÇÕES

Existem muitas pessoas que, quando vão à praia, escolhem nunca entrar na água, mas ficam deitadas tomando sol. Há outros que preferem ir à água até onde "dá pé". Pouquíssimos arriscam um mergulho mais distante. Os que mergulham mais profundamente chegam a 40 metros. Mas o que é isso comparado à profundidade dos 11 mil metros de profundidade das fossas das Marianas no Pacífico? Assim é o amor de Deus. Normalmente, no máximo brincamos na superfície dele.

Quanto mais você mergulha em conhecer o amor de Deus, mais é capaz de desfrutar das profundezas e belezas do perdão de Cristo na sua vida. Perdoar é uma decisão em obediência à Palavra de Cristo.

O amor é a resposta para o viciado, para a divisão, para os relacionamentos rompidos, para um lar desfeito e para as feridas que nos impedem de ter paz. Provavelmente, você já ouviu algo a respeito do meu pai, de quanto o vício do álcool o prejudicou, impedindo-nos de viver um bom relacionamento familiar. Mas saiba que, apesar da dificuldade que tivemos, eu nunca consegui guardar mágoa em meu coração. Até mesmo nas vezes em que tentei, a minha mãe dizia: "Filho, o seu pai é um bom homem. O que faz ele ser assim é a bebida".

Hoje percebo que aquelas palavras foram cruciais para que eu pudesse viver sem mágoa. Desafio você a fazer hoje uma lista de pessoas a quem precisa perdoar. Derrube os muros do ego e do orgulho e mergulhe profundo no amor de Deus.

AMOR QUE CONSTRANGE

Portanto, aceitem-se uns aos outros, da mesma forma com que Cristo os aceitou, a fim de que vocês glorifiquem a Deus.

ROMANOS 15.7

07
JUN

As pessoas tendem cada vez mais a isolar-se no alto de sua montanha da falta de aceitação. Para alcançá-las, é necessária uma longa escalada ao coração delas, que, em virtude da altitude, está congelado. Para escalar bem e conseguir chegar ao topo dos relacionamentos interpessoais em busca da unidade, você precisa passar basicamente pelos obstáculos da incompreensão, pois a maioria dos relacionamentos não tem força para ir além das incompreensões.

Quando eu tinha 22 anos, já casado, fui nomeado líder do ministério de jovens da igreja da qual fazia parte. Assim que assumi, organizamos um retiro para os jovens, e a responsabilidade de ministrar a palavra do sábado à noite era minha. Dediquei-me e consagrei-me para poder trazer uma palavra que viesse ao encontro do coração de cada um daqueles jovens. Ao final da programação, um deles olhou para mim e disse: "Nosso pastor errou. Você não é capaz de nos liderar". Aquilo doeu muito, mas continuei líder por quatro anos. Ao final daquela jornada, quando me despedi daqueles jovens, aquele mesmo jovem pediu a palavra diante de todos os presentes e disse o seguinte: "Por mim, você nunca deixaria de ser o nosso líder".

Sabe qual a foi a diferença entre o início e o fim da minha liderança? Nunca ter tratado aquele jovem diferentemente dos demais, mas, ao contrário, demonstrar que ele era importante. Não enxergue as pessoas como obstáculos, e sim como vantagens e ativos preciosos nos quais investir.

Se você deseja ser bem-sucedido na vida, invista em relacionamentos.

@juniorrostirola

DEVOCIONAL
158/365

LEITURA BÍBLICA
2CORÍNTIOS 4

PALAVRA-CHAVE
#IMPORTÂNCIA

ANOTAÇÕES

É HORA DE IÇAR VELAS

08
JUN

#CAFECOMDEUSPAI

"O vento sopra onde quer. Você o escuta, mas não pode dizer de onde vem nem para onde vai. Assim acontece com todos os nascidos do Espírito."

JOÃO 3.8

Quando um navio ancora em um porto, ele contém em seu interior cargas para serem descarregadas, ou irá ser abastecido com cargas para levar a outro destino ou para o mesmo destino de onde partiu.

De certa forma, somos como os navios. Atracamos em nosso destino e propósito quando somos movidos pela oração. Assim como um navio não viaja nem atraca sem destino, semelhantemente, quando levamos uma vida com propósito, movida pela oração e pela busca de intimidade com Deus Pai, navegamos sabendo que estamos no mundo assim como o navio está no mar, mas o mar não está no navio. Da mesma forma, estamos no mundo, mas o mundo não está em nós.

Aquilo que está a nosso redor não afeta quem somos.

Você não é um barco a motor, que se move conforme o seu querer. Você é um barco a vela que se move de acordo com os ventos soprados pelo Espírito Santo de Deus. Então, permita que o Senhor sopre o vento dele nas suas velas e o guie rumo ao seu destino profético.

Seguir em duas direções diferentes apenas faz gastar tempo e energia. Por isso quando decidi ser guiado pelos propósitos que o Senhor tinha para mim, tudo mudou, ganhou sentido, leveza e direção profética. Hoje eu o desafio a içar as suas velas em direção aos propósitos e planos do Senhor para a sua vida. Certamente você ganhará um sentido eterno nesta jornada.

Mesmo que você não saiba para onde o vento o está conduzindo, tenha a certeza de que Deus sabe muito bem aonde quer levá-lo.

A jornada não é fácil, mas a chegada valerá a pena.

@juniorrostirola

DEVOCIONAL 
159/365

LEITURA BÍBLICA 
2CORÍNTIOS 5

PALAVRA-CHAVE 
#DIREÇÃO

ANOTAÇÕES 

JESUS SIMPLIFICA

Em resposta, Jesus declarou: "Digo a verdade: Ninguém pode ver o Reino de Deus, se não nascer de novo".

JOÃO 3.3

09
JUN

#CAFECOMDEUSPAI

Algo tão profundo como o novo nascimento é utilizado por Jesus para ilustrar de forma simples — para que qualquer interlocutor, por mais simplório que fosse, compreendesse a mensagem — a salvação. Nicodemos não era um homem comum; ele era um fariseu, mestre da lei, por isso seu conhecimento estava acima da média. Para poder viver o evangelho, é necessário se desprender das complicações e das extravagâncias e ser puro e simples como uma criança.

Como fez Jesus, precisamos responder às perguntas que as pessoas estão fazendo, não deixá-las sair do encontro com mais perguntas do que quando chegaram. Seja simples em sua abordagem, como Jesus era simples.

Toda criança, à medida que se desenvolve, tem a fase do "por quê?". Parece curioso, mas me lembro de que os meus filhos sempre perguntavam: "Por que, pai?". Como pai, eu sempre procurava uma forma simples de trazer clareza às suas dúvidas. Você pode pensar que Jesus é complicado, que quem o recebe não pode isso ou aquilo. A grande questão não é o que não podemos, mas, sim, o que pode ser vivido nessa nova liberdade que Jesus conquistou por todos nós.

Talvez Nicodemos tenha permanecido ainda com suas convicções religiosas, enquanto o Reino se expandia e era anunciado por aqueles que disseram sim ao chamado. Você também tem esta mesma escolha: ficar parado naquilo que acha ser certo ou viver a simplicidade do relacionamento com Jesus.

A religião complica, mas Jesus simplifica.

@juniorrostirola

DEVOCIONAL
160/365

LEITURA BÍBLICA
SALMOS 69

PALAVRA-CHAVE
#SIMPLICIDADE

ANOTAÇÕES

O IMPOSSÍVEL PODE SER ALCANÇADO

10
JUN

#CAFECOMDEUSPAI

Na verdade, sei que o Senhor é grande, que o nosso Soberano é maior do que todos os deuses. O Senhor faz tudo o que lhe agrada, nos céus e na terra, nos mares e em todas as suas profundezas.

SALMOS 135.5,6

Um dos maiores segredos da fé é nos relacionarmos com Deus, abandonando os falsos ídolos, que jamais irão nos fazer completos e acolhidos, e adorar a Deus como a única fonte de ajuda e esperança.

Quando passamos por momentos difíceis, o nosso sistema de valores é abalado, e nos voltamos para aquilo que é verdadeiramente importante. Isso quer dizer que, para gerar um ambiente de fé, você precisa abandonar os seus antigos ídolos ou os dos seus antepassados e clamar a Jesus como único e suficiente Salvador. Não há outro nome pelo qual chamar.

Saiba que a sua melhor versão está em Deus, a sua melhor jornada inicia-se em Deus, a sua esperança de vida é com Deus e a sua vida só tem sentido quando vivida do modo que Deus preparou para ser vivida.

Enquanto eu vivia apenas do meu modo, minha vida era sem sentido e vazia. Caminhava até a escola sem esperança de aprender, via os garotos da minha idade se desenvolverem na vida e eu seguia apenas vagando sem entender o que era a vida.

Talvez a sua vida esteja assim, sem esperança, sem alegria, sem rumo. No entanto, há esperança para você. Qual é o seu cenário? De escassez, miséria e desesperança? Ou é uma realidade favorável e próspera? O que mais importa é que em Deus o impossível pode ser vivido, e o extraordinário alcançado, por isso renda-se completamente ao Senhor e viva o impossível.

Um coração ensinável sempre viverá o propósito de Deus.

@juniorrostirola

DEVOCIONAL 365
161/365

LEITURA BÍBLICA
SALMOS 70

PALAVRA-CHAVE

#ALCANÇAR

ANOTAÇÕES

O BOM PASTOR CUIDA DE VOCÊ!

"Eu sou o bom pastor; conheço as minhas ovelhas, e elas me conhecem, assim como o Pai me conhece e eu conheço o Pai; e dou a minha vida pelas ovelhas."

JOÃO 10.14,15

11 JUN

#CAFECOMDEUSPAI

Jesus se apresenta como o Bom Pastor das ovelhas e nos revela por meio dessa metáfora que ele realmente se importa com você. Jesus profetiza o sacrifício de amor que o Bom Pastor faz em favor de cada uma das ovelhas; em outras palavras, fala a respeito de si mesmo. A vida de Jesus foi de pura doação, Jesus dá a vida por suas ovelhas. Ele fez isso ao morrer na cruz por nós, mas o resultado de sua morte continua até hoje, e atravessará os tempos, porque somos resgatados a cada dia pelo Bom Pastor. Todos os dias ele nos assegura de que pertencemos a ele e de que não há outro a quem recorrer. Ele é suficiente.

Você já parou para perguntar o que ele deseja para a sua vida?

Faça isto neste momento: feche os olhos, respire fundo e pergunte ao Senhor: "O que o Senhor deseja para mim neste dia?". Qual foi a resposta dele ao seu coração? Esta é a minha resposta: Jesus deseja que você tenha uma vida plena, cheia e satisfeita. Como o Bom Pastor, ele o conduzirá em direção a isso. É provável que existam perigos pelo caminho e que seja um trajeto cansativo por causa dos montes e vales que encontrará. Mas você não estará sozinho durante esse percurso. Jesus estará ao seu lado, como o Bom Pastor, conduzindo-o aos pastos verdes e às águas cristalinas quando for abatido pelo cansaço, e protegendo-o dos perigos, em direção ao seu propósito.

Você foi criado por Deus, e somente ele sabe cada uma das particularidades que estão no seu coração. Não desanime nem fique preocupado com o amanhã. Apenas creia no cuidado de Deus.

Sustente os princípios de Deus, e eles sustentarão você.

@juniorrostirola

DEVOCIONAL
162/365

LEITURA BÍBLICA
SALMOS 71

PALAVRA-CHAVE
#CONHECER

ANOTAÇÕES

JESUS ACALMA O VENTO

12
JUN

#CAFECOMDEUSPAI

Ele se levantou, repreendeu o vento e disse ao mar: "Aquiete-se! Acalme-se!" O vento se aquietou, e fez-se completa bonança.

MARCOS 4.39

Deus está à procura de homens e mulheres que sejam capazes de dormir em meio às tempestades.

@juniorrostirola

Enquanto os discípulos estavam desesperados com os ventos fortes e a tempestade que assolavam o barco no qual o grupo estava, Jesus dormia tranquilamente. Isso nos ensina que com Jesus a bordo da nossa vida, não importa quão fortes sejam os ventos e tempestades, estamos sempre seguros porque contamos com a presença dele.

Há certas tempestades que nós mesmos buscamos. Isso acontece quando sabemos o que deveríamos fazer e não fazemos, tomando decisões por conta própria. As tempestades virão sem que ninguém as envie. No entanto, existem tempestades que são enviadas para que venhamos a desistir no meio do caminho. São verdadeiras tentativas do nosso inimigo para nos frear.

É natural o medo assolar o coração ao olharmos para as circunstâncias, mas com fé podemos dormir tranquilamente com o som da tempestade sob o nosso teto. Quando vivemos as promessas de Deus, temos paz. Alicerçados em Deus, viveremos uma vida de paz. Mesmo que o sofrimento venha, isso não abalará a nossa fé.

O propósito nos faz levantar e não nos deixar abater pelas circunstâncias, mas continuar atravessando as tempestades e ondas fortes, acreditando que o Senhor é poderoso e que sua forte mão repousa sobre nós. Independentemente do que acontecer, ele nos dará forças para continuar, pois acalmará as ondas e fará a tempestade cessar e os céus se abrirem diante de nós. Não se preocupe, pois Deus Pai está no controle de todas as coisas, e hoje não será diferente.

DEVOCIONAL 365
163/365

LEITURA BÍBLICA
2CORÍNTIOS 6

PALAVRA-CHAVE
#CUIDADO

ANOTAÇÕES

O MILAGRE DA TRANSFORMAÇÃO

[...] não tenho nenhum pedaço de pão; só um punhado de farinha num jarro e um pouco de azeite numa botija. [...]". Elias, porém, lhe disse: "Não tenha medo. Vá para casa e faça o que eu disse. Mas primeiro faça um pequeno bolo com o que você tem e traga para mim, e depois faça algo para você e para o seu filho".

1REIS 17.12,13

13 JUN

#CAFECOMDEUSPAI

Ao abordar a viúva, Elias vai além, pedindo-lhe que o alimente. Aquela mulher foi sincera, ao expor ao profeta sua condição de miserabilidade e escassez, e ao revelar o pouco que havia em sua casa, totalmente descrente de uma melhora em sua condição.

Ela estava a ponto de se conformar com a sua morte e com a morte de seu filho. Com isso, entenda que, em vez de orar a Deus pedindo sempre que o abençoe com mais, ore ao Senhor, dizendo: "Senhor, usa o que eu tenho. Pega o pouco que eu tenho e faz transbordar!". Somos então desafiados a crer que o pouco que temos é muito com Deus.

Faça hoje uma oração diferente ao Senhor, para que ele transforme o pouco que você tem em abundância. Agradeça a Deus pelo ar que você respira, por ele se fazer presente na sua vida, e principalmente por ele não ter poupado seu único Filho, enviando-o a nós, para morrer a nossa morte e para vivermos a sua vida.

Tudo o que Jesus precisa para abençoá-lo é aquilo que você já tem. Assim como a farinha e o azeite para aquela viúva foram o suficiente para o seu sustento até que a chuva voltasse a tornar o solo fértil, e os cinco pães e dois peixinhos foram o suficiente para aquela multidão para a qual Jesus pregava, Deus já lhe deu o que você precisa para o seu milagre. Basta tão somente crer.

Então, creia que o milagre que Deus fará em sua vida hoje será por meio do que ele já lhe deu, pois ele tem o poder de multiplicar e transbordar sobre sua vida, para que, mediante o seu milagre, o nome dele seja glorificado e outras pessoas sejam abençoadas.

A vida não é sobre nós, mas sobre Deus e as pessoas.

@juniorrostirola

365 **DEVOCIONAL**
164/365

LEITURA BÍBLICA
2CORÍNTIOS 7

PALAVRA-CHAVE
#TRANSBORDAR

ANOTAÇÕES

PONHA PARA FORA

14
JUN

#CAFECOMDEUSPAI

"Enquanto isso, todo o povo estava se lamentando e chorando por ela. "Não chorem", disse Jesus. "Ela não está morta, mas dorme." Todos começaram a rir dele, pois sabiam que ela estava morta. Mas ele a tomou pela mão e disse: "Menina, levante-se!"

LUCAS 8.52-54

A palavra de Deus renovará a sua mente, dissipará toda a desesperança e lhe dará direção.

@juniorrostirola

165/365

2CORÍNTIOS 8

#DISPOSIÇÃO

Há uma chave que abre muitas portas em nossa vida, que é revelada nessa palavra. O texto que acabamos de ler nos mostra que há milagres que só acontecerão na sua casa quando a multidão sair dela.

Há pessoas que você precisa deixar que saiam. É uma realidade chocante, mas necessária, pois há pessoas que não compartilham do mesmo propósito nem do mesmo mover de Deus que você. Essas pessoas podem até estar dispostas a chorar com você as suas dores, mas não estarão dispostas a ver você feliz, por isso zombarão e desdenharão das possibilidades do milagre em sua vida, servindo como instrumentos do Inimigo para roubar de fato a palavra que está liberada sobre você.

Não se esqueça de que, quando Pedro andou sobre as águas, ele estava firmado em uma palavra. Quando o Inimigo rouba uma palavra que está liberada sobre a sua vida, ele rouba a promessa. Não permita que isso aconteça. É importante compreendermos isto: as palavras e as promessas de Deus começam a fazer mais sentido quando as opiniões alheias começam a ter menos espaço no nosso coração.

Então, tenha muito cuidado com quem você está se aconselhando ou até com quem você está compartilhando os seus sonhos, pois isso pode realmente atrapalhar o agir de Deus na sua vida.

Pratique as disciplinas espirituais para que o agir de Deus seja uma realidade. Ponha para fora tudo aquilo que possa interferir no seu milagre. Peça a direção e a sabedoria de Deus para tomar a decisão que fundamentará o seu milagre e o lançará para o cumprimento do propósito dele.

SEJA LIVRE

Jesus respondeu: "Digo a vocês a verdade: Todo aquele que vive pecando é escravo do pecado. O escravo não tem lugar permanente na família, mas o filho pertence a ela para sempre".

JOÃO 8.34,35

15
JUN

#CAFECOMDEUSPAI

Atualmente, o vício tem amarrado, dominado, escravizado e matado muitas vidas. Lares são destruídos pelo vício, pois o sofrimento e a degradação não ficam restritos à pessoa viciada. O rastro de destruição afeta toda a família. Sei muito bem como é devastador conviver com um escravo do vício.

Por muitos anos, a minha casa passou por isso. Hoje sei que o meu pai não tinha controle. Ele era escravo do vício que herdou de gerações anteriores. Lembro-me de que, por volta dos 12 anos de idade, enquanto via toda a desgraça no meu lar, eu trabalhava em um bar, servindo meu pai e seus amigos. Esse poderia ser o início de uma caminhada seguindo os passos da dependência do álcool. O que me abriu os olhos foi o conforto e a segurança que recebi do Senhor ao aceitar Jesus. Deus ainda me permitiu ver o meu pai ser liberto e também aceitá-lo antes de partir deste mundo.

O Senhor Jesus é a verdade que nos liberta da escravidão do pecado e suas consequências, do engano de não reconhecermos que só Cristo pode nos curar e libertar do erro. O pecado nos escraviza, controla, domina e dita as nossas atitudes. Mas Jesus pode libertar-nos da escravidão que nos impede de nos tornarmos quem ele planejou que sejamos: filhos amados de Deus.

Talvez você não tenha nenhum vício, mas esteja aprisionado em outras questões ocultas que o sufocam feito areia movediça. Aceite Jesus e desfrute da paternidade de Deus hoje! Rejeite tudo que o afasta de Deus e o impede de viver os propósitos dele para uma vida que reflete a liberdade do Reino. Um dia eu fiz a minha escolha. Você pode hoje fazer o mesmo e passar a viver uma vida nova!

Cristo nos libertou para vivermos a nossa identidade.

@juniorrostirola

365 **DEVOCIONAL**
166/365

LEITURA BÍBLICA
2CORÍNTIOS 9

PALAVRA-CHAVE
#LIBERTAÇÃO

ANOTAÇÕES

SEJA INTENCIONAL NO SEU CRESCIMENTO

16 JUN

#CAFECOMDEUSPAI

O propósito é que não sejamos mais como crianças, levados de um lado para outro pelas ondas, nem jogados para cá e para lá por todo vento de doutrina e pela astúcia e esperteza de homens que induzem ao erro. Antes, seguindo a verdade em amor, cresçamos em tudo naquele que é a cabeça, Cristo.

EFÉSIOS 4.14,15

Quando você muda sua maneira de pensar, as palavras que expressa começam a mudar. Pense da mesma forma que Jesus pensou.

@juniorrostirola

DEVOCIONAL 365
167/365

LEITURA BÍBLICA
SALMOS 72

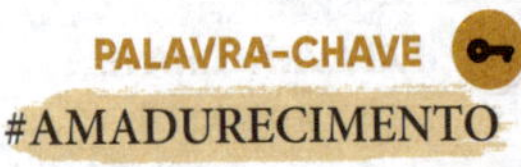

PALAVRA-CHAVE
#AMADURECIMENTO

ANOTAÇÕES

O objetivo do Pai celestial é que você amadureça e desenvolva as características de Jesus Cristo. Lamentavelmente, milhões de pessoas envelhecem, mas nunca crescem, ainda que sejam cristãos. Ficam estagnadas em uma perpétua infância espiritual, como se permanecessem de fraldas e sapatinhos de crochê. O motivo de isso acontecer é que essas pessoas nunca pretenderam crescer.

Crescimento espiritual não é algo automático como acontece com o crescimento físico e natural. É necessário que haja um compromisso voluntário por parte de cada pessoa. Você deve querer crescer, decidir crescer, fazer esforço para crescer e persistir em crescer. O discipulado, processo de se tornar semelhante a Cristo, sempre começa com uma decisão, a decisão de crescer.

Uma vez que tenha decidido seriamente se tornar semelhante a Cristo, você deve começar a agir de maneira diferente. Isso significa que você precisará se livrar de alguns procedimentos antigos. Além disso, você deverá desenvolver novos hábitos e intencionalmente mudar para a melhor forma de viver e pensar.

Pare de ficar olhando para trás, para os lados, para os outros; olhe para a frente, pois lá está o alvo de uma vida melhor, repleta de esperança, glória e promessas para dias melhores. Desça da arquibancada e venha para a arena. Deus vai trazer vitória às suas mãos. Abençoe as pessoas, tenha fé, ore, creia, busque, entregue, perdoe. O mais ele fará.

UMA NOVA VIDA

"Minha oração não é apenas por eles. Rogo também por aqueles que crerão em mim, por meio da mensagem deles."

JOÃO 17.20

17
JUN

#CAFECOMDEUSPAI

Jesus orou por mim e por você. Ele pediu ao Pai para que pudéssemos crer por meio do testemunho dos discípulos, compreender a sua mensagem de amor, recebê-la e dar continuidade à comissão entregue aos apóstolos. Os primeiros discípulos cumpriram muito bem essa missão, caso contrário o evangelho não teria chegado até nós da forma que chegou. Estávamos perdidos e sem rumo, mas encontramos o perdão e a salvação em Jesus por meio da mensagem que nos foi revelada por aqueles que creram antes de nós.

Agora a sua jornada também se transforma em uma mensagem poderosa e inspiradora para que outros sejam encontrados, perdoados e iniciem uma nova vida com Deus. A grandeza da sua salvação se revela na salvação de outros. Não somos salvos apenas para livrar a nós mesmos da consequência dos nossos atos, mas somos salvos para também levar milhares de pessoas a um encontro com o Deus Pai por meio do testemunho de transformação da nossa vida e do perdão conquistado por Jesus na cruz.

Viva para alcançar mais pessoas para a salvação em Cristo. Os campos estão prontos para a colheita.

As qualidades de Jesus como condição para o sucesso da obra da redenção na sua vida o fazem compreender que ele é santo, inculpável, sem mácula, por isso preparado para o sacrifício extremo de morte na cruz. Ele está cheio de amor por nós, os quais, por causa da herança de Adão, éramos seus inimigos. Se você tem certeza da sua salvação, ore por aqueles que ainda estão vivendo longe da casa do Pai e seja uma agente de esperança para os outros.

Uma decisão deve ser sempre seguida de gestos concretos. Arregace as mangas e aja, mas não se esqueça de dobrar os joelhos.

@juniorrostirola

DEVOCIONAL
168/365

LEITURA BÍBLICA
SALMOS 73

PALAVRA-CHAVE
#MISSÃO

ANOTAÇÕES

A FÉ QUE MULTIPLICA

18
JUN

#CAFECOMDEUSPAI

Certo dia, a mulher de um dos discípulos dos profetas foi falar a Eliseu: "[...] veio um credor que está querendo levar meus dois filhos como escravos". Eliseu perguntou-lhe: "Como posso ajudá-la? [...]: "Vá pedir emprestadas vasilhas a todos os vizinhos. Mas peça muitas".

2REIS 4.1-3

Um dos profetas que mais foi usado por Deus foi Eliseu. Quando ele estava na casa da viúva que estava prestes a ver seus filhos serem tomados como escravos, ele a orientou a buscar vasilhas com os vizinhos.

Indiretamente, a fé daquela mulher estava sendo medida, uma vez que, ao reunir todas as vasilhas, o óleo multiplicou na medida exata para deixar cheia cada uma das vasilhas que ela conseguiu. É muito importante observar que, se ela tivesse conseguido mais recipientes, teria mais óleo, assim como, se houvesse trazido menos, menor seria a quantidade de óleo multiplicada.

Da mesma forma que agiu na vida daquela viúva, Deus não quer trazer só um pouquinho de unção à sua vida, mas fazê-la transbordar.

A mulher teve o milagre alcançado depois que uma palavra foi liberada, e sua atitude contribuiu para o cumprimento daquela palavra. No entanto, há outro detalhe que também chama a nossa atenção no texto lido: o fato de o falecido marido ser reconhecido como alguém temente ao Senhor. Aquele homem havia deixado mulher e filhos também tementes a Deus. A herança deixada por ele estava em uma situação realmente difícil, mas o profeta de Deus age em reconhecimento à fidelidade daquele homem em vida e de sua família. O Senhor não desampara seus filhos.

Uma das chaves para o milagre é o temor, a certeza de que a nossa vida está sendo mantida e protegida pelo cuidado de Deus.

Muitos querem experimentar o espetacular, mas o Senhor quer nos fazer viver o sobrenatural.

@juniorrostirola

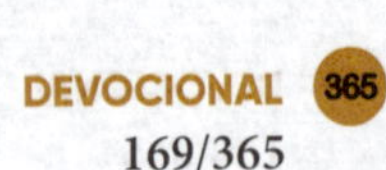

169/365

SALMOS 74

#MULTIPLICAÇÃO

DÊ O PRIMEIRO PASSO

Disse então o S*ENHOR a Moisés: "Por que você está clamando a mim? Diga aos israelitas que sigam avante".*

ÊXODO 14.15

19
JUN

#CAFECOMDEUSPAI

Moisés clamava a Deus, o povo estava diante do mar Vermelho, e o exército egípcio vinha em seu encalço. Eles estavam em uma situação difícil, para a qual não havia solução aos olhos humanos. Deus dizia a Moisés: "Vá! Não pare!".

Deus está constantemente em busca de homens e mulheres que são capazes de confiar piamente nele a ponto de colocar os pés na água antes mesmo de ver o milagre. Ele espera uma atitude de você. Dê o primeiro passo em direção ao que não se vê.

Muitas pessoas dizem: "Estou esperando em Deus!". Mas eu quero dizer uma grande verdade: "Deus está esperando por você!". Ele espera uma atitude de obediência de sua parte. Ele fará a parte dele. O Senhor nunca falha em cumprir o que promete, mas não basta só orar, sem a atitude de obediência.

Na maioria das vezes, não temos dificuldades em saber a vontade de Deus, mas, sim, em obedecer. Enquanto a fé acende a promessa, a obediência concretiza o milagre. Obedecer sempre envolverá riscos. Por isso, sem fé não existe obediência. Para que exista o milagre, é necessário o passo de fé rumo ao improvável e desconhecido.

Se eu não tivesse obedecido à voz de Deus e tivesse ficado esperando até que ele me desse os recursos para fazer a sua obra, estaria sentado em meu escritório reclamando que nada acontecera. Mas eu fui ousado, confiei, obedeci, e hoje os projetos sociais da Reviver estão aí, abençoando a nossa cidade. Vá em frente, caminhe, dê o primeiro passo!

Deus espera por você!

@juniorrostirola

365 **DEVOCIONAL**
170/365

LEITURA BÍBLICA
2CORÍNTIOS 10

PALAVRA-CHAVE
#OBEDIÊNCIA

ANOTAÇÕES

O PODER DO ESPÍRITO SANTO

20
JUN

#CAFECOMDEUSPAI

"Digo a verdade: Aquele que crê em mim fará também as obras que tenho realizado. Fará coisas ainda maiores do que estas, porque eu estou indo para o Pai."

JOÃO 14.12

Quando Jesus veio à terra como homem, ele fez muitos milagres. Como nos revela o evangelho, nós também podemos viver uma história de milagres.

Para que cada um de nós possa viver milagres, é necessário crer e servir a Deus. Servir ao Senhor é a melhor decisão na vida do ser humano, porque servimos a um Deus que é poderoso para fazer infinitamente mais do que podemos pedir ou pensar.

O Senhor, que tem infinito poder nos céus e na terra, está nos dizendo que faremos obras grandiosas. Ele afirma que seremos usados de forma extraordinária para fazer coisas maiores do que podemos imaginar ou que nossos olhos físicos já tenham contemplado.

Em seu ministério terreno, Jesus empoderou seus discípulos. Todos aqueles que aceitarem Cristo como único e suficiente Salvador terão a capacidade de realizar os mesmos feitos realizados por Jesus. Não somente isso, faremos coisas ainda maiores, conforme o próprio Senhor Jesus promete no evangelho.

O problema é que muitas vezes deixamos as mentiras do Diabo dominarem a nossa mente e acreditamos que não somos capazes de realizar tais feitos. Somos tomados pela paralisia, pela falta de fé, e ficamos inertes, sem provocar o sobrenatural de Deus aqui na terra. Foi o próprio Jesus que nos disse que faremos as obras que ele fez, e até maiores do que as que ele realizou. Você já está empoderado por ele. Acredite!

Deus é de fato infinitamente poderoso para fazer além do que pensamos.

@juniorrostirola

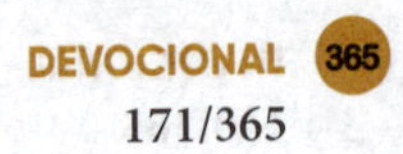

DEVOCIONAL
171/365

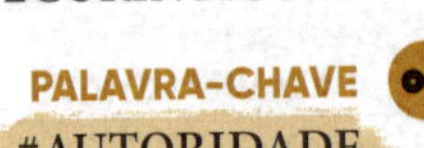

LEITURA BÍBLICA
2CORÍNTIOS 11

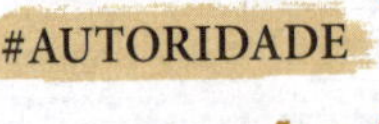

PALAVRA-CHAVE
#AUTORIDADE

ANOTAÇÕES

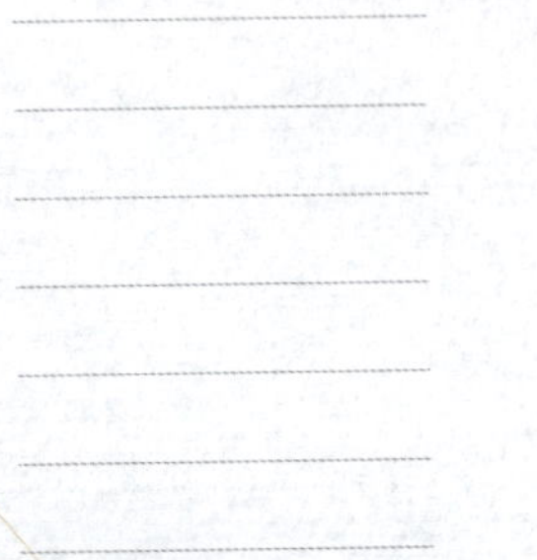

TENHA AMIGOS

Talvez eu permaneça com vocês durante algum tempo, ou até mesmo passe o inverno com vocês, para que me ajudem na viagem, aonde quer que eu vá. Desta vez não quero apenas vê-los e fazer uma visita de passagem; espero ficar algum tempo com vocês, se o Senhor permitir.

1CORÍNTIOS 16.6,7

21
JUN

#CAFECOMDEUSPAI

Em sua carta à comunidade cristã de Corinto, podemos ver o cuidado, o carinho e a amizade que Paulo cultivava com os seus novos companheiros na fé. Ele não desejava somente fazer uma visita rápida para verificar se aquela igreja frutificava e seguia o que ele lhes havia ensinado, mas realmente queria permanecer com eles por um longo período, algo que só fazemos quando realmente nutrimos uma amizade verdadeira com as pessoas. Paulo cultivou mais do que ser mestre dos coríntios, tornou-se amigo.

Hoje está se iniciando o inverno, uma estação na qual, muitas vezes, por causa do frio, somos compelidos a nos isolar e até mesmo a abandonar vários projetos. O inverno é até mesmo reconhecido como um período de tempo que conduz as pessoas ao desânimo. É possível que a igreja de Corinto estivesse passando pelo sentimento de vazio e desânimo, percebendo que a temperatura estava baixando em sua comunidade.

Comigo também já foi assim. Houve dias em que tudo que eu mais queria era ficar sozinho e desistir. Ao contrário do que parecia ser real para qualquer pessoa, para mim, os planos pareciam não funcionar; era como se simplesmente as coisas não acontecessem.

Mas, como não existe estação eterna, chegou o meu tempo de florescer, o tempo de crescimento e renovo. Então, não fique preso a coisas que passaram. Estabeleça novas metas e vá em direção a novas conquistas. Não permita que o desânimo faça morada em sua vida. Reflita sobre o caminho que tem seguido e, se for preciso, reprograme a sua rota, mas não congele, não fique parado, nem feche a sua porta para os amigos com medo de o frio entrar.

Só suporta problemas, ventos contrários e frios intensos quem tem raiz.

@juniorrostirola

DEVOCIONAL
172/365

LEITURA BÍBLICA
2CORÍNTIOS 12

PALAVRA-CHAVE
#EXPECTATIVA

ANOTAÇÕES

NÃO SE ESQUEÇA DAS PROMESSAS

22
JUN

#CAFECOMDEUSPAI

O meu corpo e o meu coração poderão fraquejar, mas Deus é a força do meu coração e a minha herança para sempre.

SALMOS 73.26

Quais são os sonhos de Deus para a sua vida? Talvez você não saiba responder. Isso se deve ao fato de que você deixou de alimentar o amor e os sonhos no seu coração, e eles morreram de inanição. Por isso, é necessário enxergar com honestidade os nossos ossos secos, as nossas fraquezas e os obstáculos.

Muitas vezes, os obstáculos podem ser nós mesmos, porque, por mais que venhamos a culpar os outros pelo que fizeram conosco, o que realmente importa não é o que fazem conosco, e sim como reagimos a isso.

Geralmente possuímos uma casca muito dura que encobre a nossa realidade íntima. Essa máscara é muito convincente e esconde o nosso interior deturpado, como forma de nos proteger e transparecer para os outros que está tudo bem, quando, na verdade, por trás de uma máscara sorridente, estamos feridos e destruídos por dentro.

Nos momentos em que busco refletir sobre a minha construção de vida, lembro-me de que, quando criança, tinha sonhos comuns, como ter uma festa de aniversário, que nunca tive. Via algumas crianças comemorarem, ganharem seus presentes, mas comigo isso nunca aconteceu. Não tenho nenhum sentimento de culpa ou remorso. Hoje, pela graça e pelo cuidado de Deus Pai, além de poder comemorar o meu aniversário, posso proporcionar o mesmo à minha família.

Talvez tenha havido muita coisa que você não viveu no tempo que gostaria, mas o que você pode fazer hoje para proporcionar tamanha satisfação na vida de alguém? Pense nisto!

Viva na perspectiva daquilo que é eterno.

@juniorrostirola

DEVOCIONAL
173/365

LEITURA BÍBLICA
2CORÍNTIOS 13

PALAVRA-CHAVE
#FORTALEZA

ANOTAÇÕES

MERGULHE NO PROFUNDO

Tendo acabado de falar, disse a Simão:
"Vá para onde as águas são mais fundas",
e a todos: "Lancem as redes para a pesca".
LUCAS 5.4

23
JUN

#CAFECOMDEUSPAI

Com as novas tecnologias, diariamente as indústrias caminham para um processo de automação dos serviços, substituindo homens por máquinas em virtude de estas estarem projetadas para ciclos repetitivos. Assim como as máquinas, nós, seres humanos, em nossa psique, também somos inclinados a adotar padrões repetitivos, por meio dos quais a rotina nos leva a ações repetidas e a uma acomodação em nossa zona de conforto.

O grande problema é quando nos acostumamos com a glória de Deus e nos contentamos com aquilo que achamos que é o suficiente. Esse é o início da queda, quando você perde a sede e o desejo de viver além do que está bom.

Acredito em algumas verdades contidas neste texto que se aplicam ao nosso cotidiano.

A primeira delas é quanto ao controle. Lançar as redes em águas profundas é mergulhar no desconhecido, onde não há possibilidade de controlar o que vamos encontrar. A segunda é em relação à provisão, pois no profundo, no desconhecido, é também onde entregamos o controle ao Senhor, permitindo assim que ele nos proveja com o necessário. A terceira diz respeito à abundância, pois o que Jesus estava dizendo a Pedro era: "Pedro, do profundo, virá abundância e multiplicação".

Se está com dúvidas quanto a confiar no Senhor, quero lembrar-lhe, neste dia, de que com Jesus nunca teremos escassez, mas sempre seremos supridos.

A adversidade que você está enfrentando acabará se tornando a fonte da sua estabilidade.

@juniorrostirola

DEVOCIONAL
174/365

LEITURA BÍBLICA
SALMOS 75

PALAVRA-CHAVE
#PROFUNDIDADE

ANOTAÇÕES

A ORAÇÃO É A RESPOSTA

24
JUN

#CAFECOMDEUSPAI

Então, voltou aos seus discípulos e os encontrou dormindo. "Simão", disse ele a Pedro, "você está dormindo? Não pôde vigiar nem por uma hora? Vigiem e orem para que não caiam em tentação. O espírito está pronto, mas a carne é fraca".

MARCOS 14.37,38

Para fazer o que Deus o chamou para fazer, você deve se tornar quem ele o chamou para ser.

@juniorrostirola

Após cear pela última vez com seus discípulos e os instruir acerca dos tormentos que estavam por vir, Jesus leva três deles consigo até o jardim de Getsêmani e lhes pede para permanecerem em oração e vigília, enquanto se afasta para falar ao Pai sozinho. Contudo, quando ele retorna, encontra os três apóstolos dormindo.

Inicialmente, podemos acreditar erroneamente que o simples ato de estarem dormindo não se trata de algo tão profundo. Aqueles homens provavelmente estavam cansados, pois já era tarde da noite.

Sempre que estamos acometidos por alguma enfermidade, o cansaço toma conta do nosso corpo de tal forma que nos tornamos vulneráveis, a ponto de ficarmos sonolentos. Há ainda vezes em que, em virtude de uma angústia iminente, ficamos emocionalmente tão fragilizados que a única coisa que queremos é deitar-nos e assim permanecer até que tudo esteja resolvido.

Nessa ocasião, Jesus foi tentado, a ponto de pedir que o Pai afastasse dele o cálice que estava prestes a beber. No entanto, o Senhor nos ensina que, quando estamos numa situação angustiante, repleta de problemas e lutas, ficar deitado esperando que aquilo passe não é a solução, tampouco ficar preocupado resolverá.

Devemos encarar com coragem o nosso destino, entregando-o nas mãos do nosso Deus Pai, que nos acompanhará em cada passo que dermos. Lembre-se de que você não está sozinho. Deus está com você. Creia!

DEVOCIONAL 365
175/365

LEITURA BÍBLICA
SALMOS 76

PALAVRA-CHAVE
#CORAGEM

ANOTAÇÕES

NÃO ANDE COM O TANQUE VAZIO

"Agora vou para ti, mas digo estas coisas enquanto ainda estou no mundo, para que eles tenham a plenitude da minha alegria."

JOÃO 17.13

25
JUN

#CAFECOMDEUSPAI

Certamente, você já passou pelo apuro de não ter abastecido o seu automóvel, achando que tinha combustível suficiente, e se viu com o tanque na reserva, justamente quando não havia nenhum posto de serviço à vista!

Isso já aconteceu comigo, quando nos mudamos para Presidente Prudente, SP, para pastorear a igreja que me foi designada. Acabei me perdendo dentro de um canavial. Era o ano de 2007, estávamos no verão, em um veículo sem ar-condicionado. Ficamos por longos quilômetros perdidos naquele trajeto. Para piorar a situação, eu não tinha dinheiro suficiente. Além de não poder contar com a ajuda de ninguém à nossa volta, também não tínhamos como abastecer o veículo até chegarmos ao lugar planejado. A cada quilômetro percorrido, uma agonia, mas saímos daquele canavial, chegamos a Presidente Prudente com o combustível na reserva; o marcador já indicava a necessidade de abastecimento muitos quilômetros antes.

Essa analogia retrata de forma clara o nosso interior, quando estamos abastecidos de alegrias temporárias oferecidas pelo mundo, que rapidamente se esvaem, deixando a sensação de vazio e escassez. Mas com Cristo o vazio é preenchido de uma alegria que não se esvai, porque a alegria de Jesus é plena. Jesus não quer nos ver andando com o tanque vazio, mas cheio.

A sua vida carrega a alegria de Cristo? Jesus é a Água Viva e o Pão da Vida. Quem bebe dessa água nunca mais terá sede e quem come desse pão jamais terá fome.

Na vida, teremos provações, e Jesus está disposto a estar conosco nesses momentos.

@juniorrostirola

DEVOCIONAL
176/365

LEITURA BÍBLICA
SALMOS 77

PALAVRA-CHAVE
#COMPLETO

ANOTAÇÕES

NÃO PERMANEÇA NO DESERTO

26
JUN

#CAFECOMDEUSPAI

"Ele os tirou de lá, fazendo maravilhas e sinais no Egito, no mar Vermelho e no deserto durante quarenta anos."

ATOS 7.36

Deus tirou Israel da escravidão no Egito. Quando a nova geração de israelitas chegou à fronteira da terra prometida, eles estavam prontos para possuí-la. As experiências no deserto os haviam preparado para aproveitar a herança dada por Deus.

A experiência no deserto lançou Jesus em um ministério capacitado pelo Espírito. Ele foi imediatamente às sinagogas para ensinar e declarar ousadamente seu propósito. Você também emergirá do deserto com um novo senso de propósito. A experiência no deserto havia mudado tanto o povo que eles não foram mais os mesmos depois do Egito.

Essa verdade também seguirá firme com relação a você. Você nunca mais será o mesmo. Como você consegue atravessar um deserto? Um passo de cada vez. Quando você passar pela experiência no deserto, saberá com certeza que o Senhor, o seu Deus, o abençoou em toda a obra de suas mãos. Ele vigiou a sua jornada através do vasto deserto. O Senhor esteve com você, e não lhe faltou nada.

A partir de hoje, as suas palavras serão de transformação. Você será conhecido como alguém que tem palavras de vida! Uma das coisas que somos chamados a fazer é pregar o evangelho de Cristo, não somente nos púlpitos das igrejas, mas nas ruas, em nossa casa, em nosso trabalho! Decida viver o evangelho cheio do Espírito Santo! Palavras se tornam vazias sem o fogo do Espírito, mas são dinamites quando são cheias do poder de Deus!

Deixe Deus definir você, não sua luta.

@juniorrostirola

DEVOCIONAL
177/365

LEITURA BÍBLICA
JÓ 1

PALAVRA-CHAVE
#PASSAGEM

ANOTAÇÕES

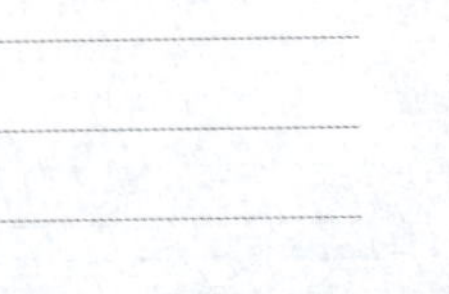

DEUS DESEJA MANIFESTAR SUA GLÓRIA

Acima dele estavam serafins; cada um deles tinha seis asas: com duas cobriam o rosto, com duas cobriam os pés e com duas voavam. E proclamavam uns aos outros: "Santo, santo, santo é o Senhor dos Exércitos, a terra inteira está cheia da sua glória".

ISAÍAS 6.2,3

27
JUN

#CAFECOMDEUSPAI

Quando você experimenta intimidade com Deus, enxerga o que a maioria das pessoas não consegue ver.

No mundo espiritual, existem diversas classes de anjos, cada qual com hierarquia e funções diferentes. Os anjos das classes dos querubins e serafins, os mais elevados da hierarquia celeste, declaravam que Deus é santo três vezes seguidas. Esta é uma grande revelação do caráter de Deus: sua santidade.

Como em um mundo tão cheio de pecado você consegue ver santidade? A ideia básica de santidade é a de separação, ou seja, Deus está separado e acima de sua criação. Deus é santo, separado. Não podemos servir a Deus com excelência se nos falta intimidade. Por isso, a fim de ser usado por Deus, é preciso primeiro que você tenha a sua própria visão da santidade de Deus.

Deus quer manifestar a glória dele sobre você hoje. É importante que você creia na vontade de Deus de o envolver com sua glória, luz e seu poder. Você também precisa ter a visão da glória de Deus.

A Bíblia sempre será a revelação soberana de Deus. Contudo, podemos ter no dia a dia sonhos, revelações, milagres, sinais e sentir de uma forma especial a presença de Deus pela atmosfera e pelo ambiente. A revelação soberana do Pai não nos impede de receber revelações sobre ele e sobre a vontade dele dessas outras formas.

Deus convida você a liberar sua mente e a conectar-se com ele em um ambiente de glória no qual ele se revelará a você e mudará a sua percepção do mundo.

A glória se revelará a você, e você passará a ter uma nova visão de mundo.

@juniorrostirola

DEVOCIONAL
178/365

LEITURA BÍBLICA
JÓ 2

PALAVRA-CHAVE
#PERCEPÇÃO

ANOTAÇÕES

RENOVE A FÉ

28
JUN

#CAFECOMDEUSPAI

Por isso a ira do SENHOR acendeu-se contra Israel, e ele disse: "Como este povo violou a aliança que fiz com os seus antepassados e não tem ouvido a minha voz, não expulsarei de diante dele nenhuma das nações que Josué deixou quando morreu".

JUÍZES 2.20,21

Depois de anos peregrinando no deserto e de passar por muitas lutas para chegar à terra prometida, o povo de Israel perdeu o foco e afastou-se do Senhor que o guiara até ali. Os israelitas passaram a seguir caminhos que não agradavam ao Senhor. Mas por que eles se desviaram do caminho reto apontado por Deus? Por não terem mantido a aliança de seus antepassados com o Senhor. Contar com a fé dos antepassados não foi suficiente para sustentá-los.

Esse mesmo princípio se aplica a nós que vivemos sob a luz de uma promessa do Senhor. Para sustentar o nosso relacionamento com Deus, não podemos terceirizar as responsabilidades nem confiar na fé de outras pessoas. Tampouco podemos valer das nossas experiências com ele no passado, como se fosse um tipo de crédito a ser abatido a longo prazo.

O nosso relacionamento com Deus deve ser de intimidade e a rotina deve ser diária.

Devemos manter um relacionamento vivo, dinâmico e ativo com o Senhor mediante uma vida de oração e de leitura bíblica, a fim de conhecê-lo mais e mais. Naturalmente, o meu relacionamento com Deus se refletirá na vida dos meus filhos, mas chegará o tempo em que eles não precisarão olhar para mim a fim de continuarem nutrindo a própria fé.

A oração é a via que você pavimenta para conhecer Deus Pai. Deus o criou e deseja fazer parte da sua vida, e para isso você precisa estar intimamente conectado com ele.

Não sou abençoado por ser digno, mas, sim, pelo amor e a graça do nosso Deus.

@juniorrostirola

DEVOCIONAL
179/365

LEITURA BÍBLICA
JÓ 3

PALAVRA-CHAVE

#CONEXÃO

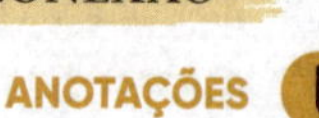

ANOTAÇÕES

VIVA EM COMUNHÃO

E este é o amor: que andemos em obediência aos seus mandamentos. Como vocês já têm ouvido desde o princípio, o mandamento é este: Que vocês andem em amor.

2JOÃO 1.6

29 JUN

#CAFECOMDEUSPAI

Deus quer que vivamos juntos. A Bíblia chama essa experiência de vida compartilhada de comunhão.

Hoje em dia, entretanto, cada vez mais a palavra vem perdendo significado. "Comunhão" ou "confraternização" hoje se refere normalmente a uma conversa casual, a uma atividade social, à comida e diversão. A pergunta "Onde você busca comunhão?" significa "Em que círculo social você tem se inserido?".

A real comunhão significa ter vida em comum. Isso inclui amar altruisticamente, compartilhar com transparência, servir nas necessidades práticas, ser generoso, consolar compassivamente etc. Na comunhão verdadeira, as pessoas encontram autenticidade.

É quando amamos que somos mais parecidos com Deus, de modo que o amor é o fundamento de todos os mandamentos que ele nos deu.

É por isso que temos toda a vida para aprender. É lógico que Deus quer que amemos a todos, mas ele se interessa especialmente em que aprendamos a amar as pessoas que fazem parte da nossa família. Como já vimos, esse é o segundo propósito para nossa vida. Por que Deus insiste em que devemos dar amor e atenção especial às outras pessoas? Porque Deus quer que sua família seja conhecida pelo amor, mais do que por qualquer outra coisa.

Jesus disse que o nosso amor uns pelos outros, não as crenças doutrinárias, é o nosso maior testemunho perante o mundo. A melhor utilidade que se pode dar à vida é amar. Essa deve ser a nossa maior ambição.

A jornada pode não fazer sentido agora, mas Deus o levará para onde disse que o levaria.

@juniorrostirola

DEVOCIONAL
180/365

LEITURA BÍBLICA
JÓ 4

PALAVRA-CHAVE
#COMUNHÃO

ANOTAÇÕES

TUDO SE FEZ NOVO!

30
JUN

#CAFECOMDEUSPAI

Portanto, se alguém está em Cristo, é nova criação. As coisas antigas já passaram; eis que surgiram coisas novas!

2CORÍNTIOS 5.17

Viver de verdade é uma escolha que você precisa fazer em sua vida, pois ou você vive o extraordinário de Deus, ou vive apenas uma vida comum, sem sentido e sem razão.

Por muito tempo, eu vivi assim. Eu achava que a minha vida era tão sem razão que, aos 13 anos de idade, tudo o que eu queria era morrer. Eu desejava a morte porque não via sentido em levar a vida de sofrimento e de humilhação que a minha família vivia naquela época, em um lar totalmente disfuncional por causa das brigas e da violência protagonizadas pelo meu pai.

Eu acordava pela manhã e não via sentido em me levantar e ir para a escola, porque na escola, onde eu sofria *bullying*, também era muito difícil. Assim como ninguém dá aquilo que não tem, eu não conseguia me relacionar com as pessoas.

Mas, ainda aos 13 anos, minha vida mudou completamente quando aceitei o convite de uma vizinha para conhecer Jesus. Então, as minhas dores e orfandade foram curadas. Foi um processo que me permitiu entender quem eu sou, quem eu não sou e por que Deus me fez.

Essa mesma oportunidade também está disponível a você hoje. Escolha abandonar a vida comum. Decida viver coisas novas! Abra a sua vida completamente para Jesus, o seu Senhor, e todas as suas dores e todos os seus traumas, que lhe trazem um gosto amargo, passarão a fazer parte do passado. O novo de Deus o aguarda, e a sua vida pode ser extraordinária com Jesus.

O Senhor traz à existência aquilo que não existe para abençoar você.

@juniorrostirola

DEVOCIONAL 365
181/365

LEITURA BÍBLICA
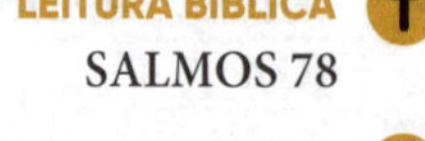
SALMOS 78

PALAVRA-CHAVE
#NOVO

ANOTAÇÕES

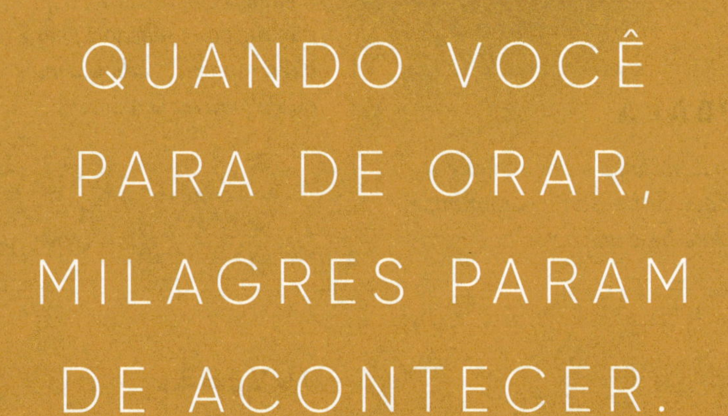
QUANDO VOCÊ
PARA DE ORAR,
MILAGRES PARAM
DE ACONTECER.
@juniorrostirola
#CAFECOMDEUSPAI

DEPOIMENTOS

Milhares de pessoas estão conosco nesta jornada, desfrutando diariamente de um **CAFÉ COM DEUS PAI**

Veja os depoimentos de algumas delas...

JAQUELINE

"Ganhei o livro Café com Deus Pai *na virada de ano. Faço o meu devocional diário, o que me traz paz e sabedoria para o dia. Aprendo cada vez mais da Palavra do Senhor."*

BÁRBARA

"Leio o devocional todos os dias e parece que ele foi escrito para mim, pois relata tudo que passo."

JUVENAL

"Tenho tido como prática todos os dias ler um capítulo de Provérbios e do devocional Café com Deus Pai *e tem sido transformador, parece que foi escrito para mim, principalmente para este momento da minha vida!"*

MÁRCIA

"Queria muito o devocional Café com Deus Pai, *mas não consegui comprar. Há uma semana, fiz um café para uma pessoa que eu precisava perdoar, e ela me trouxe o que de presente? O devocional! Deus é fiel. Estou lendo todos os dias e tem sido uma bênção, uma porção diária de esperança."*

TATI

"Comprei o devocional Café com Deus Pai *e tenho aprendido muito. Minha vida tem mudado diariamente."*

ALESSANDRA

"O Café com Deus Pai *é maravilhoso, ganhei recentemente o devocional de uma amiga, e faço minha leitura diariamente e posto no Instagram. Todos os dias alguém me pergunta qual o nome do livro."*

ARIELLY

"Esse devocional é incrível, Deus falou comigo para comprar e chegou muito rápido. Sofro de ansiedade e, no dia que o devocional chegou, a palavra me confortou de um jeito inexplicável."

PAULA

"Eu comecei a fazer uma mentoria e a minha mentora usa o devocional Café com Deus Pai *para trazer a palavra de Deus para nós.*

Eu sempre sonhei em ser mãe, chorei e clamei a Deus e ele me deu filhos lindos e abençoados. Foi então que, de repente, me deparei com um cansaço emocional e não cuidava deles como deveria. Comecei a me sentir a pior mãe, esposa e pessoa, sempre terminava o meu dia chorando.

Quando comecei a ouvir o devocional, Deus começou a me dar palavras de confronto e mudanças. Cada dia em que a minha mentora lia o devocional, meu dia ficava melhor.

Esse devocional é meu alimento espiritual diário. Hoje, para honrar e glorificar a Deus, os meus dias começam bem e terminam da mesma forma; consigo cuidar dos meus filhos com muito amor!"

Mensagens como estas me impulsionam todos os dias.

Agradeço por compartilharem suas experiências.

Eu fico muito feliz ao ler cada uma delas!

NÃO SEJA
GOVERNADO
PELOS SEUS
PENSAMENTOS,
SEJA GOVERNADO
PELOS CÉUS!

@juniorrostirola

JULHO

#CAFECOMDEUSPAI

café
com
Deus
pai

RESILIÊNCIA

Meus irmãos, considerem motivo de grande alegria o fato de passarem por diversas provações, pois vocês sabem que a prova da sua fé produz perseverança.

TIAGO 1.2,3

01
JUL

#CAFECOMDEUSPAI

A vida é repleta de escolhas. Para quase tudo, podemos decidir, exceto em relação ao que as pessoas fazem conosco. Todavia, ainda podemos escolher como reagir ao que fazem a nós. Existem dois caminhos: permanecer mergulhado no sofrimento ou enfrentar a dor e fazer dela uma inspiração para transformar a vida de outras pessoas. Durante muito tempo, deixei-me ser dominado pela autopiedade e pela mentira de que eu não era destinado a vencer na vida e ser feliz. Ao ser abraçado pelo amor de Jesus, a minha paternidade com Deus Pai cresceu e compreendi que a minha dor de ontem é o meu testemunho de hoje.

Quando comecei a viver a paternidade de Deus, entendi que é possível ter uma vida extraordinária, não apenas financeiramente, mas porque é possível viver uma vida próspera em Deus. Sem Deus, eu não sabia o que era ter pai; com Deus, passei a viver como filho. Hoje posso ser pai, ter família, o que parecia impossível.

Faça que o sofrimento gere em você inquietação para catalisar a dor em algo positivo e, assim, mudar a história daqueles que vivem ao seu redor. Eu fiz isso, e o Senhor blindou o meu coração para que eu absorvesse todas as adversidades e as transformasse em combustível para gerar mudança ao meu redor. Não permita que a dor do passado o machuque ou paralise; use as cicatrizes como medalhas. Se hoje você está onde está, é porque todo o processo pelo qual você passou gerou força. Seja grato e testemunhe as maravilhas que o Senhor fez na sua vida, tirando-o de um passado de dor para um amanhã de vitórias e conquistas nele.

A dor nunca será maior que o propósito.

@juniorrostirola

DEVOCIONAL
182/365

LEITURA BÍBLICA
SALMOS 79

PALAVRA-CHAVE
#CATALISAR

ANOTAÇÕES

NÃO DESISTA!

02
JUL

#CAFECOMDEUSPAI

Por que você está assim tão triste, ó minha alma? Por que está assim tão perturbada dentro de mim? Ponha a sua esperança em Deus! Pois ainda o louvarei; ele é o meu Salvador e o meu Deus. A minha alma está profundamente triste; por isso de ti me lembro desde a terra do Jordão, das alturas do Hermom, desde o monte Milar.

SALMOS 42.5,6

Jamais desista dos seus sonhos. Ainda que as circunstâncias demonstrem o contrário, em Deus tudo é possível.

@juniorrostirola

DEVOCIONAL
183/365

LEITURA BÍBLICA
SALMOS 80

PALAVRA-CHAVE
#SONHE

ANOTAÇÕES

Existem momentos em que nos sentimos entristecidos, abalados, derrotados e incapacitados. Muitas vezes, a frustração vem de projetarmos e tentarmos controlar o futuro, e não temos poder para fazer isso sozinhos. Quando estamos com a alma ferida, o nosso opositor usa bagagens negativas acumuladas no nosso coração para arquitetar planos e anular o verdadeiro propósito de Deus. Com isso, as sementes da mentira começam a brotar, sussurrando a nossa incapacidade de concretizar o que nos foi revelado como missão, ou dizendo que estamos destinados ao fracasso, enchendo o nosso coração de tristeza e angústia e nos afastando do nosso propósito.

O opositor não pode roubar as promessas de Deus da nossa vida; então, ele tenta roubar as promessas de Deus da nossa mente. Não se deixe paralisar, não perca o seu propósito por nada, erga a cabeça e sinta o calor dos raios de sol que o Senhor envia, os quais afastam as nuvens escuras do horizonte. Quando você sabe quem é Deus, e mantém no coração a chama do Espírito Santo, o sentimento de desânimo e incapacidade passa e não faz mais sentido; afinal são bagagem negativa na nossa alma, e, como carga sobressalente, precisamos descartar, para podermos ser livres e voar nas asas do Senhor.

Quando passei a caminhar com Jesus, passei a ter sonhos que nunca achei que pudessem existir. Quando eu os compartilhava com algumas pessoas, sempre me chamavam de sonhador. Isso me ensinou a compartilhar os meus sonhos com pessoas que têm uma fé maior do que a minha. Portanto, sonhe e projete, mas compartilhe apenas com aqueles que o impulsionarão a viver os seus sonhos. Acredite que em Deus tudo é possível!

CHAVES QUE ABREM PORTAS

De repente, houve um terremoto tão violento que os alicerces da prisão foram abalados. Imediatamente todas as portas se abriram, e as correntes de todos se soltaram.

ATOS 16.26

03
JUL

#CAFECOMDEUSPAI

Esse é um texto muito conhecido, que relata o momento em que Paulo e Silas milagrosamente são libertos da prisão.

É muito importante, porém, observarmos a frase "todas as portas se abriram", pois não foi somente a porta do cárcere de Paulo e Silas que se abriu, mas todas as portas da prisão. Junto com Paulo e Silas, todos os outros encarcerados tiveram acesso à liberdade.

Este capítulo tem duas coisas muito importantes que detalho abaixo.

A primeira é a maneira com que Deus trabalha. Nem sempre a maneira de Deus trabalhar é equivalente à nossa maneira. Pois o modo de ele trabalhar muitas vezes não é compreensível, por ser diferente daquela que passa pela nossa mente, sempre limitada ao campo do possível e do provável, enquanto para Deus esses limites não existem.

A segunda coisa que aprendemos é o propósito de Deus trabalhar, pois tudo que ele faz é vinculado a um propósito, não existindo aleatoriedade, acaso ou sorte. Ele é infinitamente poderoso e pode abrir as portas que nos aprisionam nos momentos mais difíceis e críticos da nossa existência, quando nos sentimos acorrentados pelas circunstâncias que se erguem contra nós, como uma gigantesca onda prestes a virar um pequeno barco.

As circunstâncias tentam paralisar você, mantendo-o encarcerado com correntes nos calcanhares, mas Deus é poderoso para mudar qualquer situação. Não importa qual seja a prisão que o impeça de viver hoje, Deus tem poder para abalar todas as suas estruturas e abrir todas as portas que até agora estavam fechadas.

Nenhuma tempestade dura para sempre.

@juniorrostirola

365 **DEVOCIONAL**
184/365

LEITURA BÍBLICA
JÓ 5

PALAVRA-CHAVE
#ESPERANÇA

ANOTAÇÕES

NÃO OLHE PARA TRÁS

04
JUL

#CAFECOMDEUSPAI

Jesus respondeu: "Ninguém que põe a mão no arado e olha para trás é apto para o Reino de Deus".
LUCAS 9.62

Que sejamos sempre renovados pela esperança, a fim de que nunca falte visão de fé e confiança para recomeçar a nossa caminhada.
@juniorrostirola

DEVOCIONAL 365
185/365

LEITURA BÍBLICA
JÓ 6

PALAVRA-CHAVE
#FOCO

ANOTAÇÕES

É muito comum iniciar um projeto, plano ou propósito e acabar abandonando-o no meio do caminho. Desde coisas simples, como fazer uma dieta, frequentar uma academia, até complexas, como cursar uma faculdade, investir na carreira profissional ou em um relacionamento. Muitas vezes, paramos no meio e desistimos antes de cumprir a meta, o propósito, aquilo que foi traçado para mudar a nossa vida. Talvez você tenha traçado metas para este ano e, já passado um semestre, elas não foram cumpridas. Talvez você tenha prometido algo a alguém e não cumpriu. É necessário refletir sobre como está a nossa caminhada. Estamos focados ou desistimos?

Ouso dizer que todos estamos focados em algo, mas nem sempre naquele que é a força motriz de todas as coisas, Deus. Toda vez que perdemos o foco naquilo que Deus tem para nós, acabamos nos tornando mais vulneráveis às forças opostas, que nos levarão cada vez mais longe do propósito, como um barco que se equivoca na rota e cada vez mais se afasta de seu destino. Manter o foco requer disciplina e preparo, pois, assim como um atleta se prepara treinando, se alimentando corretamente e guardando energias nos momentos de oportunidades, nós devemos também nos preparar e nos organizar para a nossa empreitada. Estudar a Palavra, meditar nela e orar são fundamentais na nossa rotina diária, para que não sejamos acometidos pelo desânimo, pela fadiga ou pelo cansaço e, assim, avancemos firmes e fortes na corrida em direção a Cristo.

Hoje é um ótimo dia para você alinhar o seu coração ao coração de Deus. Repense a sua agenda, pare por um minuto e avalie: a quem ou a que você está dedicando maior atenção.

VOCÊ É AMADO, NÃO REJEITADO

Salva-nos com a tua mão direita e responde-nos, para que sejam libertos aqueles a quem amas.

SALMOS 60.5

05
JUL

#CAFECOMDEUSPAI

Todos fomos rejeitados de uma maneira ou de outra. A fim de impedir que o sentimento de rejeição nos destrua, devemos ser capazes de identificar as causas da rejeição e enfrentar o medo, a autorrejeição, a rejeição hereditária, as raízes da rejeição e todos os sentimentos que a acompanham: mágoa, raiva, amargura, orgulho, medo, rebelião e muito mais.

Quais são as mentiras que têm roubado a sua paz? Jesus não quer que você viva nesse turbilhão de mentiras e acusações. Ele quer que você seja liberto. Você não está sozinho. Muitas pessoas precisam de libertação da rejeição. Deus quer libertar todos nós do espírito de rejeição, para que possamos trazer libertação a família, amigos e pessoas ao nosso redor.

A Bíblia diz: "Se o Filho os libertar, vocês de fato serão livres" (João 8.36). Por meio de Cristo, fomos libertos de todo obstáculo e ataque demoníaco. A Bíblia nos ensina como reivindicar liberdade do sentimento de rejeição e mudar para uma vida de aceitação no Amado. O sentimento de rejeição tem origem na orfandade.

Tenho uma notícia para lhe dar: Jesus o compreende. Na cruz, ele enfrentou a rejeição de todo o mundo. Seja honesto com Deus sobre seus sentimentos. Ele o entende. Não procure vingança. Confie em Deus para obter a justiça suprema. Peça a Deus para ajudá-lo a perdoar. Afinal, Jesus nos perdoou por rejeitá-lo na cruz.

Superar o sentimento de rejeição é a chave para uma vida bem-sucedida.

A amargura é o veneno que engolimos enquanto esperamos que a outra pessoa morra; portanto, vença a amargura!

@juniorrostirola

DEVOCIONAL
186/365

LEITURA BÍBLICA
JÓ 7

PALAVRA-CHAVE
#SUPERAÇÃO

ANOTAÇÕES

MANTENHA-SE FIEL

06
JUL

#CAFECOMDEUSPAI

O Deus que concede perseverança e ânimo dê a vocês um espírito de unidade, segundo Cristo Jesus.

ROMANOS 15.5

Pessoas medíocres murmuram, pessoas comuns usufruem, mas pessoas extraordinárias agradecem!

@juniorrostirola

DEVOCIONAL
187/365

LEITURA BÍBLICA
JÓ 8

PALAVRA-CHAVE
#FIDELIDADE

ANOTAÇÕES

Jacó era filho de Isaque e neto de Abraão. Após ter seu nome trocado, teve muitos filhos, que deram origem à nação de Israel. A vida de Jacó foi marcada por muita luta e persistência. Até para se casar, Jacó teve que ser persistente diante da artimanha de seu sogro, Labão.

A fé ofende tudo o que é paralisia! Mas uma jornada de sucesso só se constrói com pessoas extraordinariamente persistentes. A jornada que o torna persistente começa quando você tem a convicção de quem é e confia nos projetos dos céus. Sabe o que Abraão, Isaque e Jacó tinham em comum? Eles acreditavam nos projetos dos céus para a vida. Eles agiam com sabedoria e não negligenciavam a verdade, priorizavam as manifestações espirituais e se deixavam ser transformados em pessoas alinhadas com o Pai. Pessoas que não se desviam de seu propósito e de sua lealdade têm características de paciência, firmeza, constância e perseverança. Até mesmo sob os testes, desafios e intempéries da vida, o cristão pode desfrutar de um estado de espírito tranquilo e de uma alegria contagiante e sobrenatural.

Fidelidade é manter as suas convicções profundas sobre Deus e seus propósitos, apesar das circunstâncias! Na sua jornada, entre a promessa e a conquista, você sempre será testado em relação à sua fidelidade! As circunstâncias não mudam você. As circunstâncias revelam você! Assim como Moisés, a sua jornada precisa ser gerada em fidelidade. O que sustentou Moisés no deserto não foi a escola no Egito, mas a fidelidade aos céus.

PERMANEÇA NO PROPÓSITO

Na primavera, época em que os reis saíam para a guerra, Davi enviou para a batalha Joabe com seus oficiais e todo o exército de Israel; e eles derrotaram os amonitas e cercaram Rabá. Mas Davi permaneceu em Jerusalém.

2SAMUEL 11.1

07
JUL

#CAFECOMDEUSPAI

Davi ficou marcado na história como um rei guerreiro que, na juventude, foi capaz de derrotar Golias, um filisteu que por quarenta dias humilhou o exército de Israel. Todavia, nessa passagem vemos Davi deixando de entrar em batalha e permanecendo no conforto de seu palácio. Esse ato desencadeou uma série de erros e desprazeres na vida do rei, pois, pelo fato de ter ficado no palácio, Davi cometeu adultério com Bate-Seba. Na tentativa de ocultar seu erro, ele acaba enviando Urias, o marido de Bate-Seba, para uma missão fadada ao fracasso no campo de batalha, resultando na morte de Urias, ampliando ainda mais os seus erros. A falta de foco na missão dada pelo Senhor faz que Davi deixe de estar onde ele deveria, ou seja, na frente do exército. Com isso, ele abriu portas para o pecado entrar na sua vida.

Para permanecermos focados, é necessário entender que não podemos parar sem propósito no meio do caminho, pois uma parada sem sentido pode nos levar a distrações e até mesmo ao pecado. Portanto, precisamos entender as estações e os ciclos da nossa vida, para mantermos o coração alinhado com o coração de Deus.

Olhe para a sua vida e avalie onde você está. Este é o lugar do propósito de Deus para a sua vida? Você consegue perceber o cuidado de Deus com você ou está apenas caminhando sem direção?

Todos nós recebemos do Senhor uma missão e um propósito. Ele espera que os cumpramos com dedicação e esmero. Nesse sentido, é fundamental que estejamos dispostos, focados e alinhados com as promessas do Senhor para não nos afastarmos de sua vontade.

A sua obediência o mantém no propósito que Deus confiou a você.

@juniorrostirola

365 **DEVOCIONAL**
188/365

LEITURA BÍBLICA
SALMOS 81

PALAVRA-CHAVE
#FOCADOS

ANOTAÇÕES

GRATIDÃO, UMA CHAVE ESPIRITUAL

08
JUL

#CAFECOMDEUSPAI

Anseio vê-los, a fim de compartilhar com vocês algum dom espiritual, para fortalecê-los, isto é, para que eu e vocês sejamos mutuamente encorajados pela fé.

ROMANOS 1.11,12

Você ficará surpreso ao ver aonde pode chegar com um pouco de talento, coragem, gratidão, fé e determinação.

@juniorrostirola

DEVOCIONAL 365
189/365

LEITURA BÍBLICA
SALMOS 82

PALAVRA-CHAVE
#INSPIRAR

ANOTAÇÕES

O testemunho pessoal não só demonstra publicamente sua gratidão ao Senhor, como também produz fé nas pessoas, por isso não canso de compartilhar o testemunho do que o Senhor fez em minha vida ao me resgatar da condição de órfão de pai vivo, para filho de Deus Pai.

Todos fomos chamados a testemunhar o que Deus está fazendo e fez em nossa vida. Esse é um ambiente de céu, paternidade restaurada, dependência e suficiência completa em Jesus. Livres de qualquer legalismo ou religiosidade, somos chamados a buscar a presença e a intimidade com o Espírito Santo ao vivermos em comunhão uns com os outros e em forma de gratidão compartilharmos dos feitos milagrosos do Senhor em nossa vida.

A gratidão é uma das grandes chaves espirituais que abre portas para novas conquistas. Por meio da gratidão, você demonstrará às pessoas o que Deus fez em sua vida e suprirá a esperança de que elas necessitam para continuar a viver e buscar mais em Deus.

Por meio do seu testemunho, muitas pessoas, assim como cada um de nós, poderão encontrar o verdadeiro sentido da vida, que é viver para Cristo.

Você não precisa tentar vencer o mundo sozinho, Jesus já venceu por você. Diga sempre: "Estou melhor do que mereço estar, vivo hoje melhor que ontem e creio que meu amanhã será ainda melhor, pois Jesus tem coisas novas e grandes para a minha vida".

FAÇA A VIDA VALER A PENA

Pois, se perdoarem as ofensas uns dos outros, o Pai celestial também perdoará vocês. Mas, se não perdoarem uns aos outros, o Pai celestial não perdoará as ofensas de vocês.

MATEUS 6.14,15

09
JUL

#CAFECOMDEUSPAI

Em meu ministério pastoral, visito muitas pessoas doentes, assim como presto apoio aos familiares de pessoas que falecem. Nessas visitas, principalmente em velórios e funerais, é muito comum distinguir o choro da saudade do choro do remorso. O choro da saudade se vê quando as pessoas que viveram intensamente ao lado do ente querido choram e lamentam por saberem que não mais vivenciarão aqueles momentos bons junto à pessoa que partiu; ao passo que o choro do remorso revela a dor de não ter falado, expressado ou perdido a oportunidade de viver momentos memoráveis com a pessoa que partiu.

Como muitas pessoas sabem, o pastoreio de uma igreja requer muita dedicação dos pastores, e inevitavelmente a agenda do trabalho eclesiástico se torna intensa e exaustiva. Certa vez, alguém me perguntou como equilibrava ministério e família. Minha resposta é a mesma até hoje: não é uma tarefa fácil, mas o que procuramos fazer é aproveitar ao máximo os momentos que temos em família, vivê-los intensamente, fazendo-os valer a pena.

Viver um estilo de vida sem arrependimento é dar o seu melhor hoje. Viva a vida com intensidade e alegria. Não se conforme com a monotonia, não deixe os seus sonhos para trás e não perca os momentos preciosos com as pessoas a quem você ama. Faça a vida valer a pena. Se você não pode apagar o passado, nada o impede de escolher o futuro. Você também pode hoje decidir, de uma vez por todas, pelo poder de Deus, iniciar um novo ciclo na sua vida. A decisão é sua!

Volte-se àquilo que realmente importa.

@juniorrostirola

DEVOCIONAL
190/365

LEITURA BÍBLICA
SALMOS 83

PALAVRA-CHAVE
#INTENSAMENTE

ANOTAÇÕES

NÃO PARALISE O SEU CHAMADO

10
JUL

#CAFECOMDEUSPAI

[...] encontramos uma escrava que tinha um espírito pelo qual predizia o futuro. [...]. Essa moça seguia Paulo e a nós, gritando: "Estes homens são servos do Deus Altíssimo e anunciam o caminho da salvação". Ele indignado, voltou-se e disse ao espírito: "Em nome de Jesus Cristo eu ordeno que saia dela!" No mesmo instante o espírito a deixou.

ATOS 16.16-18

Não deixe que as situações da vida determinem a sua fé em Deus. Entenda que a fé deve ser praticada.

@juniorrostirola

DEVOCIONAL 365
191/365

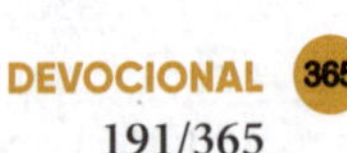

LEITURA BÍBLICA
JÓ 9

PALAVRA-CHAVE
#CHAMADO

ANOTAÇÕES

Sempre que você estiver fazendo a vontade de Deus e estiver no propósito, a oposição se erguerá. Pessoas serão usadas para tentar paralisar tudo aquilo que está acontecendo em sua vida. Isso acontece com muita frequência.

Aos meus 22 anos de idade, experimentei essa oposição na pele. Eu era alguém totalmente tímido e introvertido, mas me foi confiado liderar a juventude da minha igreja. Os jovens gostavam de muita interação, o que, por si só, já seria um grande desafio para mim, pela timidez. Contudo, a oposição se ergueu ainda mais contra mim.

Uma das primeiras missões seria pregar no retiro de jovens. Ansioso e nervoso, comprei livros e virei noites estudando e preparando a minha primeira mensagem. No dia da pregação, ao descer do púlpito, ouvi de uma pessoa: "Você não nasceu para isso!". Eu poderia ter deixado esse comentário me abalar e sepultar o meu chamado, mas não foi o que fiz. Aquele mesmo jovem, anos mais tarde, me agradeceu pelos meus anos de liderança.

Desde então, vivo seguro e realmente sei quem sou, quem não sou e o propósito para o qual nasci.

Tenha também em foco essas verdades, e elas abrirão todas as portas pelas quais o Senhor determinou que você terá que passar para cumprir o seu destino. Entenda que as situações da vida não podem determinar a sua fé em Deus, muito menos até onde você poderá chegar. Elas não são o limite; são o meio que Deus usará para levá-lo a cumprir o seu propósito.

ORAÇÃO QUE MOVE OS CÉUS

Repentinamente apareceu um anjo do Senhor, e uma luz brilhou na cela. Ele tocou no lado de Pedro e o acordou. "Depressa, levante-se!", disse ele. Então as algemas caíram dos punhos de Pedro.

ATOS 12.7

11
JUL

#CAFECOMDEUSPAI

Quando Pedro foi preso a mando de Herodes, que estava perseguindo as pessoas da igreja, sua vida estava por um fio. Então, os irmãos de Pedro na fé mobilizaram-se em oração ao Senhor para que a vida dele fosse poupada. Isso nos mostra quão importante é vivermos em meio a pessoas de fé que nos acompanham nas horas difíceis, orando e intercedendo por nós.

Quem libertou Pedro da prisão foi um anjo enviado pelo Senhor, mas quem intercedeu por ele contínua e fervorosamente para que as orações chegassem aos céus foi a igreja. Quando você ora, Deus envia anjos a seu favor.

Independentemente das circunstâncias, Deus vai agir e prover restauração. Quando você compreende isso, a chave é virada em sua vida, para que você esteja preparado para viver o ápice do poder e da glória do Pai.

As portas da prisão são abertas e as correntes são quebradas. Agora, as prisões físicas e mentais que o têm impedido de viver como filho não serão mais uma realidade. A mudança será tamanha que até mesmo aqueles que oraram e intercederam por você ficarão impactados com a manifestação do poder de Deus na sua vida, assim como aqueles que oraram pela libertação de Pedro ficaram surpresos ao vê-lo bater na porta.

Nosso Deus é um Deus que surpreende, que supera expectativas e que nos constrange com a grandiosidade da sua glória e misericórdia ao nos abençoar.

Há momentos em que devemos ficar quietos. Apenas precisamos deixar a nossa fé em Deus falar e agir por nós.

@juniorrostirola

365 **DEVOCIONAL**
192/365

LEITURA BÍBLICA
JÓ 10

PALAVRA-CHAVE
#MUDANÇA

ANOTAÇÕES

QUEM O TEM APERFEIÇOADO?

12
JUL

#CAFECOMDEUSPAI

Nenhuma palavra torpe saia da boca de vocês, mas apenas a que for útil para edificar os outros, conforme a necessidade, para que conceda graça aos que a ouvem.

EFÉSIOS 4.29

Na cultura oriental, existe uma técnica de cultivo de plantas chamada bonsai, na qual por meio de procedimentos que envolvem um rigoroso cultivo, árvores são reproduzidas em miniaturas. Toda a técnica é muito rigorosa e requer atenção desde a escolha e o tratamento das sementes até a poda dos ramos durante o crescimento da árvore. Da mesma forma, devem ser os nossos relacionamentos, pautados no esmero e no cuidado, de modo que sejam aparadas todas as arestas de conflitos.

A maioria das pessoas não sabe resolver conflitos e, como se fossem viajantes, sempre esquecem algo pelo caminho, deixando um rastro de coisas inacabadas e abandonadas. Somente com relacionamentos maduros é que se consegue aceitar as diferenças sem que essas se tornem motivo de distanciamento. A questão não é ter ou não ter conflitos, mas, sim, como administrá-los com sabedoria.

Gosto muito de Provérbios 27.17: "Assim como o ferro afia o ferro, o homem afia o seu companheiro". Para mim, é como dizer: pessoas afiam pessoas. No casamento, a esposa é a pessoa capaz de afiar e aperfeiçoar o marido, assim como o contrário é verdadeiro.

Quem são as pessoas que têm sido capazes de afiar e aperfeiçoar você? Procure se relacionar com pessoas capazes de impulsioná-lo ao nível de crescimento e empoderamento que você deseja viver. Ao ouvir conselhos, você está aberto para o que dizem ou o seu coração se fecha? Sua reação determinará como serão os seus passos, e talvez o primeiro passo seja permitir que o Senhor cure as dores do seu coração. Sua atitude determina sua colheita.

Você é chamado para uma vida de posicionamento, sabedoria e fé.

@juniorrostirola

DEVOCIONAL 365
193/365

LEITURA BÍBLICA
JÓ 11

PALAVRA-CHAVE

#EDIFICAR

ANOTAÇÕES

ESSÊNCIA DO REINO

"Ame o Senhor, o seu Deus, de todo o seu coração, de toda a sua alma, de todo o seu entendimento e de todas as suas forças."

MARCOS 12.30

13
JUL

#CAFECOMDEUSPAI

Uma das perguntas que o homem faz há séculos é: "Qual é a origem do amor?". Deus é amor. Ele é a própria substância, plenitude e totalidade do amor. Portanto, só ama verdadeiramente aquele que nasceu de Deus. Por isso, o amor cristão é uma qualidade eminentemente espiritual. Igualmente, aqueles que não amam não conhecem Deus, porque Deus é a própria essência do amor.

Quer, então, saber como tornar o amor algo prático em sua vida? Tome a iniciativa de restaurar os seus relacionamentos rompidos. A quem você precisa pedir perdão? E quem foi a pessoa que mais o desapontou na vida? Se há obstáculos reais para amarmos as pessoas e sermos amados por elas, precisamos nos libertar de todos eles para viver a essência do que o Reino tem para nós; afinal de contas, somos seres relacionais.

O cerne da questão está em relacionar-se em vez de esperar. É compreensível que você tenha enfrentado decepções, traições, mágoas e mentiras. A maioria das pessoas não reage da maneira que nós esperamos. Então, como amar as pessoas?

O amor que demonstramos tem limites, porque é humano e condicionado à reciprocidade, mas precisamos todos do amor de Cristo para restaurar os nossos relacionamentos.

Deus enviou Jesus, seu Filho, para que pudéssemos ser aceitos como filhos de Deus novamente. Jesus veio até nós para restabelecer esse relacionamento de paternidade. Receba a paternidade de Deus em sua vida.

O amor de Deus é mais incrível do que você imagina.

@juniorrostirola

365 **DEVOCIONAL**
194/365

LEITURA BÍBLICA
JÓ 12

PALAVRA-CHAVE
#ESSÊNCIA

ANOTAÇÕES

VIVA O SOBRENATURAL

14
JUL

#CAFECOMDEUSPAI

Tomando os cinco pães e os dois peixes e, olhando para o céu, deu graças e os partiu. Em seguida, entregou-os aos discípulos para que os servissem ao povo. Todos comeram e ficaram satisfeitos, e os discípulos recolheram doze cestos cheios de pedaços que sobraram.

LUCAS 9.16,17

Segundo nos é narrado pelo evangelho, a multidão era composta por aproximadamente 15 mil pessoas. Os discípulos encontraram um menino que trazia consigo cinco pães e dois peixes. Aos olhos humanos, essa quantidade de alimento era completamente insuficiente para tantas pessoas, tanto é que até mesmo os discípulos que viviam todos os dias ao lado de Jesus não viam isso como solução e questionaram Jesus.

De fato, quando se olha com os olhos físicos, você não consegue enxergar o sobrenatural. É humanamente impossível alimentar 15 mil pessoas com cinco pães e dois peixes. Quando você tem uma visão de fé e confiança, entretanto, de fato reconhece que o Deus a quem serve é poderoso para fazer infinitamente mais do que aquilo que pedimos ou pensamos. Deus ressuscita mortos e, se for preciso, traz à existência coisas que não existem para nos abençoar.

Quando você tem uma visão de fé e confiança, acredita no sobrenatural. Eram só cinco pães e dois peixes, mas alimentaram uma multidão, e as sobras foram guardadas em 12 cestos. De onde vieram esses 12 cestos, para armazenar as sobras? É possível crer que em meio àquela multidão havia alguém com muita fé que acreditou ser impossível estar na presença do Mestre e voltar de mãos vazias. Tenha fé e generosidade com o pouco, que ele lhe devolverá o muito.

Por isso, qualquer que seja a situação e a circunstância pelas quais você passa hoje, o que fará diferença é a sua decisão de acreditar e exercer fé. Deus realizará o milagre que você precisa e está buscando.

O milagre acontece quando você decide entregar o que tem nas mãos de Jesus.

@juniorrostirola

DEVOCIONAL 365
195/365

LEITURA BÍBLICA
SALMOS 84

PALAVRA-CHAVE
#SUFICIENTE

ANOTAÇÕES

SE DEUS FALOU, ELE CUMPRIRÁ

E Noé fez tudo como o SENHOR lhe tinha ordenado. Noé tinha seiscentos anos de idade quando as águas do Dilúvio vieram sobre a terra.

GÊNESIS 7.5,6

15
JUL

#CAFECOMDEUSPAI

Muitas vezes, nos questionamos por que levamos tanto tempo para alcançar o que planejamos e sonhamos. Lembre-se de que Noé levou cento e vinte anos construindo a arca. Tudo o que o Senhor havia ordenado Noé fez. A questão da vida não é o meu ou o seu plano, mas o plano de Deus para nós. Isso é o que tem que prevalecer.

Durante muitos anos, eu acreditei em muitas mentiras. Entre elas, eu acreditava que nunca iria formar uma família, porque eu não havia recebido um bom exemplo em casa. Mas o fato é que Deus havia escolhido uma esposa para mim e planejado me dar uma linda família. Ele tinha planos e sonhos para mim, que se concretizaram quando abandonei as mentiras a meu respeito e aceitei viver sob a paternidade de Deus.

Quando lemos a história de Noé, o propósito que o Senhor esperava dele era que ele construísse uma arca; o meu chamado foi o de ser pastor; o seu pode ser em uma área completamente diferente da minha. A grande questão que você precisa entender é que o Senhor tem grandes planos para você e ele não tardará em fazer você alcançar as promessas dele. Assim como Noé, não importa a sua idade, se é ancião ou jovem, criança ou adolescente, homem ou mulher; Deus usa quem ele desejar para mudar este mundo e instaurar uma nova estação. É ele quem demarca as estações e decide quando é tempo de dar fim a um projeto e iniciar outro. Por isso, se apresse e corra em direção aos propósitos de Deus.

O que você chamou de escassez, Deus chamou de processo para colocar você na abundância.

@juniorrostirola

365 **DEVOCIONAL**
196/365

LEITURA BÍBLICA
SALMOS 85

PALAVRA-CHAVE
#CUMPRIMENTO

ANOTAÇÕES

O AMOR DO PAI

16
JUL

#CAFECOMDEUSPAI

“O filho lhe disse: ‘Pai, pequei contra o céu e contra ti. Não sou mais digno de ser chamado teu filho’. Mas o pai disse aos seus servos: ‘Depressa! Tragam a melhor roupa e vistam nele. Coloquem um anel em seu dedo e calçados em seus pés’.”

LUCAS 15.21,22

Na parábola do filho pródigo, após desperdiçar toda a sua herança irresponsavelmente, o filho resolve voltar para a casa do pai, mas, diante de sua vida pregressa, ele acredita na mentira de que não terá mais seu lugar de filho na casa do patriarca.

Em quantas mentiras você tem acreditado a seu respeito a ponto de não ver mais razão para viver, não ter mais forças nem ânimo para dar nenhum passo em direção aos seus sonhos e projetos, que, a seu ver nem existem mais? Mas saiba que os seus sonhos não morreram; você ainda pode vê-los realizados.

Por muitos anos, eu acreditei em muitas mentiras a meu respeito, que me paralisavam. Mas, quando encontrei Deus Pai, ele me revelou três coisas: quem eu era, quem eu não era e em quem eu iria me tornar. Para a glória do Senhor, ele me confiou uma grande obra, não só na minha cidade, mas com um alcance que eu jamais imaginei, por meio de tantos projetos.

Assim como o filho pródigo, você precisa ter coragem para se voltar para o Pai e retomar o caminho de onde o deixou. Para isso, arrependa-se, ponha o pé na estrada e aproxime-se de Deus com confiança, sabendo que ele o perdoa e tem o melhor para refazer a sua vida.

Deus Pai tem um lugar para você à sua mesa. Tome também essa decisão de restabelecer o seu relacionamento com ele e, assim, provar do seu infinito amor e bondade.

Somente em Deus podemos encontrar descanso, paz e alegria para a alma.

@juniorrostirola

DEVOCIONAL 365
197/365

LEITURA BÍBLICA
SALMOS 86

PALAVRA-CHAVE
#RETORNO

ANOTAÇÕES

O MELHOR CAMINHO

"Entrem pela porta estreita, pois larga é a porta e amplo o caminho que leva à perdição, e são muitos os que entram por ela. Como é estreita a porta, e apertado o caminho que leva à vida! São poucos os que a encontram."

MATEUS 7.13,14

17
JUL

#CAFECOMDEUSPAI

O Senhor compartilhou essa palavra em um momento muito importante para todos os que estavam presentes durante o Sermão do Monte.

Na vida, você sempre terá escolhas a fazer. É como se trafegássemos numa estrada reta, com várias bifurcações e diversos atalhos. Nossa vontade é sempre optar por um trecho mais rápido para o nosso destino. Mas, quando você de fato sabe que a sua provisão não vem de nada que é ilícito, mas unicamente de Deus, você vive em outro nível.

Se, em algum momento da sua vida, em meio às dificuldades, você estiver sendo tentado a desviar-se do caminho do Senhor, seguindo uma solução mais rápida e fácil, saiba que você está sendo testado. Então, não falhe. O caminho fácil é sempre aberto, amplo, mais fácil de seguir porque todos estão fazendo o mesmo; no entanto, conduz à perdição.

Se você quer viver o sobrenatural de Deus aqui na terra, mas não quer viver o que a Bíblia diz, você vai se enganar a vida inteira e ficar de fora da maior de todas as promessas, a vida eterna. Portanto, é necessário viver em alinhamento com Deus. Somente por meio do Espírito Santo, seremos conduzidos a compreender que precisamos estar alinhados com ele e longe de tudo o que nos afasta desse propósito. Esse é o caminho estreito que conduz à vida com Cristo.

Sigamos uma vida de retidão pela única estrada que nos conduz até Jesus, o único caminho. Decida segui-lo hoje.

Deus vai lhe dar o que for bênção para a sua vida.

@juniorrostirola

365 **DEVOCIONAL**
198/365

LEITURA BÍBLICA
JÓ 13

PALAVRA-CHAVE
#DECISÃO

ANOTAÇÕES

AMIGOS QUE FORTALECEM

18
JUL

#CAFECOMDEUSPAI

Não se deixem enganar: "As más companhias corrompem os bons costumes".

1CORÍNTIOS 15.33

A forma com que tratamos as pessoas ou nos relacionamos com elas reflete nosso estado espiritual e emocional. Não existe vida bem-sucedida se os seus relacionamentos interpessoais não forem formados por pessoas saudáveis, porque somos frutos diretos dos nossos relacionamentos e do meio no qual estamos inseridos.

Com quem você se relaciona diz mais sobre você do que você imagina. É possível realizar um diagnóstico de uma pessoa simplesmente com base em seus relacionamentos. Pessoas saudáveis investem em relacionamentos saudáveis. Pessoas doentes se apegam a relacionamentos doentios que só lhe fazem mal. Se você quiser caminhar ou vencer uma corrida, não espere pela companhia de quem está na UTI.

Com quem você se relaciona diz mais sobre você do que você imagina.

@juniorrostirola

Vivemos em um mundo de causa e efeito. Todas as reações são precedidas por ações; por isso, as nossas declarações são poderosas, e as palavras podem tornar material aquilo que só existia no mundo das ideias.

Nossos pensamentos conduzem a sentimentos, e sentimentos conduzem a relacionamentos! Você precisa ter a mente de Cristo e alinhar os seus pensamentos ao dele. Neles estão seus limites, valores e alvos. Você somente poderá sustentar com o passar dos anos o que for verdadeiro.

A mentira não se sustenta a longo prazo. Proteja o seu coração. Esses fatores serão depuradores dos seus relacionamentos, para atrair ou afastar pessoas da sua companhia. Entenda definitivamente que seus relacionamentos são chaves para uma vida bem-sucedida. Então, escolha com sabedoria com quem caminhar. Acaso seria o tipo de pessoa que estaria ao lado de Jesus no dia a dia?

DEVOCIONAL 365
199/365

LEITURA BÍBLICA
JÓ 14

PALAVRA-CHAVE

#COMPANHEIRISMO

ANOTAÇÕES

NÃO SE CALE

Então chegaram a Jericó. Quando Jesus e seus discípulos, juntamente com uma grande multidão, estavam saindo da cidade, o filho de Timeu, Bartimeu, que era cego, estava sentado à beira do caminho pedindo esmolas. Quando ouviu que era Jesus de Nazaré, começou a gritar: "Jesus, Filho de Davi, tem misericórdia de mim!"

MARCOS 10.46,47

19
JUL

#CAFECOMDEUSPAI

Jericó era uma cidade situada a poucos quilômetros do rio Jordão e a apenas 8 quilômetros do mar Morto; uma cidade movimentada em razão de sua localização. Havia muitos mendigos em Jericó. Nada diferente dos grandes centros urbanos atuais, que refletem graves problemas sociais. Contudo, nem sempre estamos atentos a tais problemas. Além desses, há pessoas mendigas de alma, pedintes de atenção, cegas, que vagam sem a capacidade de enxergar uma direção para a vida, todas à mercê das migalhas que a sociedade fornece, de modo que a escassez de vida é cada vez maior. Tais pessoas se contentam com qualquer coisa que preencha o vazio de suas emoções.

Na passagem, o cego encontrou Jesus passando por onde ele estava. Bartimeu demonstrou em suas palavras saber que Jesus era da linhagem de Davi, que Jesus de fato era o Messias enviado pelo Pai. A multidão tentou calar Bartimeu, mas ele se manteve firme, clamando. Seu clamor chegou aos ouvidos de Jesus, que mandou chamá-lo e o curou de sua cegueira.

Quando criança, eu via outras crianças brincando juntas na rua, uma delas era a minha irmã, de idade próxima da minha. Eu ficava ali, parado no muro, apenas olhando. A minha alma era vazia, os meus sonhos estavam esquecidos numa gaveta qualquer, e assim a vida passava, um dia de cada vez, e a solidão era parceira de cada momento sem esperança.

Quando, porém, passei a caminhar com Jesus, essa realidade mudou: a esperança renasceu, e os meus dias foram transformados, de uma trajetória fracassada, em uma jornada extraordinária.

Experimente você também. Não espere para fazer isso amanhã; não deixe que as adversidades o impeçam de receber o milagre. Clame a ele, e ele lhe responderá.

Não deixe que as adversidades o impeçam de viver o milagre que você espera.

@juniorrostirola

365 **DEVOCIONAL**
200/365

LEITURA BÍBLICA
JÓ 15

PALAVRA-CHAVE
#CLAMAR

ANOTAÇÕES

VOCÊ É UM BOM AMIGO?

20 JUL

#CAFECOMDEUSPAI

Moisés costumava montar uma tenda [...]. Quem quisesse consultar o SENHOR ia à tenda, fora do acampamento. Sempre que Moisés ia até lá, todo o povo se levantava [...]. Assim que Moisés entrava, a coluna de nuvem descia e ficava à entrada da tenda, enquanto o SENHOR falava com Moisés.

ÊXODO 33.7-9

Dia do Amigo!

Poste este devocional marcando amigos que fazem a diferença na sua vida. Transborde amor e gratidão por seus amigos.

@juniorrostirola

Moisés amava se relacionar com o Pai. Cada vez que adentrava a tenda, todo o acampamento ficava à porta, adorando ao Senhor. Em virtude de tal intimidade, Moisés foi chamado de amigo de Deus, pois falava com o Senhor face a face, como um amigo fala a outro.

Você tem amigos com quem fala face a face? Aliás, qual é a sua reputação como amigo? Como as pessoas o enxergam do ponto de vista da amizade?

A amizade é fundamental na vida. Os amigos conseguem a proeza de nos elevar, sorriem e choram conosco, fornecem seus ombros como apoio nos momentos mais difíceis da nossa caminhada e celebram conosco nas ocasiões alegres.

Se hoje você precisar de um amigo, tem alguém com quem contar? Você é essa pessoa amiga para alguém, que no momento de necessidade dá o suporte necessário e celebra as conquistas daqueles que consideram a sua amizade essencial?

DEVOCIONAL 365
201/365

LEITURA BÍBLICA
JÓ 16

PALAVRA-CHAVE
#AMIZADE

ANOTAÇÕES

Seja um amigo presente nos momentos de alegria e de tristeza. Talvez hoje seja um excelente dia para você encontrar um amigo para tomar um café, para lhe fazer uma surpresa e expressar gratidão por sua preciosa amizade.

Se Deus não está lhe dando detalhes sobre o caminho, primeiro peça direção e depois avance.

SEJA LUZ

"Vocês são a luz do mundo. Não se pode esconder uma cidade construída sobre um monte. E, também, ninguém acende uma candeia e a coloca debaixo de uma vasilha. [...]Assim brilhe a luz de vocês diante dos homens, para que vejam as suas boas obras e glorifiquem ao Pai de vocês, que está nos céus."

MATEUS 5.14-16

21
JUL

#CAFECOMDEUSPAI

Você sabia que Jesus veio ao mundo para estabelecer o Reino de Deus na terra e que todos os que recebem a salvação e seguem Jesus são enviados por ele para transformar realidades por meio do seu poder?

Eu e você recebemos de Jesus a autoridade para curar enfermos, expulsar o mal e anunciar a boa-nova do evangelho por onde quer que os nossos pés nos levem. Fomos chamados para tornar os feitos de Deus conhecidos entre as nações e para exaltar o seu nome. A respeito dessa realidade, o Senhor Jesus nos deu essa autoridade para transformar o mundo, como sal da terra e luz do mundo.

Assuma o seu chamado em Deus para transformar o caos do mundo em que vivemos ao ser luz do mundo e afastar a escuridão por onde você for. Seja um farol em meio ao mar de escuridão. Demonstre o amor e a bondade de Jesus Cristo.

De maneira prática, transforme o mundo em que você vive com paz, alegria, generosidade, altruísmo, compaixão, amor e ousadia para abençoar até mesmo aqueles que não querem bem a você. Assim como uma vela acesa não escolhe o que iluminar, traga luz para a escuridão daqueles que vivem ao seu redor.

Não esconda o brilho e a autoridade dados por Jesus. Pelo contrário, exerça o propósito de Deus para a sua vida, para que o Reino de Deus cresça. Seja de fato sal da terra e luz do mundo, para que as pessoas que convivem com você testemunhem o amor de Deus.

Na economia de Deus, quanto mais você serve, mais cresce.

@juniorrostirola

DEVOCIONAL
202/365

LEITURA BÍBLICA
SALMOS 87

PALAVRA-CHAVE
#BOAS-NOVAS

ANOTAÇÕES

VIVA O HOJE

22
JUL

#CAFECOMDEUSPAI

Ensina-nos a contar os nossos dias para que o nosso coração alcance sabedoria.

SALMOS 90.12

Deus nunca disse que a jornada seria fácil, mas ele disse que a chegada valeria a pena.

@juniorrostirola

DEVOCIONAL
203/365

LEITURA BÍBLICA
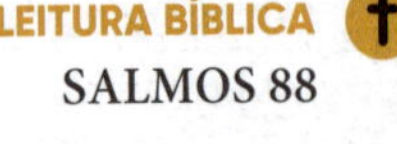
SALMOS 88

PALAVRA-CHAVE
#SABEDORIA

ANOTAÇÕES

O autor desse salmo, Moisés, clama ao Senhor para que lhe ensine a valorizar cada momento, para que nossa vida seja voltada para o centro da vontade do Senhor. Muitas vezes queremos determinar situações ou até mesmo fases da vida que já não são aquilo que Deus quer para nós.

Alguns de nós estamos presos às glórias do passado. Ou talvez estejamos querendo que o Senhor nos impulsione para uma estação que está por vir, pulando a fase atual, porque, impacientes, resolvemos decidir as coisas do nosso jeito, fora do tempo apropriado. Todavia, devemos reconhecer a soberania de Deus e entender que existe um tempo certo para todas as coisas.

Deus não dorme nem cochila. Ele fala conosco em todos os momentos e nos instrui conforme a sua vontade. Precisamos estar atentos, abrir os ouvidos espirituais para ouvir de fato aquilo que ele tem para falar a cada um de nós. Escute o que ele tem a lhe dizer e siga a direção dada por ele. Assim como o carro tem o espelho retrovisor muito menor do que o para-brisa, viva o hoje em Deus com o passado como referencial de experiências adquiridas e o futuro como norte a seguir.

É claro que você não poderá apagar o seu passado, mas poderá aprender com ele, dar um novo significado à sua história em Deus e alinhar a sua vida com a vontade do Pai. Seu futuro está guardado nas mãos dele e ele tem planos para você. Peça sabedoria do alto e viva a estação que ele lhe deu. Viva seu presente!

TENHA FÉ PARA AVANÇAR

"Eu dei a vocês autoridade para pisarem sobre cobras e escorpiões, e sobre todo o poder do inimigo; nada lhes fará dano."

LUCAS 10.19

23
JUL

#CAFECOMDEUSPAI

O domínio e a autoridade sobre toda a criação estavam nas mãos de Adão e Eva, mas, por causa do pecado, com sua desobediência, eles perderam essa autoridade. No entanto, as mãos perfuradas de Jesus na cruz recuperaram para nós essa autoridade.

Se você, como filho do Deus Pai, souber o poder que o Senhor pôs nas suas mãos, viverá o extraordinário de Deus. É preciso entender que a obediência e a fé em Jesus trazem autoridade. No Evangelho de Marcos 16.17,18, nos são mostradas as obras extraordinárias que podemos fazer em nome de Jesus.

Alguns anos atrás, um jovem que caminhava comigo, uma pessoa com inúmeros sonhos e projetos, estava acometido por uma doença misteriosa, sem diagnóstico, que o matava aos poucos. Ele enfrentava com serenidade a doença. Eu estava pregando e, como se fosse hoje, ele ocupava a última cadeira da igreja. Naquele dia, o zelo de Deus conosco foi tão grande que ele foi curado.

Não sei qual é a sua necessidade, mas o mesmo Jesus que fez algo extraordinário na vida daquele jovem, que hoje é pastor, pode fazer também na sua vida.

Creia que o Senhor tem poder para transformar a sua história.

Tenha atitude e fé ousada, pois a sua casa está debaixo da autoridade dele, e o sangue derramado por Jesus veio redimir a sua casa. O Senhor põe poder nas suas mãos para que com elas você possa abençoar os seus filhos, o seu cônjuge e todos aqueles que o Senhor lhe der autoridade para ministrar em nome dele.

Confie que Deus lutará sua batalha até o fim.

@juniorrostirola

DEVOCIONAL
204/365

LEITURA BÍBLICA
SALMOS 89

PALAVRA-CHAVE
#FORÇA

ANOTAÇÕES

VIVA SUA JORNADA

24
JUL

#CAFECOMDEUSPAI

Durante a noite Paulo teve uma visão, na qual um homem da Macedônia estava em pé e lhe suplicava: "Passe à Macedônia e ajude-nos". Depois que Paulo teve essa visão, preparamo-nos imediatamente para partir para a Macedônia, concluindo que Deus nos tinha chamado para lhes pregar o evangelho.

ATOS 16.9,10

Cheio de vontade de propagar o evangelho, Paulo é impedido pelo Espírito Santo de ir em direção à Ásia, tendo que viajar em uma direção oposta.

Deus lhe dava uma nova direção. Ele foi chamado para pregar na Europa. Então, tenha os fatos como aliados, não como inimigos. O não que você recebe, muitas vezes, pode não ser necessariamente um não, mas Deus impedindo-o de errar e viver abaixo da média. Lembre-se de que ele não o escolheu para uma vida rasa; ele tem grandes planos para você. Portanto, encare cada situação adversa como oportunidade para viver um milagre ainda maior.

Ter uma atitude de fé durante o processo é fundamental para terminar a jornada.

@juniorrostirola

Entenda que o Espírito do Senhor sempre lhe indicará a direção perfeita, plena e completa para a sua vida. Ainda que naquele momento você não tenha plena compreensão do motivo do direcionamento, confie no Senhor. Ao perceber que Deus está lhe abrindo a porta da oportunidade, assim como ocorreu com Paulo, que, ao despertar de seu sonho, compreendeu que o Senhor estava direcionando-o para um novo campo, sedento do evangelho, não hesite e siga em frente. Mesmo contrariado em sua vontade inicial, Paulo foi obediente, o que fez toda a diferença em sua trajetória.

Se você tem clamado ao Senhor por sua família, seus projetos, finanças ou outra área, creia, pois a sua oração tem o DNA dos céus. Acredite nos propósitos do Senhor na sua vida, e as portas que ele separou para você irão se abrir. Quando entendi o meu propósito, a minha vida mudou e começou a fazer sentido.

DEVOCIONAL
205/365

LEITURA BÍBLICA
JÓ 17

PALAVRA-CHAVE
#ATITUDE

ANOTAÇÕES

RESGATE OS SONHOS DE DEUS

Onde não há revelação divina, o povo se desvia; mas como é feliz quem obedece à lei!

PROVÉRBIOS 29.18

25
JUL

#CAFECOMDEUSPAI

A Bíblia nos diz que onde não há visão, nem perspectiva do ponto de vista de Deus, perecemos, porque sem visão não há rumo certo. José recebeu visões quando jovem, que não se concretizaram até décadas depois de vários dissabores. Josué e Calebe tinham um chamado e uma visão para entrar na terra prometida, mas foram necessários quarenta anos para que fosses cumpridas.

Que visões e orientações Deus lhe deu? Elas já se cumpriram? Ou você as abandonou em meio às dificuldades? Deus não se esqueceu do que lhe disse sobre a sua esperança e o seu futuro. O que ele revelou a você é um presente especial apenas para você. Ao contrário de muitos, Deus mantém o que promete. Ele é fiel e justo para cumprir o que prometeu.

Durante os meus primeiros anos de conversão, tornei-me um jovem muito sonhador, mas ao mesmo tempo estava ferido por toda a minha história de vida até ali. Precisei ser curado e, enquanto as cicatrizes se fechavam, as dores sumiam, e as promessas eram alimentadas com dedicação e empenho no meu relacionamento com Deus.

Essa mesma esperança é possível para você. Você pode ter as dores cessadas e as feridas curadas quando buscar o auxílio do Senhor e escolher sonhar os sonhos que Deus tem para você. Sua alma pode voltar a se alegrar, e o seu coração voltar a ter renovo, por isso creia nas palavras do Senhor para a sua vida neste dia. Certamente algo foi revelado ou renovado no seu coração por meio desta leitura!

Você não pode orar por vitória e falar de derrota.

@juniorrostirola

365 **DEVOCIONAL**
206/365

LEITURA BÍBLICA
JÓ 18

PALAVRA-CHAVE
#ESPERANÇA

ANOTAÇÕES

A IMPORTÂNCIA DO LEGADO

26
JUL

#CAFECOMDEUSPAI

Os filhos dos filhos são uma coroa para os idosos, e os pais são o orgulho dos seus filhos.

PROVÉRBIOS 17.6

Existe uma diferença enorme entre uma casa onde existe uma criança em comparação com uma casa onde não há a presença dela: a arrumação da casa. Por mais que os pais se esforcem em manter tudo em ordem, a criança sempre dá um jeito de bagunçar. Mas esse é um preço justo a se pagar por ter todo o amor e alegria que invadem a casa habitada por uma criança.

Quando a criança está ausente, a sensação de vazio é enorme. Para aqueles cujos filhos já amadureceram e saíram de casa, a sensação de *ninho vazio* é assoladora. Foi com esse pensamento que Salomão escreveu esse capítulo de Provérbios, pois para os avós os netos não somente preenchem o vazio deixado pela saída dos filhos, como também são motivo de orgulho e sensação de êxito e sucesso de haverem criado uma descendência.

Os avós não representam para os netos apenas diversão sem limites, ou quebra das restrições impostas pelos pais, pois é comum eles mimarem os netos. Acima de tudo, os avós representam um exemplo a ser seguido, a ser respeitado e uma inspiração para as futuras gerações.

Portanto, reflita sobre o legado que você quer deixar para as gerações futuras. Que você seja lembrado por sua bondade e fidelidade e pelo seu amor a Deus e pelo próximo. Hoje é o Dia dos Avós, um momento de relembrar e honrar aqueles que vieram antes de nós, que viveram tempos muito mais árduos e difíceis, mas que pavimentaram o caminho que trilhamos hoje.

O cumprimento da bênção de Deus na sua vida abençoará outros também.

@juniorrostirola

DEVOCIONAL
207/365

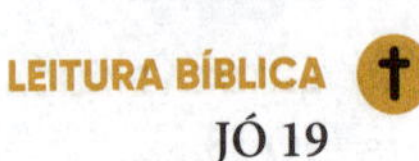

LEITURA BÍBLICA
JÓ 19

PALAVRA-CHAVE
#LEGADO

ANOTAÇÕES

RETORNAR E RESTAURAR

"O filho lhe disse: 'Pai, pequei contra o céu e contra ti. Não sou mais digno de ser chamado teu filho'. Mas o pai disse aos seus servos: 'Depressa! Tragam a melhor roupa e vistam nele. Coloquem um anel em seu dedo e calçados em seus pés'."

LUCAS 15.21,22

27
JUL

#CAFECOMDEUSPAI

Receber a restauração de Jesus é trocar as mentiras que carregamos pelas verdades que o Pai tem a nosso respeito. Assim como a restauração fez que o filho pródigo recebesse uma ficha limpa, ou seja, fosse liberto de sua humilhação e continuasse na rota do seu destino, Deus é especialista em restaurar o que foi danificado pelo homem.

Para receber o perdão e o renovo de Deus, precisamos retornar à casa do Pai. Essa é a ação necessária para derrubar os muros das mentiras que limitam a nossa vida. O perdão ocorreu na vida do filho pródigo quando ele resolveu retornar para a casa do pai; desse modo, as mentiras que aprisionavam a sua vida foram vencidas.

Pare e reflita sobre as suas decisões. Tomamos decisões precipitadas que nos levam para longe da presença do Pai, acreditando que temos o controle do nosso destino. Entretanto, percebemos que estamos trilhando caminhos obscuros, pois eles nos levam para longe do nosso verdadeiro lugar, que é ao lado do Pai, e sem perceber pomos em risco o nosso futuro.

Corra para os braços do Senhor, escolha voltar para a casa do Pai e entregue a ele os seus planos e os desejos do seu coração, com a certeza de que ele tem o melhor para você. Assim como o pai da parábola estava de braços abertos e pronto para receber o filho, o Senhor sempre está de braços abertos, aguardando para perdoar e amar, pois não há nada que tenhamos feito para que ele nos ame menos.

Que eu tenha sensibilidade e disponibilidade para renunciar àquilo que pode me levar a viver fora dos planos de Deus.

@juniorrostirola

DEVOCIONAL
208/365

LEITURA BÍBLICA
JÓ 20

PALAVRA-CHAVE
#RESTAURAÇÃO

ANOTAÇÕES

RETOME O CONTROLE DA SUA VIDA

28 JUL

#CAFECOMDEUSPAI

Descobri que todo trabalho e toda realização surgem da competição que existe entre as pessoas. Mas isso também é absurdo, é correr atrás do vento.

ECLESIASTES 4.4

Liberdade é poder escolher não fazer aquilo que destrói a sua vida e poder optar pelos planos e projetos de Deus.

@juniorrostirola

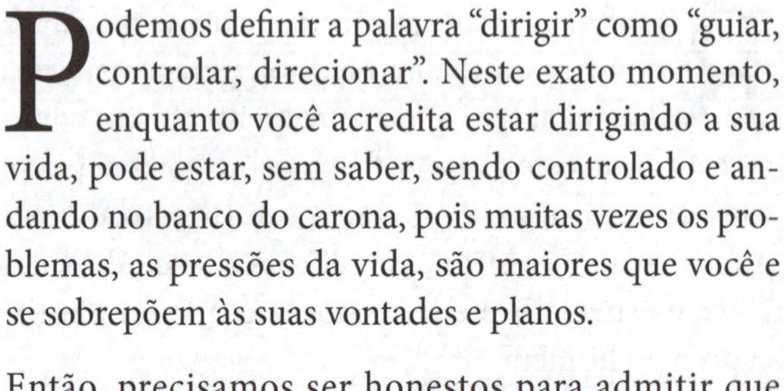

Podemos definir a palavra "dirigir" como "guiar, controlar, direcionar". Neste exato momento, enquanto você acredita estar dirigindo a sua vida, pode estar, sem saber, sendo controlado e andando no banco do carona, pois muitas vezes os problemas, as pressões da vida, são maiores que você e se sobrepõem às suas vontades e planos.

Então, precisamos ser honestos para admitir que muitas vezes as coisas saem do nosso controle e passamos a ser dirigidos por uma lembrança dolorosa, por medos, inseguranças e traumas que foram tão marcantes na nossa vida que tudo isso está até mais vivo do que nós mesmos.

Há centenas de circunstâncias, valores e emoções que podem dirigir a sua vida, sem que você perceba. Então, conhecer o seu propósito em Deus o direcionará e lhe permitirá novamente colocar as mãos no volante. Por mais que você não saiba, viver sem um propósito definido altera o seu rumo na vida. Isso inclui projetos, sonhos, relacionamentos e outras circunstâncias externas.

O apóstolo Paulo nos ensina que o segredo para uma vida direcionada por Deus é deixar as coisas velhas para trás, ou seja, o passado que dirigia os nossos passos. Escolha ser direcionado por Deus e viver os planos e projetos que ele tem para o seu futuro. Então, se hoje você quer ter uma nova direção, um novo impacto, deixe para trás as coisas que já passaram e entenda que o passado é apenas um ponto de referência, enquanto o futuro é o seu destino. Corra em direção a ele!

DEVOCIONAL

209/365

LEITURA BÍBLICA

SALMOS 90

PALAVRA-CHAVE

#DESTINO

ANOTAÇÕES

PROTEÇÃO DIVINA

No dia em que foi armado o tabernáculo, a tenda que guarda as tábuas da aliança, a nuvem o cobriu. Desde o entardecer até o amanhecer a nuvem por cima do tabernáculo tinha a aparência de fogo. Era assim que sempre acontecia: de dia a nuvem o cobria, e de noite tinha a aparência de fogo.

NÚMEROS 9.15,16

29
JUL

#CAFECOMDEUSPAI

Com a finalização do tabernáculo, a nuvem que guiava e protegia o povo na jornada pelo deserto tomou sua posição em cima dele. Para os israelitas, o movimento da nuvem era como se o próprio Deus os estivesse guiando no deserto. Por ela deviam viajar e por ela deviam acampar.

Aquela nuvem não existe mais nos dias de hoje, mas nem por isso a proteção de Deus acabou. Muito pelo contrário, hoje temos um privilégio muito maior. Temos conosco o Espírito Santo, o nosso consolador e conselheiro.

O Espírito Santo é a nossa proteção diária. Mas seu chamado é o mesmo daquele tempo: "Ande somente quando e para onde a nuvem se mover". Por isso, devemos estar atentos à voz de Deus, para que possamos andar de acordo com os seus comandos.

Não importa quanto precisemos do seu amor, dos seus dons e do Espírito Santo sobre nós, Deus está muito mais disposto a nos ajudar do que nós somos capazes de imaginar. O texto de hoje diz que de dia e noite o Senhor acompanhava o povo em sua peregrinação.

O amor e a graça de Deus são tão incríveis e consistentes que é difícil de entender. Nossa mente é pequena demais para apreciar quanto o Pai está fazendo por nós e ainda irá fazer.

Saia de casa hoje com a certeza de que o Pai está com você. Ele jamais irá abandoná-lo, em nenhuma circunstância, pois seu amor de Pai não permite isso de forma alguma. É impensável para ele deixar você sozinho.

Somente debaixo da nuvem do Espírito você encontra proteção.

@juniorrostirola

365 **DEVOCIONAL**
210/365

LEITURA BÍBLICA
SALMOS 91

PALAVRA-CHAVE
#OBEDIÊNCIA

ANOTAÇÕES

TENHA BOM ÂNIMO

30
JUL

#CAFECOMDEUSPAI

Alta madrugada, Jesus dirigiu-se a eles, andando sobre o mar. Quando o viram andando sobre o mar, ficaram aterrorizados e disseram: "É um fantasma!" E gritaram de medo. Mas Jesus imediatamente lhes disse: "Coragem! Sou eu. Não tenham medo!"

MATEUS 14.25-27

Você já pediu para Deus parar algo que estava acontecendo em sua vida? Apenas parar? Você sabia que há coisas que pedimos a Deus antes da hora? A grande verdade é que abortamos algumas situações e não recebemos o que pedimos por não querermos nos submeter aos processos difíceis. É penoso passar por circunstâncias contrárias. Quando Jesus ordenou aos discípulos que entrassem no barco, ele subiu a montanha para orar. Geograficamente, no local onde Jesus orava, era possível ver o mar e o barco onde os discípulos estavam, apesar de eles não conseguirem vê-lo. Não é porque você não está vendo que Jesus não está lá; não é porque você não está ouvindo que Jesus não está falando. Jesus está lá. Jesus está ouvindo.

Viver pela graça e caminhar no Espírito Santo traz a presença de Deus à sua realidade.

@juniorrostirola

Tudo que você precisa entender é que Jesus se faz presente e ele jamais vai perder você. O olhar de Jesus está atento, focado em você. Parece ser muito mais fácil resolver as coisas do nosso jeito, no nosso tempo, mas não é. O melhor está preparado para quando seguimos firmes no tempo difícil, esperando o tempo do Senhor. Contudo, preste atenção: ele está com os olhos fixos em você, conduzindo-o e ensinando-o, assim como ele tinha algo a ensinar aos discípulos com essa passagem, pois jamais iria despachá-los para morrer em meio a uma tempestade.

Não importa o que você esteja enfrentando; se estiver na presença do Senhor, com o seu coração alinhado com o dele, no momento certo ele dará ordem aos ventos, e a tempestade cessará. Assim como aconteceu com os discípulos, cabe a nós ouvir atentamente os direcionamentos e as orientações dele para prosseguirmos e cumprirmos nosso propósito.

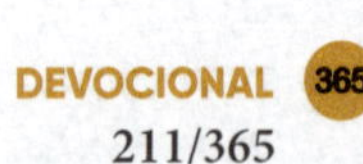

DEVOCIONAL 365
211/365

LEITURA BÍBLICA
SALMOS 92

PALAVRA-CHAVE
#PRESENÇA

ANOTAÇÕES

VIVA A SUA VERDADEIRA IDENTIDADE

Paulo e seus companheiros viajaram pela região da Frígia e da Galácia, tendo sido impedidos pelo Espírito Santo de pregar a palavra na província da Ásia.

ATOS 16.6

31
JUL

#CAFECOMDEUSPAI

Paulo e Silas tinham um bom plano em mente. A causa era verdadeiramente nobre: pregar a boa-nova a ouvidos que ainda não a conheciam. Por isso, são levados a um caminho que não acabaria tão bem, proporcionando-lhes muitos dissabores.

Existem muitas pessoas que, com as melhores intenções, planejam mudar de cidade ou de país, mas, ao traçarem seus planos, não pedem conselho nem buscam discernimento do Deus Pai, por isso acabam embarcando em aventuras que as deixam frustradas.

A vontade de Paulo era pregar na Ásia, mas Deus queria que ele fosse para a Europa.

Talvez Deus tenha impedido alguma coisa na sua caminhada e você tenha ficado sem entender. Muitas vezes, foi assim comigo. Eu tinha muitos sonhos e projetos em mente, mas o Senhor me levou a mudar de rota, porque os planos dele eram outros. Assim aconteceu quando eu estava no sétimo período do curso de economia, com o TCC em andamento, alimentando o sonho de ser bancário. O Senhor reprogramou a minha rota, apontando para outra direção. Imediatamente, tranquei o curso de economia e iniciei a faculdade de teologia. Fui chamado de louco por muitas pessoas, mas a obediência ao Senhor falou mais alto.

Se não entendermos o propósito, não seremos habilitados para cumprir o nosso chamado. Somente descobrindo a sua verdadeira identidade, você poderá realmente fluir, e a sua vida terá sentido.

Há problemas em nossa vida que só aconteceram porque decidimos controlar em vez de simplesmente obedecer.

@juniorrostirola

DEVOCIONAL
212/365

LEITURA BÍBLICA
JÓ 21

PALAVRA-CHAVE
#OBEDECER

ANOTAÇÕES

O TEU PROBLEMA
É O TEU PASSAPORTE
PARA **IR ALÉM** DO
IMAGINÁVEL.

@juniorrostirola

AGOSTO

#CAFECOMDEUSPAI

café
com
Deus
pai

AMIGOS DE DEUS

Se quando éramos inimigos de Deus fomos reconciliados com ele mediante a morte de seu Filho, quanto mais agora, tendo sido reconciliados, seremos salvos por sua vida!

ROMANOS 5.10

01 AGO

#CAFECOMDEUSPAI

O seu relacionamento com Deus tem muitos e variados aspectos: Deus é o seu Criador, Senhor e Mestre, Juiz, Redentor, Pai, Salvador e muito mais. No entanto, a mais espantosa verdade é esta: o Deus todo-poderoso anseia ser o seu amigo! No Éden, vemos o relacionamento ideal de Deus conosco.

Adão e Eva desfrutavam de uma amizade íntima com Deus. Eles caminhavam ao lado dele no jardim. Não existiam rituais, cerimônias ou religião, mas apenas um simples e carinhoso relacionamento entre Deus e as pessoas que ele criou. Fomos feitos para viver continuamente na presença de Deus, mas, após a queda do homem, aquele relacionamento ideal foi perdido.

Então, Jesus mudou a situação. Quando pagou pelos nossos pecados na cruz, o véu do templo, que simbolizava a nossa separação de Deus, foi rasgado de alto a baixo, indicando que o acesso direto a Deus estava novamente restaurado. O ato de amor de Jesus nos deu livre acesso ao Pai. Hoje temos a oportunidade preciosa de construir um relacionamento íntimo com Deus.

Eis o que Deus mais quer de você: um relacionamento! Deus criou você para amá-lo e deseja que você também o ame. Ele anseia que você o conheça e que use o seu tempo para ficar ao lado dele. Esse é o motivo pelo qual devemos aprender a amar a Deus e a ser amados por ele. Deveria ser o maior objetivo da sua vida. Jesus o chamou de o maior mandamento. Ele disse: "Ame o Senhor, o seu Deus, de todo o seu coração, de toda a sua alma e de todo o seu entendimento". Ei, o seu melhor amigo anseia por você!

Deus está resolvendo os seus problemas enquanto você ora!

@juniorrostirola

DEVOCIONAL
213/365

LEITURA BÍBLICA
JÓ 22

PALAVRA-CHAVE
#RELACIONAMENTO

ANOTAÇÕES

CONFIE NO DEUS DA PROVISÃO

02 AGO

#CAFECOMDEUSPAI

"Mas no sétimo ano a terra terá um sábado de descanso, um sábado dedicado ao Senhor. Não semeiem as suas lavouras nem aparem as suas vinhas."

LEVÍTICO 25.4

Existem alguns princípios que Deus estabeleceu para reger o mundo físico, e nós precisamos estar atentos a eles para que nos posicionemos em obediência a Deus e tenhamos o cumprimento das suas promessas em nossa vida.

A provisão de Deus em nossa vida não está atrelada ao nosso esforço, à nossa capacidade, às nossas habilidades em si, mas, sim, à nossa postura de obediência e confiança no que ele determinou.

Permita-me compartilhar o testemunho de uma mulher cristã: "Em determinado momento da minha vida, acreditei na mentira de que a empresa que eu e meu esposo estávamos gerindo era a provisão da nossa casa. Sim, era verdade que essa empresa era o meio de provisão, entretanto chegou o dia em que percebi que na verdade éramos apenas os gestores; quem realmente provia e abençoava era o Deus Provedor, o Jeová-Jireh".

Talvez essa palavra soe sem sentido aos seus ouvidos em um primeiro momento, mas tudo, absolutamente tudo, quem provê e, de maneira especial, é Deus. Esse entendimento transformou a minha vida e me permitiu experimentar mais intensamente a provisão do Pai e a plenitude que ele tem para mim.

Creiamos no nosso Deus Provedor. Ele quer prover em nossa vida. Para que isso aconteça, precisamos nos posicionar em obediência e fidelidade. Sim, acredite, independentemente das circunstâncias, é ele quem provê todas as nossas necessidades.

Seja em que área for, decida apenas obedecer, confiar e descansar no Pai e contar com sua provisão.

A obediência gera recompensa.

@juniorrostirola

DEVOCIONAL 365
214/365

LEITURA BÍBLICA
JÓ 23

PALAVRA-CHAVE
#CONFIANÇA

ANOTAÇÕES

COM FÉ, TUDO É POSSÍVEL!

"Como Deus ungiu Jesus de Nazaré com o Espírito Santo e poder, e como ele andou por toda parte fazendo o bem e curando todos os oprimidos pelo Diabo, porque Deus estava com ele."

ATOS 10.38

03
AGO

#CAFECOMDEUSPAI

A Palavra de Deus é clara e bastante insistente quanto ao assunto de cura. Percebemos que no ministério do Senhor Jesus o que mais ele fazia era ensinar, pregar e curar. O assunto de cura preencheu boa parte dos evangelhos, tendo um lugar de destaque na prática ministerial de Jesus.

Todos aqueles que se aproximavam de Cristo com fé e quebrantamento eram curados, porque ele foi ungido com o Espírito Santo e poder.

Quando perguntamos às pessoas se Deus tem poder para curar, todos os que têm fé concordam que sim. Mas a questão é: de que adianta saber que Deus é poderoso, se eu não sei se ele quer a minha cura? Por diversas vezes, o Senhor falou "quero" em suas ações de cura, e, se Jesus quer a cura para uma pessoa, então ele vai querer a cura para todos, pois não há nos evangelhos nenhuma vez em que Jesus deixou de curar, desde conterrâneos judeus a estrangeiros romanos; todos que clamaram a ele foram atendidos em suas preces.

No entanto, enquanto esteve em Nazaré, a Bíblia afirma que Jesus não pôde fazer muitos milagres por causa da incredulidade. Jesus estava disposto a realizar milagres, mas a falta de fé daquelas pessoas impediu a manifestação de poder.

Esse é o desejo de Deus: que todos recebam a cura que Jesus já disponibilizou no Calvário, por meio do seu ato redentor. Tenha fé e acredite que Deus tem poder para fazer infinitamente mais do que pedimos e pensamos. Não deixe que a incredulidade impeça você de receber a cura, mas confie de todo o coração e se apegue à Palavra de Deus.

Para experimentar o plano completo de Deus para você, aprenda a ver com os olhos da fé.

@juniorrostirola

DEVOCIONAL
215/365

LEITURA BÍBLICA
JÓ 24

PALAVRA-CHAVE
#IMPOSSÍVEL

ANOTAÇÕES

VENÇA O MEDO

04
AGO

#CAFECOMDEUSPAI

Mas, quando reparou no vento, ficou com medo e, começando a afundar, gritou: "Senhor, salva-me!" Imediatamente Jesus estendeu a mão e o segurou. E disse: "Homem de pequena fé, por que você duvidou?"

MATEUS 14.30,31

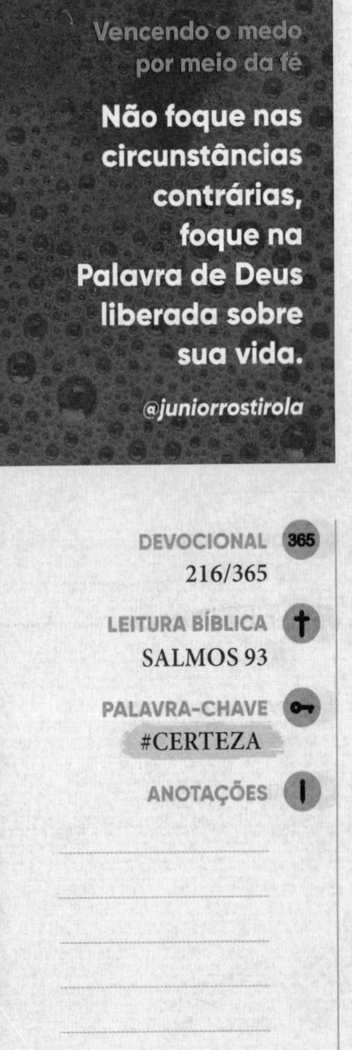

DEVOCIONAL 365
216/365

LEITURA BÍBLICA
SALMOS 93

PALAVRA-CHAVE
#CERTEZA

ANOTAÇÕES

É surpreendente essa afirmação proferida por Jesus a Pedro: "homem de pequena fé"! Um homem que sai de um barco para andar sobre as águas tem pouca fé? Existe um profundo sentido nessa afirmação, ao fazermos um contraponto com a passagem que nos é narrada no capítulo 7 do Evangelho de Lucas. A Pedro, Jesus ordena que vá até ele; ao centurião, declara que irá até a casa dele, onde o centurião se diz indigno de receber Jesus, mas, com uma simples declaração de Jesus, o servo do centurião seria curado.

A grande e incrível diferença entre o centurião e Pedro é que Pedro não sustentou sua fé. Isso não significa que Pedro não tinha fé; simplesmente que o apóstolo duvidou e vacilou diante das adversidades. O que o fará realmente ter uma grande fé é quanto você vai confiar, considerar e sustentar a palavra de Deus dita a você.

O centurião sustentou a fé dele. Ele passou o tempo todo confiando em que Jesus não precisava ir até o servo, bastando apenas uma palavra de Jesus para a cura ser realizada. Por outro lado, Pedro olhou para as circunstâncias. Então, simplesmente acredite, confie em que o Senhor se faz presente na sua vida. Tudo que você precisa é realmente sustentar a sua fé na palavra que foi liberada sobre você.

Ao pôr a sua fé em prática neste dia, esteja certo de que ela será sustentada. Esteja seguro de que Deus Pai irá realizar o milagre que você necessita. Assim como o centurião que tinha certeza, não duvide, pois Deus é fiel para cumprir e realizar muito além do que os olhos podem ver.

Quando estamos dispostos a esperar e deixar que Deus assuma o controle do problema, é exatamente isso que ele faz.

QUANDO OBEDECEMOS, SOMOS ABENÇOADOS

"O SENHOR retribua a você o que você tem feito! Que seja ricamente recompensada pelo SENHOR, o Deus de Israel, sob cujas asas você veio buscar refúgio!"

RUTE 2.12

05 AGO

#CAFECOMDEUSPAI

O relato sobre Boaz e Rute é uma linda história de amor, que retrata o incrível amor de Jesus, nosso Parente Redentor. Assim como Boaz, que ao ver Rute trabalhando nos campos, desamparada e perdida, a atraiu e depois se casou com ela, Jesus fez o mesmo em relação a nós. No entanto, a narrativa não para por aí. Em vez de a história terminar de modo clichê, "e viveram felizes para sempre", a conclusão se concentra no nascimento de um bebê, Obede.

"O que é tão importante sobre isso?", você pode perguntar. "Os casais têm filhos o tempo todo, é o ciclo natural!" Sim, mas Obede não era um bebê qualquer. Ele foi pai de Jessé e avô do rei Davi, portanto antepassado do Messias, Jesus. A bênção do Senhor sobre esse casal não foi apenas um bebê, mas uma descendência que deu origem ao Redentor.

Rute, a moabita, que em fidelidade à sua sogra viajou para uma terra estranha após ter enfrentado muitas dificuldades, não apenas encontrou um marido, mas foi soberanamente atraída para seu destino e abençoada por Deus, sendo fundamental para a vinda de Cristo ao mundo.

O legado de devoção de Rute culminou com isto: ela teve um bebê, simples assim. Do mesmo modo, nosso destino está vinculado a conseguirmos reproduzir a vida de Cristo na vida dos outros, fomos chamados para dar frutos. Ou seja, as ações de hoje, assim como as de Rute, ecoam para o futuro, para que o nosso legado às futuras gerações seja o de uma geração de profetas e adoradores do Senhor.

Renunciar àquilo que pode me levar a viver fora dos planos de Deus é mais do que renúncia; é sabedoria.

@juniorrostirola

DEVOCIONAL
217/365

LEITURA BÍBLICA
SALMOS 94

PALAVRA-CHAVE
#SABEDORIA

ANOTAÇÕES

PATERNIDADE VERDADEIRA

06
AGO

#CAFECOMDEUSPAI

Em amor nos predestinou para sermos adotados como filhos, por meio de Jesus Cristo, conforme o bom propósito da sua vontade.

EFÉSIOS 1.5

A crise de identidade é algo que dificilmente deixaria de estar acompanhada de trauma e sentimento de rejeição, sendo estes os pais da crise de identidade.

Isso gera insegurança e baixa autoestima, fazendo-nos ver deformados, como se estivéssemos dentro de uma casa de espelhos em um parque de diversões. Isso acontece por falta de um referencial paterno que nos dê empoderamento, encorajamento e inspiração.

Cresci em um lar assim, desestruturado por causa do vício que escravizava o meu pai. Mas, ao aceitar Jesus como Salvador, pude experimentar o amor de Deus Pai e compreender que o meu pai também era uma vítima, pois ele só estava replicando o modo com que fora criado. Para ele, era impossível dar o amor que nunca havia recebido. Por isso, apesar de testemunhar tudo o que ocorreu em minha família, hoje sinto amor pelo meu pai e tenho certeza de que ele foi salvo pelo Senhor; quando nos pediu perdão, nós o perdoamos, e ele aceitou Jesus antes de partir.

Ainda que o seu relacionamento com o seu pai terreno tenha sido ou seja difícil, eu o convido a virar a página por meio do amor do Deus Pai, que o ama incondicionalmente e quer um relacionamento com você.

Honre o seu pai e, se for preciso, perdoe-lhe, mostrando a ele que o amor de Jesus pode ser experimentado e que as nossas feridas são curadas ao encontrarmos esse amor. Se você nunca ouviu dele "Eu te amo", eu o desafio a mostrar-lhe o amor de Jesus que constrange, ao declarar ao seu pai que você o ama.

Ninguém pode dar o amor que nunca recebeu!

@juniorrostirola

DEVOCIONAL 365
218/365

LEITURA BÍBLICA 
SALMOS 95

PALAVRA-CHAVE
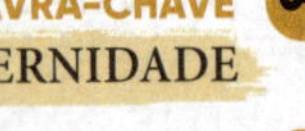
#PATERNIDADE

ANOTAÇÕES 

VOCÊ É ABENÇOADO

Bendito seja o Deus e Pai de nosso Senhor Jesus Cristo, que nos abençoou com todas as bênçãos espirituais nas regiões celestiais em Cristo.

EFÉSIOS 1.3

07 AGO

#CAFECOMDEUSPAI

Você já ouviu falar que todas as bênçãos de Jesus para nós foram conquistadas na cruz? Na cruz, vida e abundância foram conquistadas.

Jesus morreu na cruz, libertando-nos da maldição, para que possamos receber as bênçãos do Reino. Quando Deus abençoou Abraão, declarando "eu o abençoarei e multiplicarei os seus descendentes" (Gênesis 26.24), Deus o fez dando como garantia seu próprio nome. Não foi preciso assinar um contrato ou algo parecido, pois, se Deus falou, ele cumprirá. O que poderia ser mais poderoso do que essa promessa?

Como bem sabemos, por meio de Abraão, todas as nações da terra são abençoadas. Assim, essa mesma promessa está sobre nós, contanto, é claro, que firmemos com o Senhor o mesmo compromisso que Abraão firmou.

Podemos receber essa mesma promessa pela fé, pois o justo viverá da fé. Para fazer a fé funcionar, precisamos fundamentá-la em algo que sabemos ser verdadeiro, Cristo Jesus. Ele é quem garante essa verdade e o cumprimento dessa promessa em nossa vida.

Hoje é um excelente dia para, quando você for orar, reivindicar, pela fé, ao Senhor a realização das suas promessas. Se você fosse receber uma herança, com o seu nome no documento que garante o acesso aos bens, mas não fizesse uso do documento que lhe garante o direito de apropriação, de nada adiantaria. Então, acesse as bênçãos do Senhor por meio da fé, pois por intermédio de Jesus Cristo, nosso Senhor, você é abençoado.

Entenda que a fé é para ser praticada; isso é tudo que Jesus espera.

@juniorrostirola

DEVOCIONAL
219/365

LEITURA BÍBLICA
JÓ 25

PALAVRA-CHAVE
#FÉ

ANOTAÇÕES

JESUS É A SOLUÇÃO

08
AGO

#CAFECOMDEUSPAI

Depois de dizer isso, Jesus bradou em alta voz: "Lázaro, venha para fora!" O morto saiu, com as mãos e os pés envolvidos em faixas de linho e o rosto envolto num pano. Disse-lhes Jesus: "Tirem as faixas dele e deixem-no ir".

JOÃO 11.43,44

É melhor estar em um mar agitado com a presença de Jesus do que em uma praia tranquila onde ele esteja ausente.

@juniorrostirola

Nesta passagem, vemos Jesus chegar à cidade onde seu amigo Lázaro morava, quatro dias após seu falecimento. As irmãs do morto, Marta e Maria, estavam desoladas e lamentavam, pois acreditavam que, se Jesus tivesse chegado antes, seu irmão não teria morrido.

As pessoas costumam repetir o ditado popular: "Para tudo existe um jeito, exceto para a morte". Mas Jesus invalida esse ditado popular, pois para ele até mesmo para a morte existe uma solução.

A ressureição de Lázaro no quarto dia após sua morte nos mostra que, por mais que na nossa visão tudo esteja perdido, não havendo mais o que fazer, para Jesus não existe "tarde demais". Para ele, tudo é possível, porque o seu poder vai muito além das nossas limitações.

No versículo 35 do capítulo 11 do Evangelho de João, é dito: "Jesus chorou". Podemos ver que Jesus teve seu momento de pesar pela morte do amigo, mostrando-nos que existe de fato um momento em que precisamos passar pelo luto, pelo pranto, mas isso não pode nos paralisar, sendo um momento necessário, embora não duradouro.

Seja qual for a dor que você está enfrentando, é natural que o seu coração esteja ferido, mas não se deixe paralisar por isso. Busque consolo nos braços do Pai e entregue a ele todos os seus temores, sabendo que Jesus tem poder para curar. Confie em Cristo, e ele restituirá à vida tudo aquilo que para você já está morto!

DEVOCIONAL 365
220/365

LEITURA BÍBLICA
JÓ 26

PALAVRA-CHAVE
#ESPERANÇA

ANOTAÇÕES

DEUS NÃO O ABANDONOU

Por volta das três horas da tarde, Jesus bradou em alta voz: "Eloí, Eloí, lamá sabactâni?", que significa "Meu Deus! Meu Deus! Por que me abandonaste?"

MATEUS 27.46

09
AGO

#CAFECOMDEUSPAI

Jesus passava por um dos momentos mais difíceis de sua estada na terra. Na cruz, sofrendo com o peso dos nossos pecados e sentindo-se abandonado pelo Pai, clamou a ele em alta voz. Existe algo inquietante nessa passagem que por muito tempo assolou a minha mente. Nela ecoava de forma tão misteriosa a fala de Jesus, porque sempre entendi que Deus jamais nos abandona. Então, por que Jesus falou isso?

Por muito tempo, busquei no Senhor a compreensão dessa passagem, e de forma sublime ele me deu a resposta, trazendo-me à memória um episódio em que meu filho, João Pedro, passou por um momento de saúde muito delicado.

O diagnóstico médico apontava para a necessidade de internação, mas havia a alternativa de ministrar o medicamento injetável, que poderia agir mais rápido e afastar a necessidade da internação. Querendo o melhor para o meu filho, eu concordei.

O João Pedro, então, com poucos anos de vida, ao ser colocado na maca, segurado por mim com força, gritando e chorando, lançou-me um olhar que traduzia um estado de abandono, pois o pai que deveria protegê-lo parecia seu algoz. Ele não compreendia a necessidade daquela dor a curto prazo que proporcionaria uma cura duradoura.

Aquilo doeu muito em mim, mas ali estava a resposta de Deus. A dolorosa morte de Jesus naquela cruz teve o propósito de nos trazer a vida eterna com o Pai. Às vezes, ele não nos livra da dor, a fim de nos livrar da morte!

Realmente, muitas vezes, não entendo como Deus age. Por vezes, ele age totalmente diferente de como eu agiria, mas ele é Deus!

@juniorrostirola

DEVOCIONAL
221/365

LEITURA BÍBLICA
JÓ 27

PALAVRA-CHAVE
#CUIDADO

ANOTAÇÕES

ALÉM DA RELIGIÃO, UM RELACIONAMENTO

10
AGO

#CAFECOMDEUSPAI

"Eu sou o bom pastor; conheço as minhas ovelhas, e elas me conhecem."

JOÃO 10.14

Seguir Jesus não é simplesmente seguir uma religião, como muitos pensam, é muito mais que isso, é aceitar um relacionamento pessoal de amor, assumir um compromisso de relacionamento com uma pessoa que o ama profundamente, a ponto de dar a vida por você. E tudo o que ele pede é para guiá-lo e protegê-lo como o Bom Pastor. Mas você é uma ovelha do Senhor? Então creia, ouça Jesus sussurrar carinhosamente em seu coração. Ele nunca vai chamá-lo de qualquer coisa, ele o conhece pelo nome, e por isso nunca o deixará sem direção.

A misericórdia do Senhor não pode ser vista, mas pode ser experimentada.

@juniorrostirola

Ao decidir crer em Jesus e aceitar ter um relacionamento pessoal de amor com Deus, ele não somente deseja ver você aos domingos no banco de uma igreja como um mero cumprimento de agenda, mas ele deseja fazer parte da sua vida todos os dias. Ajudando-o até mesmo em suas decisões pessoais para conduzi-lo ao melhor caminho. Com Jesus adiante você está absolutamente seguro, e o melhor estará por vir; não existe chance de erro com ele. Jesus deseja o melhor para você não só em seu plano de salvação, mas aqui na terra também, porque, tudo coopera para você viver uma vida verdadeiramente com destino e propósito.

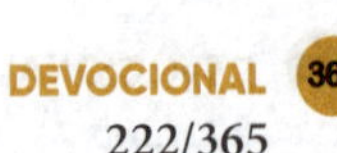

DEVOCIONAL
222/365

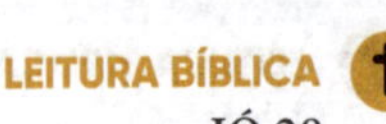

LEITURA BÍBLICA
JÓ 28

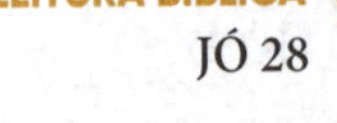

PALAVRA-CHAVE
#LIGAÇÃO

ANOTAÇÕES

Isso não significa que não haverá dias difíceis, dias de tempestade e vento contra a nossa vida, pois estar neste mundo é passar por isso em todo tempo, mas a grande questão é que quando conhecemos a voz do Bom Pastor, abandonamos a religiosidade e vivemos a plenitude do relacionamento com Jesus.

O QUE JESUS ESTÁ LHE PERGUNTANDO?

Perguntou ele: "Quantos pães vocês têm? Verifiquem". Quando ficaram sabendo, disseram: "Cinco pães e dois peixes".

MARCOS 6.38

11
AGO

#CAFECOMDEUSPAI

Quando você viaja para uma cidade que não conhece e não consegue achar o lugar que vai visitar, é comum perguntar e pedir informações a outras pessoas. Toda vez que fazemos perguntas é porque queremos aprender ou conhecer algo. Com o Senhor é completamente diferente. Sempre que o nosso Senhor Jesus faz uma pergunta, é porque ele quer nos ensinar algo. Suas perguntas eram formuladas de forma que, ao responder, a pessoa questionada aprendia e era transformada de dentro para fora.

Isso acontece porque as perguntas feitas por Jesus, ao serem respondidas, revelavam o mais íntimo da pessoa à qual o questionamento era dirigido, como se um espelho fosse colocado diante dela.

Reflita, então, sobre o que Jesus tem perguntado a você hoje? Esteja sensível aos questionamentos do Espírito Santo. Ele faz perguntas todas as vezes que você toma decisões equivocadas, reprogramando a rota que ele mapeou para você e guindando-o, com a pergunta certa, ao caminho certo.

Certa vez, ouvi a seguinte frase: "Não são as respostas que movem o mundo, mas as perguntas". Com isso, percebo que Deus faz conosco assim como um sábio faria com seu discípulo. Sendo ele Mestre, quer nos ensinar a vencer, conquistar e superar os desafios da vida e invariavelmente ver o que não conseguimos enxergar de início. "Cinco pães e dois peixes" foi a resposta dos discípulos depois de buscarem a resposta à pergunta do Mestre. O que Jesus quer saber de você hoje?

O mais importante não é o que me acontece, mas como eu reajo a isso.

@juniorrostirola

DEVOCIONAL
223/365

LEITURA BÍBLICA
SALMOS 96

PALAVRA-CHAVE
#APRENDER

ANOTAÇÕES

SEJA PORTADOR DE BOAS NOTÍCIAS

12
AGO

#CAFECOMDEUSPAI

Havia quatro leprosos junto à porta da cidade. Eles disseram uns aos outros: "Por que ficar aqui esperando a morte?"

2REIS 7.3

A lepra nos tempos bíblicos era algo terrível. Hoje em dia, ela é chamada de hanseníase e é uma doença mais controlada pela medicina atual. Mas, além de ser uma doença que levava à morte, matava aos poucos, porque as pessoas eram excluídas, isoladas, sendo forçadas a sair do convívio social. Assim, era uma doença que causava outras doenças, porque a pessoa doente era excluída da sociedade.

Havia quatro leprosos do lado de fora dos muros da cidade de Samaria, segundo o texto lido. Imagine você ser excluído da sociedade, não poder estar com a sua família, com os amigos, por ser portador de uma doença que está levando-o à morte.

Você pode não estar sofrendo da mesma doença daqueles quatro homens, mas vivendo em uma situação tão desoladora quanto eles. Muitas vezes, o nosso corpo físico está em perfeito estado, mas a nossa alma está em lágrimas, padecendo as dores que são trazidas pelas circunstâncias da vida. Isso acontece quando nossa saúde emocional está tão abalada que tudo o que queremos é permanecer isolados. Acredite, eu já estive assim, em situações nas quais tudo que eu queria era estar no meu quarto, isolado de tudo e de todos.

O que o fez ter esperança de uma nova vida? Eu respondo: Jesus. Sua graça sobre mim foi o que mudou a minha realidade. Por isso, tenha fé de que hoje é um tempo de boas notícias. Saia da condição de vítima e caminhe em direção aos cuidados e propósitos de Deus na sua vida. Seu milagre também vai chegar!

Sua maior dor será o seu maior testemunho.

@juniorrostirola

224/365

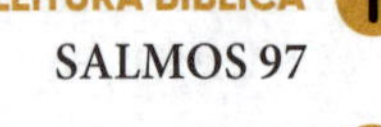
SALMOS 97

ANOTAÇÕES

QUEBRE O ORGULHO

Os sacrifícios que agradam a Deus são um espírito quebrantado; um coração quebrantado e contrito, ó Deus, não desprezarás.

SALMOS 51.17

13
AGO

#CAFECOMDEUSPAI

Ao longo dos evangelhos, vemos uma série de testemunhos do poder transformador de Cristo na vida das pessoas. A mulher que havia doze anos sofria de um fluxo hemorrágico, após gastar toda a fortuna com a medicina da época, quebra todos os paradigmas. A atitude de humildade e quebrantamento de entender que um simples toque na orla da veste de Jesus foi o suficiente para curá-la, e ela venceu tudo e todos com essa atitude. O encontro da humildade humana com a compaixão divina atrai o milagre.

Ao escrever todo o salmo 51, Davi, após ter sido confrontado pelos seus erros, por haver pecado com Bate-Seba, demonstra arrependimento em suas palavras de modo brilhante, único e verdadeiro. Embora muitos de nós julguemos o que Davi fez, sua atitude humilde e quebrantada, demonstrando um coração contrito, fez toda a diferença na vida dele.

O que você precisa vencer para se quebrantar diante do Senhor? Talvez seja o seu orgulho, a sua prepotência, o medo que o tem paralisado, fazendo-o preocupar-se com tantas coisas. A compaixão divina sempre virá ao encontro de um coração quebrantado, e então nasce o milagre. Faça como aquela mulher, que, com coragem e determinação, não pensou no que os outros diriam, mas tratou de ir à fonte de poder e cura que tem todo o poder para mudar toda e qualquer situação.

Quando você decide se quebrantar, experimenta o milagre. Então, decida quebrar todo o orgulho que o impede de receber a mudança de vida que só é possível por meio de Cristo.

Seja humilde para admitir os seus erros e não cometê-los mais.

@juniorrostirola

DEVOCIONAL
225/365

LEITURA BÍBLICA
SALMOS 98

PALAVRA-CHAVE
#CONTRITO

ANOTAÇÕES

SEJA UM ABENÇOADOR

14
AGO

#CAFECOMDEUSPAI

Perguntou-lhe Davi: "Resta ainda alguém da família de Saul a quem eu possa mostrar a lealdade de Deus?" Respondeu Ziba: "Ainda há um filho de Jônatas, aleijado dos pés".

2SAMUEL 9.3

Deus Pai está nos falando o tempo todo; nós é que muitas vezes não estamos sensíveis a ouvi-lo.

@juniorrostirola

DEVOCIONAL
226/365

LEITURA BÍBLICA
JÓ 29

PALAVRA-CHAVE
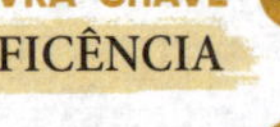
#BENEFICÊNCIA

ANOTAÇÕES

Você sabe quando tudo na vida vai bem e de repente coisas começam a acontecer que fazem o seu mundo virar de cabeça para baixo? Mefibosete era neto de Saul e filho de Jônatas, por isso de sangue real. Ele viveu dias incríveis, mas repentinamente tudo mudou em sua vida. Ocorreu uma rebelião em Israel, em que seu pai, Jônatas, e seu avô Saul foram mortos. Quando seus criados ficam sabendo do ocorrido, em um ato de desespero e na tentativa de poupar a vida de Mefibosete quando fugiam com ele, deixam-no cair, e ele fratura os dois pés.

Como se não bastasse perder o pai e o avô, Mefibosete se tornou em perseguido e passou a viver como foragido. Além disso, devido à queda, com apenas 5 anos de idade, o menino estava condenado a viver aleijado. Com isso, passou a viver de forma degradante, iletrado e sem dignidade. Ele até mesmo cresceu em Lo-Debar, um lugar totalmente indigno.

Davi, porém, fez a pergunta que mudaria a vida de Mefibosete e, com isso, abençoaria sua vida tão sofrida. Davi não era somente abençoado; ele era uma bênção. Existe uma diferença entre ser abençoado e ser uma bênção. Ao ser abençoados pelo favor de Deus, podemos agir na vida das outras pessoas, sendo canais de bênçãos, ao compartilhar com elas o que recebemos do Senhor.

Costumo dizer que a vida não é sobre nós, mas sobre Deus e as pessoas. Por isso, quando agraciados com o favor de Deus, devemos receber, celebrar e repartir. Entenda que você poderá fazer diferença na história e na vida de gerações quando entender esse princípio que transforma realidades.

CREIA NO PODER DE DEUS

É ele que perdoa todos os seus pecados e cura todas as suas doenças.

SALMOS 103.3

15 AGO

#CAFECOMDEUSPAI

Não importa quão ruim possa ter começado seu dia, semana, mês ou ano, em Deus tudo pode mudar e melhorar! O poder do evangelho é o poder das boas-novas. Mas, para que o processo de cura se inicie, você precisa identificar o que lhe tem causado mal, para saber qual caminho tomar em direção à superação do obstáculo.

Existem aqueles que admitem o problema e procuram ajuda, mas também existem aqueles que a ignoram e negam a existência de um obstáculo bem diante dos olhos. Entre os que admitem, há os que reconhecem a existência do problema, mas ficam inertes e nada fazem para mudar a situação, e os que buscam ajuda e correm atrás de uma solução.

Os que buscam auxílio, muitas vezes, vão atrás de caminhos enganosos que não trazem resultado, ou até mesmo se contentam com medidas paliativas, de resultados pouco satisfatórios.

A espiritualidade e o pensamento positivo sem Jesus não têm poder para curar a alma humana de problemas gerados pela ausência de Deus, assim como a religião por si só não salva, não cura, não restaura a vida das pessoas! O que fazer?

Buscar diretamente Deus, por meio de Jesus. Salomão chegou a esta conclusão: "Refleti nisso tudo e cheguei à conclusão de que os justos e os sábios, e aquilo que eles fazem, estão nas mãos de Deus". É isto, simples, imediato e gratuito! Todavia, isso exige decisão pessoal e arrependimento genuíno. Qual a sua decisão e posicionamento hoje?

A fé é o combustível fundamental para que você termine a jornada.

@juniorrostirola

DEVOCIONAL
227/365

LEITURA BÍBLICA
JÓ 30

PALAVRA-CHAVE
#SOLUÇÃO

ANOTAÇÕES

UMA NOVA ESTAÇÃO

16
AGO

#CAFECOMDEUSPAI

"Saia daqui, vá para o leste e esconda-se perto do riacho de Querite, a leste do Jordão. Você beberá do riacho, e dei ordens aos corvos para o alimentarem lá."

1REIS 17.3,4

Deus havia feito grandes coisas na vida do profeta Elias, o qual, após posicionar-se contra o rei Acabe, confrontando sua idolatria a Baal em obediência ao Senhor, retirou-se para a beira de um rio, onde diariamente era alimentado por corvos. Com isso, nenhuma provisão lhe faltava. Entretanto, veio uma grande seca naquela região, e o Senhor o conduziu para outro lugar. Aprendemos com isso que há coisas na nossa vida que Deus faz, mas que ele mesmo muda. A mesma porta que ele abre hoje, pode fechar amanhã. Ele faz isso para nos levar para uma nova estação, a fim de fazer coisas novas em outro nível, dando-nos a oportunidade de novos sonhos, novas conquistas e novas realizações, que estão à nossa espera.

É Deus quem o conduz a novas conquistas e realizações.

@juniorrostirola

O grande problema é que muitas vezes queremos ficar no lugar onde nos acomodamos, na nossa zona de conforto. Entenda que Deus é um Deus presente, que jamais vai nos conduzir à morte, à incerteza e à escassez. Ele permite circunstâncias contrárias porque quer usá-las para o nosso crescimento e mudança. Então, não se prenda à sua condição atual, por mais confortável que ela seja, mas confie nas indicações dadas pelo Senhor. Por mais que a insegurança venha, confie.

Hoje é o dia oportuno para você ouvir a voz do Mestre e continuar. Medite no que ele está orientando você a fazer neste tempo e compreenda que as estações e as circunstâncias podem mudar, mas o Senhor é o mesmo ontem, hoje e eternamente. O segredo para a sua história mudar é você confiar no que o Senhor lhe indicar, pois ele está cuidando de tudo.

DEVOCIONAL 365
228/365

LEITURA BÍBLICA
JÓ 31

PALAVRA-CHAVE
#OUVIR

ANOTAÇÕES

VOCÊ É ACEITO

Todo aquele que o Pai me der virá a mim, e quem vier a mim eu jamais rejeitarei.

JOÃO 6.37

17
AGO

#CAFECOMDEUSPAI

Você sabia que as feridas mais profundas normalmente são causadas pela rejeição decorrente da orfandade?

Gastamos muito tempo tentando ganhar a aceitação de outras pessoas, seja dos pais, colegas, amigos, seja daqueles que respeitamos. A ansiedade de sermos aceitos influencia a nossa forma de vestir, os lugares que frequentamos, os bens que consumimos, a carreira que escolhemos e todos os outros tipos de coisas de que gostamos ou fingimos gostar para sermos aceitos.

As pessoas fazem de tudo para serem aceitas. Algumas porque tiveram pais muito severos e mesmo já adultos ainda estão buscando conquistar a aprovação deles. Há aqueles que vivem dependentes de relacionamentos destrutivos, pensando que, ao se envolverem com pessoas emocionalmente vulneráveis, se sentirão melhores, pois julgam que mudarão a condição de vida daquela pessoa, mas o que acaba realmente acontecendo é que estão apenas num relacionamento abusivo e destrutivo.

As pessoas que buscam aprovação à força não vão consegui-la nunca, porque o problema está primeiramente em não se aceitarem. Você não precisa disso para viver satisfeito. Entenda que a satisfação da nossa vida está diretamente vinculada à nossa identidade, e nossa identidade só é vivida em sua plenitude quando afirmada por Cristo.

Pare de buscar ser aceito por todos. Jesus, que estando em nosso meio foi o único perfeito que o mundo conheceu, foi rejeitado, quanto mais nós, imperfeitos e improváveis. Jesus morreu de braços abertos, demonstrando que o recebe do jeito que você está, transforma a sua realidade e alinha o seu coração com o dele para que você possa percorrer a sua jornada profética. Então, pare de anular quem você realmente é e sinta o amor de Deus na sua vida.

Você é um filho amado de Deus Pai.

@juniorrostirola

DEVOCIONAL
229/365

LEITURA BÍBLICA
JÓ 32

PALAVRA-CHAVE
#ACEITAÇÃO

ANOTAÇÕES

O MAIOR AMOR DO MUNDO

18 AGO

#CAFECOMDEUSPAI

Pois vocês não receberam um espírito que os escravize para novamente temer, mas receberam o Espírito que os adota como filhos, por meio do qual clamamos: "Aba, Pai".

ROMANOS 8.15

Ao longo da nossa jornada pela terra, estamos sujeitos a passar por vários dissabores, e muitas barreiras podem surgir contra a nossa percepção do amor de Deus e o seu impacto na nossa história. Podemos ter uma percepção de Deus deturpada pela religiosidade, imagem de um Deus tirano, furioso e vingativo, ou, de forma antagônica, um Deus distante, apático, liberal ou complacente.

Nossa percepção também pode ser distorcida por causa de frustrações, quando acreditamos na mentira de que não fomos ajudados por Deus. A orfandade também prejudica a nossa concepção de Deus, quando transferimos ao nosso relacionamento com ele as nossas disfunções familiares, enxergando, por exemplo, Deus como um reflexo da figura paterna que tínhamos em nosso lar.

Durante muito tempo, fui vítima desse sentimento de orfandade, pois o meu referencial paterno estava muito longe do que significa um pai amoroso e bondoso, e com isso eu era uma pessoa fragmentada.

Nas minhas orações, eu tinha uma grande dificuldade em chamar Deus de Pai, pois eu não tinha essa proximidade e liberdade com o Senhor para chamá-lo, como de fato ele é, Pai. Contudo, ao experimentar o amor de Deus, pude desconstruir toda essa imagem errônea e negativa que eu tinha e viver de fato a filiação.

O amor de Deus quer nos alcançar, invadir e curar. Para isso, temos que deixar que ele atue em nós. Portanto, abra-se para receber o amor incondicional que somente o Pai celestial pode lhe oferecer.

Ao experimentar o amor de Deus Pai, você descobre a sua filiação nele.

@juniorrostirola

DEVOCIONAL 365
230/365

LEITURA BÍBLICA
SALMOS 99

PALAVRA-CHAVE
#RELACIONAMENTO

ANOTAÇÕES

CONVERSANDO COM O PAI

De madrugada, quando ainda estava escuro, Jesus levantou-se, saiu de casa e foi para um lugar deserto, onde ficou orando.

MARCOS 1.35

19
AGO

#CAFECOMDEUSPAI

Se você quer viver uma estação diferente em sua vida, a exemplo de Jesus, desligue-se do mundo lá fora, feche a porta de seu quarto e, em secreto, ore ao Pai. Em meu momento de oração, quando estou a sós com o Pai, consigo sentir seu cuidado especial e quanto ele nos ama. Tudo que precisamos na vida é buscar esse relacionamento íntimo com ele, caso contrário, ficaremos longe do seu caminho. Quem inicia o dia em adoração, dificilmente abrirá brechas para que os ventos contrários o abalem.

Se você tem dúvidas sobre como orar, pense em como você gosta de conversar com o seu cônjuge, com um familiar ou um amigo muito chegado. Você não vê a hora de poder contar a essa pessoa todas as novidades e as dificuldades pelas quais está passando. Sua oração será desta forma: você abrirá o coração ao Pai, e ele o ouvirá e lhe responderá.

Comece criando uma atmosfera, um ambiente que o deixe totalmente desprendido das circunstâncias contrárias, permitindo-lhe sentir de fato a presença acolhedora do Deus Pai. Comece o dia orando, porque a oração é o combustível da alma. Que o seu primeiro pensamento ao despertar seja o de gratidão ao Pai pelo dia que se inicia.

De nada adianta se não orarmos e não tivermos uma relação íntima com Deus Pai. Os dias serão nublados e sem sentido. Assim como buscamos fortalecer o nosso relacionamento com as pessoas a quem amamos, devemos nos esforçar para fortalecer o relacionamento com Deus. Você já orou hoje? Certamente seu dia será diferente.

A oração é o combustível da alma; sem ela, vivemos na reserva.

@juniorrostirola

DEVOCIONAL
231/365

LEITURA BÍBLICA
SALMOS 100

PALAVRA-CHAVE
#INTIMIDADE

ANOTAÇÕES

SEJA FIEL E OBEDIENTE

20 AGO

#CAFECOMDEUSPAI

"Se vocês obedecerem fielmente ao SENHOR, o seu Deus, e seguirem cuidadosamente todos os seus mandamentos que hoje dou a vocês, o SENHOR, o seu Deus, os colocará muito acima de todas as nações da terra."

DEUTERONÔMIO 28.1

Alguma vez, nos momentos de dificuldade, você já se sentiu totalmente sozinho, como se todos ao redor se calassem, eximindo-se do compromisso de ajudá-lo, assim como na parábola do bom samaritano? Você já sentiu um silêncio tão estarrecedor em seu coração a ponto pensar que Deus estava distante?

Será que, em vez de o mundo ter silenciado, não foi você quem fechou os ouvidos? Pois Deus jamais deixará de ouvi-lo e lhe enviar bênçãos, ele jamais estará distante de você. Ele é fiel em cumprir promessas.

Existem dois princípios fundamentais na vida cristã: a fidelidade e a obediência. Eles são a chave para você viver uma vida abundante e prazerosa. Com esses princípios, você irá desfrutar das bênçãos de Deus e das maravilhas da sua vontade.

Em janeiro de 2020, viajamos de férias para os Estados Unidos. Meus filhos tinham o sonho de conhecer a Disney. Particularmente, não era o meu, pois tenho aversão a parques de diversões. Não fui criado frequentando lugares assim, mas foi extremamente prazeroso poder proporcionar a eles um sonho que eles tinham, do qual pude compartilhar.

Da mesma forma, o Pai quer realizar os desejos do seu coração. Certamente o Pai se encherá de alegria ao realizar seus sonhos neste dia, mas o seu papel de filho é se submeter à autoridade, à orientação e aos caminhos apontados por ele, com fidelidade e obediência.

Se você viver submetido à vontade Deus, começará a viver com mais liberdade e paz do que nunca!

@juniorrostirola

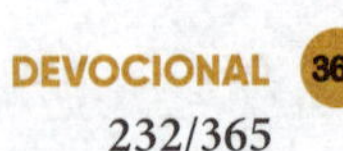

DEVOCIONAL 365
232/365

LEITURA BÍBLICA
SALMOS 101

PALAVRA-CHAVE

#MANDAMENTO

ANOTAÇÕES

VOCÊ NASCEU PARA FRUTIFICAR

"Outras pessoas são como a semente lançada em boa terra: ouvem a palavra, aceitam-na e dão uma colheita de trinta, sessenta e até cem por um."

MARCOS 4.20

21
AGO

#CAFECOMDEUSPAI

Diante dos desafios da vida, precisamos fazer escolhas assertivas. Isso quer dizer que você pode viver uma vida sem frutificar, ou uma vida extraordinária frutificando. Toda grande árvore nasce de uma semente, e isso nos ensina que toda semente tem o DNA de algo extraordinário. É impressionante imaginar que árvores colossais, muito mais altas que prédios, já existem em pequenas sementes no tamanho de grãos de areia.

Contudo, uma semente, por si só, é uma promessa; se não for semeada, não germinará, ou seja, não cumprirá seu propósito. Mas a mesma semente, quando plantada em terra fértil, se torna algo extraordinário. Do mesmo modo, enquanto uma árvore pode ser vista ao longe, uma semente caída no chão passa facilmente despercebida.

Pode ser que, assim como a semente ainda não germinada passa despercebida, as pessoas tampouco notem você. Mas você foi destinado a florescer e frutificar. Para que a semente que existe em você se aflore, é preciso estar plantada no solo fértil da fé no Senhor e ser cultivada por meio da oração e da intimidade com Deus. Assim como a boa semente que frutifica e multiplica seus frutos, você foi destinado para grandes feitos no Senhor.

A sua vida só tem sentido em Deus, a sua trajetória só tem sustentação em Deus, e só o Senhor é capaz de levar você a frutificar.

Cultive um relacionamento com o Senhor e medite na Palavra, para que o seu coração seja terra fértil e para que você dê bons frutos.

As árvores só suportam o sol quente e as tempestades quando suas raízes são profundas.

@juniorrostirola

DEVOCIONAL
233/365

LEITURA BÍBLICA
JÓ 33

PALAVRA-CHAVE
#FRUTIFICAÇÃO

ANOTAÇÕES

DEUS TEM PLANOS EXTRAORDINÁRIOS

22
AGO

#CAFECOMDEUSPAI

"Porque sou eu que conheço os planos que tenho para vocês", diz o Senhor, "planos de fazê-los prosperar e não de causar dano, planos de dar a vocês esperança e um futuro".

JEREMIAS 29.11

Todos nós somos abençoados pelo Senhor. A misericórdia do Senhor é tão grande que se renova a cada manhã. Por isso, devemos ser gratos a cada manhã pelo sol que nasce, pelo ar que respiramos e por tudo aquilo que o Senhor tem feito em nosso favor. Ser abençoado significa sê-lo em tudo, não só em determinadas áreas, em detrimento de outras.

Algum tempo atrás, o meu filho e eu estávamos no estacionamento do prédio em que morávamos. Quando vi um carro do qual sei que ele gosta, chamei a atenção dele para o veículo. Ele fez um comentário favorável e disse querer um com muita naturalidade. Então eu lhe disse que custava muito dinheiro para um jovem que ainda iria completar 18 anos. Sua resposta foi assim: "Eu sei que custa caro, mas eu tenho um pai", referindo-se a mim.

Naquele dia, aprendi uma importante lição, que nós, quando sabemos de quem somos filhos, podemos usufruir de tudo o que o nosso Pai tem para nós. Tenha convicção de que você tem um Pai amoroso, que quer o melhor para a sua vida.

Ser próspero é bênção. O Senhor deseja ver você prosperar. Ele quer o melhor para você, mas nem por isso você deve viver somente para obter, pois a Palavra nos diz em Mateus 6.33 que devemos buscar primeiro o Reino de Deus, e as demais coisas nos serão acrescentadas. Buscando Deus em primeiro lugar, você prosperará grandemente porque o seu foco estará no Pai, não no que ele pode lhe dar.

Se você está esperando as promessas de Deus, não procure atalhos.

@juniorrostirola

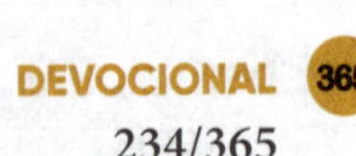

DEVOCIONAL 365
234/365

LEITURA BÍBLICA
JÓ 34

PALAVRA-CHAVE
#PAZ

ANOTAÇÕES

BUSQUE SOCORRO NO LUGAR CERTO

Levanto os meus olhos para os montes e pergunto: De onde me vem o socorro? O meu socorro vem do SENHOR, que fez os céus e a terra.

SALMOS 121.1,2

23
AGO

#CAFECOMDEUSPAI

Qual é o seu objetivo de vida? Para qual direção os seus olhos têm olhado? Qual tem sido o seu combustível nessa jornada?

Certa vez, quando eu e minha esposa viajávamos para pregar em outra cidade, o carro estava com o combustível na reserva. Sem perceber, passei direto pelo posto de combustível no qual costumava abastecer. Michelle me tranquilizou, dizendo que poderíamos abastecer no posto seguinte, e foi isso que fiz. Ao ver o primeiro posto, corri para encher o tanque, sem me ater à bandeira do posto, ao preço da gasolina ou a qualquer outro detalhe.

Quando estamos espiritualmente desabastecidos, deixamos de ser seletivos e acabamos aceitando soluções que não são boas, pois não vêm do Senhor, isso por causa da simples sede de saciar o nosso vazio. Tudo o que o Senhor quer é que sejamos pessoas cheias do Espírito Santo. Jesus é o único que de fato satisfaz o vazio da nossa alma.

Se você conversasse comigo quando eu tinha apenas 12 anos, seria isso que você iria identificar, um adolescente vazio, amargo e sem esperança.

Talvez esta seja a sua realidade, não porque você simplesmente queira ser assim, mas porque as dores estão lhe causando tanto incômodo que você não consegue ver saída. Sua esperança é Jesus, somente o seu amor e a sua graça podem restaurar uma alma ferida. Ele mudou a minha realidade, transformou a minha estrutura e direcionou o meu destino. Entregue-se a ele e confie que o socorro vem do Senhor. Jesus vai cuidar de você.

Quando você é desprezado, prepare-se; Deus está prestes a se manifestar.

@juniorrostirola

DEVOCIONAL
235/365

LEITURA BÍBLICA
JÓ 35

PALAVRA-CHAVE
#BUSCAR

ANOTAÇÕES

SÓ EXISTE VITÓRIA QUANDO LUTAMOS

24
AGO

#CAFECOMDEUSPAI

As nações verão a sua justiça, e todos os reis, a sua glória; você será chamada por um novo nome que a boca do Senhor lhe dará.

ISAÍAS 62.2

Descobrir a sua identidade faz você operar com base em quem você é, não com base nas circunstâncias.

@juniorrostirola

Jacó foi um homem que certa vez lutou com Deus. Ele não desistiu até que Deus lhe desse o que ele queria. Deus o abençoou com um novo nome: Israel, que significa "ele luta com Deus".

Em um instante, ele recebeu um novo nome e uma nova identidade. Ele não era mais conhecido como Jacó, o agarrador de calcanhar, enganador, usurpador e trapaceiro. Deus o chamou de Israel, um príncipe de Deus. Ele havia feito jus a seu nome anterior, mas esse nome não mais refletia a nova vida que teria a partir daquele encontro com Deus.

Quando Deus Pai o chamou pelo seu novo nome, Jacó se tornou o homem que Deus havia designado, que não mais buscaria seu lugar ao sol por conta própria com enganos ardilosos. A partir daquele dia, ele seguiria os caminhos propostos pelo Senhor.

Muitos de nós lutamos contra quem já fomos, e nosso passado tenta nos derrotar e nos impedir de avançar.

Não é porque eu venci e tive minha alma curada da orfandade e da rejeição que eu não sofra ataques que tentem deturpar a minha identidade em Cristo. Estamos exaustos pelas expectativas e diminuídos pelos que duvidam de nós, mas Deus pode nos restaurar e transformar a nossa identidade.

Assim como Deus transformou a identidade de Jacó para Israel, nós podemos viver essa mesma realidade quando vemos Deus face a face, pois ainda hoje o Senhor tem transformado, restaurado e curado a identidade daqueles que aceitam ser filhos de Deus.

DEVOCIONAL
236/365

LEITURA BÍBLICA
JÓ 36

PALAVRA-CHAVE
#PERSEVERAR

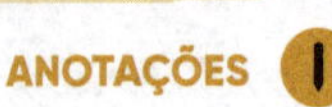

ANOTAÇÕES

NÃO DESPERDICE O SEU CHAMADO

"Vou pescar", disse-lhes Simão Pedro. E eles disseram: "Nós vamos com você". Eles foram e entraram no barco, mas naquela noite não pegaram nada.

JOÃO 21.3

25 AGO

#CAFECOMDEUSPAI

Aparentemente, essa pesca não foi algo planejado, não houve ponderação acerca do clima e da hora, ou seja, todas as variáveis que influenciam um resultado frutífero. A atitude de Pedro representa todos nós quando somos movidos pela impulsividade e acabamos levando outras pessoas conosco a uma atitude impensada, com desperdício de tempo e recursos.

Será que agir impulsivamente tem sido o seu salário na vida? Você tem repetido velhos erros, ido a lugares ou repetido práticas que não mais condizem com o seu novo modo de viver? Jesus frequentaria os lugares que você frequenta? Faria as coisas que você faz? Se você agir sem orar e sem compartilhar com o Senhor os seus planos, pode estar fadado a desperdiçar o seu tempo em jornadas infrutíferas e andar de forma circular.

A igreja que hoje pastoreio foi inaugurada em 2010, mas antes disso, em 2007, fui pastor em Presidente Prudente, SP. Como precisei retornar em razão de questões familiares que nos envolviam na época, pensei que o meu chamado tivesse sido um erro, que não tivesse sido Deus que me enviara para aquela cidade. Depois, entendi que era plano de Deus.

Às vezes, não entendemos o que Senhor quer tratar conosco em cada fase. Por isso, se a sua vida passa por algum retrocesso, procure entender o todo, amplie a visão quanto aos propósitos de Deus para você. Esteja atento à voz de Deus e consagre os seus planos a ele, confiando na vontade soberana do Pai. Creia, Deus cuida de você.

Não deixe de sonhar. Um sonho dado por Deus é poderoso e imparável.

@juniorrostirola

DEVOCIONAL
237/365

LEITURA BÍBLICA
SALMOS 102

PALAVRA-CHAVE
#FRUTÍFERO

ANOTAÇÕES

AVANCE, POIS VOCÊ PODE IR ALÉM

26
AGO

#CAFECOMDEUSPAI

"Conheço as suas obras, o seu amor, a sua fé, o seu serviço e a sua perseverança, e sei que você está fazendo mais agora do que no princípio."

APOCALIPSE 2.19

A carta de Jesus à igreja em Tiatira é a mais longa de suas cartas às sete igrejas em Apocalipse. Jesus a elogia pelo caráter e qualidade de sua fé. Desde o momento em que começaram a seguir Jesus, a fé deles cresceu. Jesus pode ver que sua fidelidade e obediência aumentaram.

Como a fé prosperou nessa comunidade? Jesus identifica várias características que definem essa igreja. Eles praticaram amor e fé. Eles serviram a Deus na cidade em que viveram. E fizeram isso de forma, com perseverança.

Nós podemos aprender a viver pela fé cada vez mais, seguindo o exemplo da igreja em Tiatira. Todos podemos encontrar novas maneiras de crescer em nossa caminhada com Deus. Da mesma forma, somos chamados a continuar o bom trabalho que estamos fazendo.

Para cumprir o propósito de Deus para a sua vida, você precisa crescer. Não pode ficar confortável onde está. No entanto, para crescer, precisará fazer ajustes. Essa é a única maneira de avançar.

Se for preciso enfrentar alguma mudança, faça isso sem medo. Lembre-se de que você é uma obra em construção. A força não está em quem você é, mas em quem é Deus e em quem ele quer que você se torne.

Portanto, não esteja satisfeito com o seu nível atual. Em vez disso, permita que Deus se mova em você e deixe que outros vejam a luz de Deus na sua vida. Que, assim como a igreja em Tiatira, o Senhor reconheça a sua fé, a sua fidelidade, o seu serviço e o seu amor.

Estamos todos em obra. Não permita que o Inimigo prejudique o seu crescimento, convencendo-o de que você nunca será bom o suficiente.

@juniorrostirola

DEVOCIONAL 365
238/365

LEITURA BÍBLICA
SALMOS 103

PALAVRA-CHAVE
#CRESCIMENTO

ANOTAÇÕES

MATURIDADE

"Caindo em si, ele disse: 'Quantos empregados de meu pai têm comida de sobra, e eu aqui, morrendo de fome! Eu me porei a caminho e voltarei para meu pai e lhe direi: Pai, pequei contra o céu e contra ti'."

LUCAS 15.17,18

27
AGO

#CAFECOMDEUSPAI

Vigiar em relação às decisões é muito importante. Muitas vezes, nossas decisões são baseadas no que queremos, não no que realmente precisamos. Às vezes, falta em nós a capacidade de ver o que de fato Deus já nos deu. E por que tomamos decisões baseadas no que queremos, não no que precisamos? Porque nos falta maturidade para discernir o que realmente é importante.

Precisamos buscar viver uma vida madura em Deus. Somente pessoas maduras poderão fazer escolhas assertivas. Podemos citar com o exemplo a história do filho pródigo descrita no texto que lemos. Ele irresponsavelmente tomou uma decisão baseada no que queria, não no que precisava. Isso o levou a uma vida de consequências desesperadoras.

O distanciamento do pai causou naquele jovem um vazio tão grande que o levou a uma situação de humilhação, desconexão, distanciamento e de orfandade. Sua decisão não só gerou uma consequência física ruim, mas mostrou que ele tinha um problema de alma que só Deus podia curar.

A palavra *sozo* no grego significa "salvar ou tornar-se completo". É o que Deus quer fazer em nossa vida. Deus não quer somente nos curar de problemas; ele quer restaurar por completo. Deus quer nos salvar, ou seja, nos libertar, curar e restaurar à posição original de filhos.

O processo de cura começa quando buscamos no Pai não o que queremos, mas o que de fato precisamos: seu amor!

Deus construirá o seu caráter para que você sustente o seu chamado.

@juniorrostirola

DEVOCIONAL
239/365

LEITURA BÍBLICA
SALMOS 104

PALAVRA-CHAVE
#REALINHAR

ANOTAÇÕES

TENHA UMA ATITUDE DE CORAGEM

28
AGO

#CAFECOMDEUSPAI

"Somente seja forte e muito corajoso! Tenha o cuidado de obedecer a toda a lei que o meu servo Moisés ordenou a você; não se desvie dela, nem para a direita nem para a esquerda, para que você seja bem-sucedido por onde quer que andar."

JOSUÉ 1.7

Aquilo que você sabe pode mantê-lo longe dos sonhos de Deus se você não decidir confiar.

@juniorrostirola

DEVOCIONAL
240/365

LEITURA BÍBLICA
JÓ 37

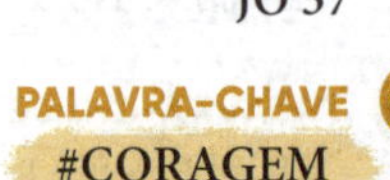

PALAVRA-CHAVE
#CORAGEM

ANOTAÇÕES

Nosso coração é aquecido quando lemos as histórias de pessoas corajosas na Bíblia. Abraão é uma delas, considerado como amigo de Deus. E o que dizer da coragem de Moisés, que, diante do exército do faraó, liderou todo o povo de Deus e o livrou da escravidão do Egito?

Bem, poderíamos continuar citando tantas outras histórias, como, por exemplo, a do jovem Davi, que derrubou um gigante com apenas uma funda e cinco pedras. Creio que, mais do que aquecer o nosso coração, essas histórias têm o propósito de nos ensinar sobre o potencial que temos em Deus.

Em Deus, temos um grande potencial que está guardado em cada um de nós e é evocado quando entendemos que a chave do poder está na combinação de força e coragem que temos com a obediência à Palavra de Deus. Essa foi a chave que liberou o poder sobre Josué. As primeiras palavras de Deus a Josué foram: seja forte e corajoso.

Esse foi o posicionamento que tive. Usei o que tinha disponível na minha vida, ou seja, ousadia, força e coragem, apliquei fé nas palavras liberadas por Deus sobre a minha vida e, com outras tantas pessoas que também foram orientadas pelo Senhor a crer no milagre, temos realizado uma grande obra.

Seja encorajado pela fé, coragem, força e obediência desses homens de Deus. Saiba que o Senhor está com você e lhe dará toda a ousadia de que você precisa. Sim, os inimigos serão assustadores e poderão parecer muito fortes e numerosos, mas você deve ser forte e corajoso!

AMIZADE VERDADEIRA

Aproximem-se de Deus, e ele se aproximará de vocês! Pecadores, limpem as mãos, e vocês, que têm a mente dividida, purifiquem o coração.

TIAGO 4.8

29
AGO

Você se considera amigo de Deus? A exemplo de qualquer amizade, que não surge pronta do dia para a noite, e requer muita dedicação, você deve se esforçar para desenvolver amizade com Deus. É necessário querer de verdade esse relacionamento, ter tempo de qualidade e energia focada nesse propósito.

Se você deseja um vínculo mais profundo e íntimo com Deus, deve aprender a partilhar de forma honesta com ele os seus sentimentos, ter confiança quando ele lhe pedir para fazer algo, obedecer à sua orientação e aprender a se importar com aquilo com o qual ele se importa.

O elemento fundamental de uma amizade mais íntima e profunda com Deus é ser absolutamente sincero a respeito das suas falhas e sentimentos, reconhecendo e colocando aos pés dele todas as suas imperfeições e fraquezas, para que ele o ajude a corrigi-las e superá-las.

O relacionamento de Jesus com o Pai é o modelo para o nosso relacionamento com ele. Jesus fez tudo que o Pai pediu que ele fizesse, graças ao amor dele por todos nós. Jesus buscava estar mais perto do Pai, por meio da oração e do serviço. A vida terrena de Jesus nos ensina o que Deus espera de nós.

A verdadeira amizade não é indolente; ela age. A verdade é: você está tão perto de Deus quanto escolhe estar. Amizade íntima com Deus é uma escolha, não um fato fortuito; você deve buscá-la intencionalmente, dando a ele o melhor do seu tempo, da sua intensidade e de você mesmo, para receber o melhor que está por vir. O Pai espera por você.

A sua provação não é uma indicação para desistir, mas uma indicação de que Deus está ao seu lado.

@juniorrostirola

DEVOCIONAL
241/365

LEITURA BÍBLICA
JÓ 38

PALAVRA-CHAVE
#AMIZADE

ANOTAÇÕES

VOCÊ ESTÁ DISPOSTO?

30
AGO

#CAFECOMDEUSPAI

Estejam vigilantes, mantenham-se firmes na fé, sejam homens de coragem, sejam fortes.

1CORÍNTIOS 16.13

Nós somos o objeto de seu amor e o elemento de maior valor em toda a criação.

@juniorrostirola

DEVOCIONAL
242/365

LEITURA BÍBLICA
JÓ 39

PALAVRA-CHAVE

#AMOR

ANOTAÇÕES

A paternidade não é uma ciência exata e não vem com manual de instruções; só a vivência pode nos ensinar. Mas, se ouvirmos a Palavra de Deus, permitindo que ela transforme nosso coração e ações, ela nos indicará a direção certa.

A passagem acima resume como devemos viver: confiar em Deus, fazer a coisa certa e amar as pessoas ao nosso redor. Seja vigilante, esteja atento, pois vivemos em um mundo distraído, onde é muito fácil perder o foco e desviar-se do que é importante. Seja intencional com o seu tempo. Fique conectado com o que realmente importa e permaneça firme na fé.

Aja como homem e mulher fortes na fé. Melhor ainda, aja como filho. É preciso coragem e força na obediência ao Senhor para fazer isso, mas tenha confiança em seu poder.

Um dos melhores exemplos do amor dos pais pelos filhos é a parábola do filho pródigo. Não importa o que eles façam e das decisões ruins que tomem, o pai sempre ama seus filhos. O amor é paciente e gentil. O amor suporta todas as coisas. O amor nunca acaba.

Para uma paternidade bem resolvida, é necessário acima de tudo ter amor incondicional. Por isso, precisamos aprender como é ser amado incondicionalmente, pois não podemos dar algo que não recebemos. O único que pode nos ensinar isso é o Pai celestial, porque nos ama e nos perdoa incondicionalmente.

Sabe o que isso significa? Deus não impõe condição para perdoar você; o que ele nos pede é que mudemos de vida. Você está disposto?

UM ENCONTRO COM JESUS

Quando Jesus chegou àquele lugar, olhou para cima e lhe disse: "Zaqueu, desça depressa. Quero ficar em sua casa hoje". Então ele desceu rapidamente e o recebeu com alegria.

LUCAS 19.5,6

31
AGO

#CAFECOMDEUSPAI

Certamente você deve conhecer essa passagem. Ao passar pela cidade de Jericó, Jesus se vê cercado por uma multidão. Zaqueu, o chefe dos cobradores de impostos, para ver Jesus, subiu em uma árvore. Jesus o observou ali e disse que naquela noite se hospedaria em sua casa. Isso mudou a vida dele para sempre.

Zaqueu valorizou aquele encontro, pois a salvação chegou àquele lar. Como consequência desse encontro, Zaqueu passou por uma transformação, de um coração avarento para um coração doador. Ele se arrependeu dos seus pecados e doou a metade dos seus bens, comprometendo-se a devolver quatro vezes mais os valores indevidos que havia extorquido de outras pessoas.

Esse encontro fez que a vida daquele cobrador de impostos malvisto pela sociedade tivesse sua vida transformada para se parecer cada vez mais com o Deus Pai. Escale o mais alto que puder, para que assim os seus olhos possam encontrar os olhos de Jesus.

Você já teve um encontro com Jesus? Lembra-se de como foi a sua experiência? A minha foi inesquecível. Lembro-me até da música que era cantada naquele dia. Foi algo que marcou minha história e possibilitou que a minha realidade fosse transformada. Nunca mais caminhei sozinho. Mesmo que as pessoas me vissem sem ninguém ao meu lado, o Senhor estava comigo.

Se você não teve esse encontro, gostaria de ter hoje? Ore neste momento de forma simples, mas verdadeira. O Senhor está só esperando você começar.

Os encontros com Jesus são restauradores.

@juniorrostirola

DEVOCIONAL
243/365

LEITURA BÍBLICA
JÓ 40

PALAVRA-CHAVE
#TRANSFORMAÇÃO

ANOTAÇÕES

O TEMPO DO
SEU PROCESSO
NÃO SERÁ
MAIOR DO QUE
A **PROMESSA** DE
DEUS NA SUA VIDA!

@juniorrostirola

café
com
Deus
pai

SETEMBRO

café
com
Deus
pai

SIRVA COM FIDELIDADE

"O Senhor respondeu: 'Muito bem, servo bom e fiel! Você foi fiel no pouco, eu o porei sobre o muito. Venha e participe da alegria do seu senhor!'"

MATEUS 25.23

01
SET

#CAFECOMDEUSPAI

Poucas coisas são mais mortíferas para a alma do que pensar que sua vida significa pouco mais do que uma coisa após a outra. No entanto, é assim que muitas vezes nos sentimos. Em muitos dias, vemos nosso emprego, carreira ou família como onde acabamos na vida. De fato, pode parecer um pouco presunçoso pensar que há algum plano diretor por trás de toda situação em que você esteja agora.

A Bíblia nos diz que os eventos da nossa vida fazem sentido porque constituem parte de uma história muito maior. As lutas do mês passado ou as vitórias que poderemos reivindicar nas próximas semanas não são simplesmente ocorrências do acaso. Elas fazem parte de uma história que caminha rumo a algum lugar.

O trabalho que você faz, as pessoas com quem você compartilha a vida, as habilidades que tem e as fraquezas com as quais você luta fazem parte de uma coleção de elementos destinados a criar uma história realmente boa: a sua história.

Se você parasse neste instante e desse início à escrita de toda a sua história de vida, onde Jesus se encaixaria?

Cada um de nós é criado para um propósito, independentemente de acreditarmos ou não em Deus. Para cumprir esse propósito, o Senhor nos confiou dons e recursos que devem ser usados para servi-lo e na construção do seu Reino aqui na terra. Você tem sido um agente de promoção do Reino?

As pessoas podem esquecer o que você disse, mas nunca esquecerão como você as fez sentir.

@juniorrostirola

DEVOCIONAL
244/365

LEITURA BÍBLICA
SALMOS 105

PALAVRA-CHAVE
#SABEDORIA

ANOTAÇÕES

VIVA A SUA IDENTIDADE

02
SET

#CAFECOMDEUSPAI

O homem lhe perguntou: "Qual é o seu nome?" "Jacó", respondeu ele. Então disse o homem: "Seu nome não será mais Jacó, mas sim Israel, porque você lutou com Deus e com homens e venceu".

GÊNESIS 32.27,28

É comum os pais escolherem nomes relacionados à relevância das pessoas pelo seu *status* histórico, midiático, e até mesmo em homenagem a uma pessoa de grande importância na sua vida. Eu, por exemplo, recebi o nome do meu pai e, sendo sincero, sempre lutei contra.

Nos tempos bíblicos, não era diferente. O nome era muitas vezes ligado à história de nascimento da pessoa; por isso, quando alguém tinha o direcionamento de vida transformado pelo Senhor, era comum a mudança de nome, como ocorreu com Abrão, que passou a chamar-se Abraão. Jacó, que carregava em seu nome o peso negativo do significado "usurpador", após um encontro com Deus, teve sua vida transformada e ganhou um novo sentido; por esse motivo, seu nome foi mudado para Israel.

Na minha vida, durante muitos anos, dado o histórico do meu pai, muitos me conheciam como o filho do cachaceiro, daquele que agredia e não amava sua família. No entanto, um encontro, um convite, uma mudança de rota, permitiu que eu me livrasse desses rótulos e vivesse a minha verdadeira identidade de filho de Deus. Eu não conheço a sua história nem o seu nome, mas, assim como a minha realidade foi difícil e esteve atrelada por muito tempo à influência do meu pai, eu muitas vezes me vi sem identidade. Pensava que a vida não teria sentido, propósito e realização, mas, caminhando com o Senhor e acreditando nas palavras que foram liberadas sobre a minha vida, hoje posso afirmar que experimentei uma grande mudança.

O meu nome não foi mudado, mas a minha identidade sim. Você não vai ter o nome mudado, mas poderá viver a sua verdadeira identidade. Então, assim como Deus fez com Jacó, acredite que ele pode fazer o mesmo em você.

Você não pode cumprir o seu propósito se a sua identidade não estiver bem resolvida.

@juniorrostirola

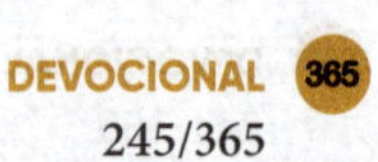

DEVOCIONAL
245/365

LEITURA BÍBLICA
SALMOS 106

PALAVRA-CHAVE
#IDENTIDADE

ANOTAÇÕES

REMODELADO

Esta é a palavra que veio a Jeremias da parte do SENHOR: "Vá a casa do oleiro, e ali você ouvirá a minha mensagem". Então fui a casa do oleiro, e o vi trabalhando com a roda. Mas o vaso de barro que ele estava formando estragou-se em suas mãos; e ele o refez, moldando outro vaso de acordo com a sua vontade.

JEREMIAS 18.1-4

03 SET

#CAFECOMDEUSPAI

Observamos nessa passagem que a forma como o Senhor trabalha na nossa vida é singular. Ao abrir os olhos do profeta Jeremias para ver como ele atuava, Deus revelou o que ele representa na nossa vida e o que é capaz de fazer. Como o oleiro fabrica um vaso e tem o poder de refazê-lo, assim Deus faz conosco, quando as circunstâncias da vida nos ferem e nos sentimos quebrados.

Deus não desiste de nós, mesmo quando falhamos em cumprir o propósito para o qual fomos criados. O Oleiro não descarta o vaso quebrado; Deus não desiste de nós. Portanto, se hoje você se sente como um vaso quebrado, descartado em um canto como algo imprestável, Deus pode restaurar a sua vida. Precisamos é reconhecer e acreditar que ele é poderoso para fazer como ele quer; afinal, ele conhece a nossa realidade; isto é, ele sabe das nossas fissuras e rachaduras.

Sabe, o Senhor, o Oleiro, não abre mão de fazer de você um vaso novo; no entanto, ele não deseja fazer isso sem a sua permissão. Portanto, acredite, mesmo que você tenha caído, fracassado ou se desviado de uma vida em comunhão com Deus, ele não olha para você com desprezo nem com condenação; ele olha para você como uma grande obra em suas mãos. Então, neste dia, acredite, entregue e confie a sua vida ao Oleiro divino. Assim como ele transformou a minha vida, irá transformar a sua, pois você é um vaso de honra que, após ser trabalhado por ele, cumprirá os propósitos eternos que ele mesmo designou para a sua vida. À semelhança do vaso que foi refeito pelo oleiro, permita-se hoje ser remodelado pelo Senhor.

Deus é especialista em nos moldar em meio às dores, catalisando e transformando a nossa realidade.

@juniorrostirola

DEVOCIONAL
246/365

LEITURA BÍBLICA
SALMOS 107

PALAVRA-CHAVE
#CONSERTO

ANOTAÇÕES

JESUS É A SUA ESPERANÇA

04
SET

#CAFECOMDEUSPAI

Então os olhos deles foram abertos e o reconheceram, e ele desapareceu da vista deles.

LUCAS 24.31

O que você tem esperado para mudar de vida e fazer algo diferente? Um emprego melhor e com maior remuneração? Um futuro companheiro em um casamento dos sonhos? Filhos perfeitos? Ganhar na loteria? Usamos o termo "esperança" para nos referir a sonhos falsos, ilusões, fantasias e coisas do gênero, mas poucos de nós realmente entendem o que é a verdadeira esperança, definindo essa palavra por uma série de conceitos errados.

Tenha a esperança renovada em Deus e prepare-se para voar alto.

@juniorrostirola

A esperança na perspectiva bíblica traz uma certeza de que a fé é baseada nas promessas de um Deus que nunca mente e que sempre se mantém fiel à sua palavra. A esperança permite que as pessoas continuem perseverando por muito tempo, mesmo em meio às dificuldades, porque promete dias melhores e horizontes mais brilhantes.

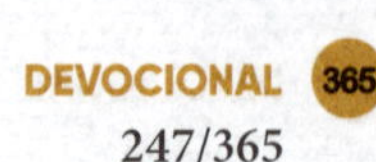

DEVOCIONAL
247/365

LEITURA BÍBLICA
JÓ 41

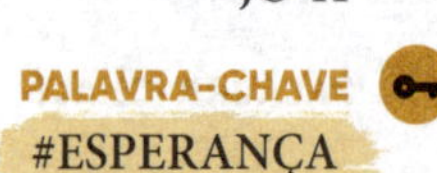

PALAVRA-CHAVE
#ESPERANÇA

ANOTAÇÕES

A nossa esperança está em Jesus, por meio de quem temos a redenção, o renovo e a promessa da eternidade. Não importa o que você tenha feito de errado ou o sofrimento que está passando, Deus promete que a esperança está disponível a você, por causa de três verdades imutáveis da Bíblia.

A primeira verdade é que Deus é um Deus de segundas chances, perdão e redenção. Nunca é tarde para acertar com o Senhor, porque ele está sempre pronto para transformar o que você lhe der em algo útil. Em segundo lugar, Deus tem o poder de tornar todas as coisas novas, até mesmo você. Ele oferece a você um novo começo todos os dias. Finalmente, Deus nunca retém o que é bom, para que você tenha esperança de que ele dará o que você precisa e o sustentará através das provações.

VOE COMO AS ÁGUIAS

Mas aqueles que esperam no SENHOR renovam as suas forças. Voam alto como águias; correm e não ficam exaustos, andam e não se cansam.

ISAÍAS 40.31

05
SET

#CAFECOMDEUSPAI

As águias são aves incomuns, descritas nas Escrituras como uma imagem da vida cristã vitoriosa. As águias voam em grandes altitudes. Se você quer ser um cristão águia, precisa voar com outras águias e ficar longe de pardais e corvos. Quando uma águia vê sua presa, ela não muda de foco até capturá-la com sucesso. Para ter sucesso, precisamos ter uma visão clara e permanecer focados, independentemente dos obstáculos.

Uma águia usa o vento da tempestade para se elevar bem acima das nuvens. Podemos usar as tempestades da vida para elevar-nos a maiores alturas. As águias nem sempre têm uma vida fácil e suave, nem nós. Mas, como ilustram as águias, Deus nos chama a esperar por ele e a aprender a subir mais alto, acima dos cuidados, das provações e atividades triviais da vida.

Há momentos em que a nossa força não é suficiente. A promessa de Deus por meio de Isaías no versículo de hoje diz que, quando estivermos cansados, subiremos como águias. Como isso é possível? A promessa subjacente é que nossas asas serão levantadas, e o vento soprará por baixo.

Não é a nossa força que nos faz subir; é Deus quem nos levanta pelo seu poder. Você está exausto hoje? Sente-se fraco? Espere no Senhor e confie que ele irá renovar as suas forças e o seu vigor. O Senhor será a sua fonte de força, de alegria, o seu refúgio e proteção. Confie em Deus para erguer as suas asas, para lhe dar nova força e poder, à medida que depende dele todos os dias.

Quem determinará a quantidade de vitórias e conquistas neste novo tempo é você!

@juniorrostirola

DEVOCIONAL
248/365

LEITURA BÍBLICA
JÓ 42

PALAVRA-CHAVE
#CONFIANÇA

ANOTAÇÕES

CONECTE-SE AO SENHOR

06
SET

#CAFECOMDEUSPAI

Em seu coração o homem planeja o seu caminho, mas o SENHOR determina os seus passos.

PROVÉRBIOS 16.9

Entregue o seu caminho ao Senhor e confie em que ele fará sua boa, perfeita e agradável vontade em sua vida.

@juniorrostirola

DEVOCIONAL
249/365

LEITURA BÍBLICA
1TIMÓTEO 1

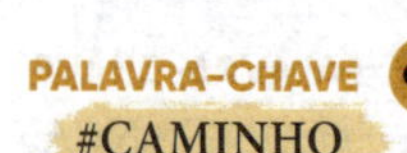

PALAVRA-CHAVE
#CAMINHO

ANOTAÇÕES

Quando viajamos, seja nas férias, seja em um simples fim de semana, sempre pensamos no destino. Então, por que na vida muitas vezes não temos esse direcionamento? Se você não sabe o lugar ao qual quer chegar, não chegará a lugar algum. O primeiro ponto é saber aonde você quer chegar em Deus. O que Deus tem falado ao seu coração e quais são as suas metas, os seus projetos e o que você determinou para viver o extraordinário? Que você faça o que nunca fez para viver o que nunca viveu.

A decisão de separar um tempo de qualidade para conectar-se com o Senhor já é um indicativo de que você está caminhando em direção à promessa de Deus, porque a fé vem pelo ouvir, e ouvir a Palavra de Deus. Tenha fé de que o seu dia terminará muito melhor do que iniciou, pois aquele que prometeu é fiel e justo para cumprir. Com isso, vemos quão importante é meditar na Palavra e ter uma vida de devoção ao Senhor.

Há coisas que cabem a nós fazer. Mas nunca se esqueça de que Deus é um Pai de promessas. Todos os dias, ele quer levar você a grandes conquistas, derramar sobre sua vida bênçãos que nunca imaginou, levando-o a viver o extraordinário, ao realizar coisas que você jamais imaginou serem possíveis. Então, siga a direção que o Pai lhe indica!

Aproveite este tempo para falar com ele e ouvi-lo. Com certeza, os planos do Senhor serão de fazê-lo prosperar e não lhe causar dano. Ele tem um futuro promissor para a sua vida. Dedique-se em viver exatamente o que ele lhe direcionar e experimente um renovo completo na sua jornada.

EM CRISTO SOMOS LIVRES

Foi para a liberdade que Cristo nos libertou. Portanto, permaneçam firmes e não se deixem submeter novamente a um jugo de escravidão.

GÁLATAS 5.1

07
SET

#CAFECOMDEUSPAI

Viver em liberdade e independência é muito mais do que direito e garantia fundamental; é viver os propósitos de Deus. É sobre essa liberdade que Paulo nos ensina em sua carta aos gálatas.

Hoje temos o privilégio de viver em uma sociedade democrática. Todavia, mesmo não tendo correntes em nossos calcanhares, podemos estar cativos de emoções, sentimentos ou traumas.

Comemoramos hoje o marco histórico em que o nosso país deixou de ser colônia de outra nação, para ser uma nação autônoma e independente. No entanto, saiba que em Jesus a sua independência não é territorial, vinculada a uma porção geográfica de terra; com Cristo, a independência é vertical, direcionada aos céus, onde ele lhe garante cidadania e liberdade.

O grito para a nossa independência espiritual não se deu às margens de um rio; ele ocorreu no cume de um monte. Tampouco o nosso libertador estava montado em um cavalo, empunhando uma espada; ele gritou por nossa liberdade pregado em uma cruz. Com Jesus, somos livres para viver a plenitude, libertos da escravidão do pecado, remidos e elevados à condição de filhos de Deus.

Então, creia que você é livre. Assim, é possível ser cada dia uma pessoa melhor, mais forte e imbatível ao usufruir da liberdade dos grilhões do pecado que o Senhor lhe proporcionou. Por isso, seja livre para ser quem Deus o projetou para ser e permita que hoje seja um dia profético para esta nação!

Não deixe que as situações da vida determinem a sua fé em Deus.

@juniorrostirola

365 **DEVOCIONAL**
250/365

LEITURA BÍBLICA
1TIMÓTEO 2

PALAVRA-CHAVE
#LIVRES

ANOTAÇÕES

SEJA SERVO

08
SET

#CAFECOMDEUSPAI

Mas esvaziou-se a si mesmo, vindo a ser servo, tornando-se semelhante aos homens.

FILIPENSES 2.7

O orgulho gera engano e torna as pessoas cegas, mas a humildade abre os olhos e amplia a visão.

@juniorrostirola

DEVOCIONAL
251/365

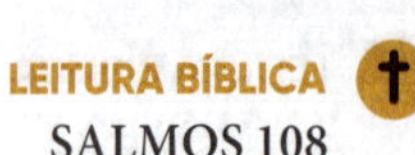
LEITURA BÍBLICA
SALMOS 108

PALAVRA-CHAVE
#HUMILDADE

ANOTAÇÕES

Essa é uma das passagens de que eu mais gosto na Bíblia, porque Jesus, sendo o próprio Deus, esvaziou-se a si mesmo e se colocou numa posição de servo. Essa verdade me ensina muito e me faz olhar todos os dias para dentro de mim e enxergar quanto precisamos aprender com Jesus, buscar a semelhança com ele e servirmos ao próximo.

Jesus nos ensina com sua vida que o mais importante não é aquele que se senta à cabeceira da mesa, mas aquele que puxa a cadeira para os demais se sentarem. Por isso, todos nós precisamos servir mais do que ser servidos.

No final de seu ministério na terra, na noite em que iria ser traído e preso, antes de cear com os discípulos, Jesus os impactou, ao dar o maior exemplo de uma liderança servidora, lavando os pés de cada um dos 12 discípulos.

Compreenda que, sendo Jesus o Rei dos reis, em nenhum momento usou de suas prerrogativas divinas para vanglória pessoal ou para mostrar-se superior às demais pessoas. Da mesma forma, não podemos nos julgar superiores ou melhores do que ninguém.

Se o Rei da glória governou na terra sem nem ao menos ter onde reclinar a cabeça, lavando os pés daqueles que o seguiam, cabe a nós conservar a humildade e nos pôr sempre à disposição daqueles que estiverem ao nosso redor. Devemos nos esforçar diariamente para sermos mais parecidos com Jesus em seu amor e serviço. Lave os pés dos seus irmãos e sirva-os como Jesus o fez. Considere-se o último para que o Senhor o tenha por primeiro.

SUPERANDO O IMPOSSÍVEL

Ao ouvirem isso, os discípulos ficaram perplexos e perguntaram: "Neste caso, quem pode ser salvo?" Jesus olhou para eles e respondeu: "Para o homem é impossível, mas para Deus todas as coisas são possíveis".

MATEUS 19.25,26

09
SET

#CAFECOMDEUSPAI

A palavra "impossível" é incompatível com a Palavra de Deus, pois faz referência àquilo que não pode acontecer, a algo inacessível no mundo natural. Como cristãos, o impossível, por não existir para Deus, pode tornar-se em uma possibilidade; afinal, tudo é possível ao que crê. Sabe, desde que descobri essa verdade sobre Deus, a minha vida nunca mais foi a mesma. Consegui sair do mundo limitado das minhas ideias e pude navegar pelas asas da fé.

Talvez você hoje viva em meio a situações nas quais não consiga visualizar o impossível de Deus. É realmente muito difícil enxergar o impossível a olho nu. Para contemplar o impossível e acreditar que podemos alcançá-lo, precisamos de fé sobrenatural. Crer em Deus e firmar-se em sua Palavra é o alicerce para a superação. A fé nos faz ver o invisível e alcançar o impossível! Talvez hoje você tenha grandes situações para superar, ou, quem sabe, situações impossíveis aos olhos naturais. Saiba que, pela fé no Deus que não tem limites, você pode desafiar essa situação e acreditar que nele você pode tudo!

Não, não importa o tamanho do problema! Para Deus nada é impossível. Entenda que ***o limite é algo natural; o impossível, sobrenatural***. No natural, você faz o possível: crer em Deus. No sobrenatural, Deus faz a parte dele, o impossível.

Pessoas que se deixam levar pelo sofrimento são alvos fáceis de destruição. No entanto, aquelas que tiram forças do sofrimento e olham para Deus são capazes de superar qualquer adversidade. Tenha fé e entregue a Jesus todos os fardos e lutas que tem carregado até hoje. Clame para que ele lute as suas batalhas e você supere com ele os seus impossíveis.

Fé é a certeza de que Deus entrará com providência, mesmo quando todas as circunstâncias apontam ser impossível.

@juniorrostirola

365 **DEVOCIONAL**
252/365

LEITURA BÍBLICA
SALMOS 109

PALAVRA-CHAVE
#CRER

ANOTAÇÕES

FAÇA DIFERENÇA

10
SET

#CAFECOMDEUSPAI

Em seguida, virou-se para a mulher e disse a Simão: "Vê esta mulher? Entrei em sua casa, mas você não me deu água para lavar os pés; ela, porém, molhou os meus pés com suas lágrimas e os enxugou com seus cabelos".

LUCAS 7.44

A sua atitude determinará o lugar onde você vai estar.

@juniorrostirola

DEVOCIONAL
253/365

LEITURA BÍBLICA
SALMOS 110

PALAVRA-CHAVE

#ATITUDE

ANOTAÇÕES

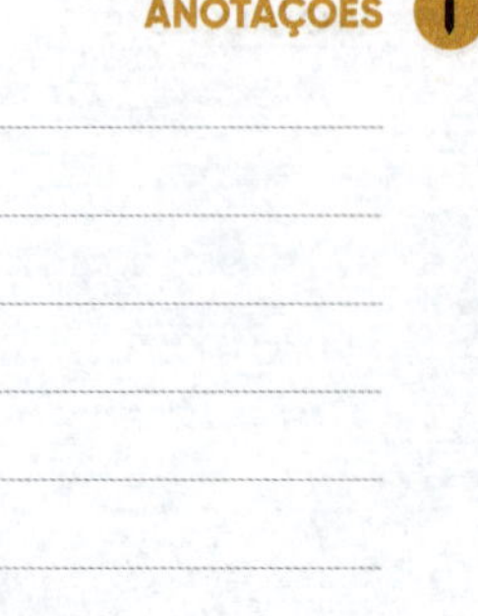

Certo dia, um fariseu convidou Jesus para jantar. A maioria dos fariseus não o via com bons olhos. Alguns se aproximavam para saber mais sobre seu propósito, como Simão. Era costume as mulheres não sentarem à mesa com os homens. Contudo, nesse jantar, uma mulher inesperadamente quebrou o protocolo e foi ao encontro de Jesus e, com suas lágrimas, lavou-lhe os pés e enxugou-os com os cabelos.

É notável a diferença de tratamento dado a Jesus pelo abastado fariseu e por aquela mulher. Talvez o fariseu desejasse a oportunidade de ter Jesus à sua mesa, mas nada ofereceu a ele além da comida, ao passo que aquela mulher, simples e humilde, quebrou o protocolo de sua época, venceu o preconceito e prostrou-se aos pés dele.

Muitas vezes, somos como aquele fariseu, presos a uma visão materialista e a dogmas. Queremos apenas ter Jesus à mesa, mas não estamos dispostos a ser generosos, tampouco a derramar a nossa vida na presença dele. A mulher nos ensina que fazer diferença é quebrar protocolos e entregar a Jesus não só algo de valor, mas, sobretudo, todo o nosso ser, como gratidão pela maior obra que ele fez por nós, a salvação.

Desse modo, podemos refletir sobre quem somos realmente em Deus. Muitas vezes, o que nos impede de fazer diferença é o fato estarmos presos em uma identidade farisaica, de orgulho. Queremos Jesus à mesa, mas não preparamos uma adoração verdadeira nem nos prostramos diante dele. Sabe, Deus tem muitos planos para realizar na nossa vida. Ele espera que nós, como aquela mulher, tenhamos atitude e abandonemos o que nos prende e afasta dele, para fazermos diferença vivendo a seus pés.

UM CORAÇÃO NOVO

Cria em mim um coração puro, ó Deus, e renova dentro de mim um espírito estável. Não me expulses da tua presença nem tires de mim o teu Santo Espírito.

SALMOS 51.10,11

11 SET

#CAFECOMDEUSPAI

Na história, existiram vários homens e mulheres notáveis, que deixaram sua marca. O legado deles se perpetuou por gerações e inspira as pessoas a seguirem seu exemplo. Todavia, por mais heroicas que sejam todas essas pessoas, foram imperfeitas em sua caminhada; e, por mais altruístas e virtuosas que sejam, em decorrência de sua natureza humana, também cometeram erros ao longo de sua jornada.

Davi, um homem que amava ao Senhor, sendo o rei segundo o coração Deus, não conseguiu viver uma vida livre de pecado. Mas não é por isso que devemos nos conformar e aceitar passivamente a nossa inclinação involuntária ao erro, a exemplo de Davi, que no salmo 51 expressa seu arrependimento e busca redimir-se de suas iniquidades a fim de restaurar sua intimidade com o Pai. Desse modo, precisamos examinar diariamente o nosso coração, bem como as nossas ações, pois, se olharmos apenas para nós mesmos, não encontraremos esperança. Contudo, ao nos inspirarmos em Jesus, vemos esperança e vida, pois ele é singular; toda a sua história de vida aqui na terra é sobrenatural e única.

Ninguém foi ou é como Jesus em seu nascimento, em sua vida, muito menos em seu sofrimento. Ninguém se assemelha a ele, pois tudo que ele viveu não foi para si, mas em nosso favor. Então, jamais encontraremos maior inspiração para a vida do que em Jesus.

Se até esta leitura a sua percepção acerca de Cristo era de que o Senhor espera perfeição de você, tranquilize o seu coração, pois não é nada disso, pois nele somos restaurados e renovados à condição de filhos, por meio da graça e da misericórdia do Pai, para uma vida plena.

Uma vida feliz é o resultado de um coração ardente de amor por Jesus.

@juniorrostirola

DEVOCIONAL
254/365

LEITURA BÍBLICA
1TIMÓTEO 3

PALAVRA-CHAVE
#AMOR

ANOTAÇÕES

A MULTIPLICAÇÃO VIRÁ

12
SET

#CAFECOMDEUSPAI

Filipe lhe respondeu: "Duzentos denários não comprariam pão suficiente para que cada um recebesse um pedaço!" Outro discípulo, André, irmão de Simão Pedro, tomou a palavra: "Aqui está um rapaz com cinco pães de cevada e dois peixinhos, mas o que é isto para tanta gente?"

JOÃO 6.7-9

Fé é a certeza de que Deus entrará com providência, mesmo quando todas as circunstâncias apontam ser impossível.

@juniorrostirola

Em nossa caminhada com Jesus, sempre veremos pessoas que precisam de algo que vá ao encontro de suas necessidades. Nesses momentos, somos confrontados a ajudar aqueles que estão mais fracos ou necessitados do que nós, mas em vários momentos como estes nos vemos impossibilitados, com escassos recursos.

Nesses momentos o que é impossível precisa da nossa fé. Só que às vezes não temos fé suficiente, pois achamos que o que temos nas mãos é muito pouco. Na história lida, aprendemos que o nosso pouco nas mãos de Jesus é o suficiente; aliás, gosto muito dessa frase. Aos olhos dos discípulos, nunca foi suficiente, mas Deus não vê como nós vemos. O Senhor é poderoso para realizar o milagre da multiplicação e para operar o que pensamos ser impossível.

Para vivermos uma vida de multiplicação, precisamos confiar a Deus o que não é suficiente. Entenda que Jesus vai multiplicá-lo e que uma multidão será abençoada por meio do que você dispõe e entrega a Jesus. Ainda que você tenha pouco, o que importa é que a intenção do seu coração seja de trazer bênçãos e que a sua fé esteja voltada para o que Deus é, não para o que você tem.

Deus nos diz hoje que a multiplicação não tem a ver com o que temos, mas, sim, com aquilo que entregamos a Jesus. Portanto, depositemos nas mãos de Jesus o que temos conosco para que, por meio disso, o Senhor transforme a história da multidão que nos cerca.

DEVOCIONAL 365
255/365

LEITURA BÍBLICA
1TIMÓTEO 4

PALAVRA-CHAVE
#CONFIANÇA

ANOTAÇÕES

NÃO ACEITE IMITAÇÕES

"Quem crer em mim, como diz a Escritura, do seu interior fluirão rios de água viva."

JOÃO 7.38

13 SET

#CAFECOMDEUSPAI

Vivemos tempos em que coisas originais estão na moda e são muito mais valorizadas. Sabe por quê? As pessoas estão desiludidas e cansadas com as cópias e as falsificações que entregam um resultado medíocre e insatisfatório e estão buscando coisas reais. Mas por quê? Porque elas são confiáveis por serem verdadeiras. Muitas imitações e cópias similares são oferecidas, mas nenhuma delas cumpre o real objetivo que é oferecido pelo produto original. Isso não se aplica somente aos bens de consumo, mas também às relações interpessoais, entre as quais é possível distinguir relacionamentos verdadeiros e falsos.

Você sabia que isso se aplica também à fé? As pessoas estão ficando cansadas de evangelhos, de denominações e movimentos, porque esse sistema pode categorizar e limitar a fé, de tal modo que separe e divida ainda mais as pessoas em oposição ao verdadeiro princípio do evangelho, que visa à comunhão e à paz.

Os discípulos precisaram passar por um processo de aprendizado até serem comissionados a anunciar as boas-novas. Foram muitas idas e vindas; puxões de orelhas do Mestre; ensino teórico e prático; sobretudo, entrega, submissão e obediência.

Então, enfrente cada etapa como tempo de aprendizado e aperfeiçoamento. Tenha uma fé original, genuína e pautada somente nos ensinamentos de Jesus. Assim, rios de água viva fluirão do seu interior, pois a revelação de Jesus o libertará. A Palavra de Deus é única e verdadeira. Siga somente Jesus. Seu evangelho de amor e salvação é genuíno; não aceite imitações.

O amor de Deus Pai é sobrenatural, imensurável, e nos faz suportar todas as situações que possam nos abater.

@juniorrostirola

DEVOCIONAL
256/365

LEITURA BÍBLICA
1TIMÓTEO 5

PALAVRA-CHAVE
#ORIGINALIDADE

ANOTAÇÕES

VOCÊ TEM SEDE?

14
SET

#CAFECOMDEUSPAI

Jesus lhe respondeu: "Se você conhecesse o dom de Deus e quem está pedindo água, você lhe teria pedido e dele receberia água viva". Disse a mulher: "O senhor não tem com que tirar água, e o poço é fundo. Onde pode conseguir essa água viva?"

JOÃO 4.10,11

O que ganhei quando fui quebrantado foi realmente mais valioso do que aquilo que perdi.

@juniorrostirola

DEVOCIONAL
257/365

LEITURA BÍBLICA
1TIMÓTEO 6

PALAVRA-CHAVE

#INESGOTÁVEL

ANOTAÇÕES

Jesus iniciou aquela conversa humildemente pedindo água. Sua humildade e humanidade foram maiores que sua religião. Ir ao poço machucava aquela mulher, por isso ela escolhia ir em um horário no qual não houvesse mais ninguém lá, por sua condição de indignidade perante a sociedade.

A mulher, acostumada com reações nocivas, põe-se na defensiva, mas aos poucos é desarmada e se rende a ele. É comum pessoas feridas, em instinto de defesa, serem mais reservadas ou até ríspidas. Mas, a exemplo da mulher samaritana, saia da defensiva e se renda a Jesus. Deixe-o ministrar fundo na sua alma, pois ele não deseja oferecer somente um pouco de água, uma solução temporária para o seu problema.

Em meu livro *Encontrei um Pai*, descrevo um pouco sobre o processo de cura da orfandade. Se há algo que conheço bem é o desafio de tocar nas feridas que cobrimos, ignorando que existem, tentando curá-las, sem que haja tratamento adequado. O que Jesus fez à samaritana foi aplicar-lhe o tratamento adequado, assim como fez comigo, trazendo-me cura para cada ferida da minha alma.

Jesus quer nos dar uma fonte inesgotável. Ele quer lhe dar um futuro de fartura e abundância, pois seus planos são de nos ver vencer e prosperar, e sua fonte de amor é inesgotável.

Não questione o modo que Jesus fará o que promete. Isso é com ele. Cabe a você somente acreditar que ele pode fazer o que promete e cumpre o que diz. Receba-o em sua vida hoje!

ESCOLHA FAZER DEUS SORRIR!

"Existe alguma coisa impossível para o Senhor? Na primavera voltarei a você, e Sara terá um filho."

GÊNESIS 18.14

15
SET

#CAFECOMDEUSPAI

Sara, esposa de Abraão, era de idade avançada e estéril, mas com a promessa de Deus ela pôde gerar um filho. Não existe nada impossível para Deus. Contudo, da mesma forma que uma semente é a promessa de uma árvore, tem o DNA de algo extraordinário e só vai prosperar se for plantada em terra fértil. Nós, que fomos criados à imagem e semelhança de Deus, só vamos realmente viver o propósito dele na terra se discernirmos as coisas espiritualmente, obedecendo à Palavra e tendo atitudes de fé: discernimento, obediência e confiança. As três caminham juntas, abraçadas para que possamos cumprir o propósito do Pai.

Deus quer abençoar todos nós. Eu tenho dois filhos, João Pedro e Isabella, e sonho grandes coisas para os dois. Não desejo dar mais a um e menos a outro; quero ser justo e abençoar ambos igualmente. Assim também é com Deus: ele não faz acepção entre seus filhos.

Certa vez, numa conversa com o João Pedro, disse a ele que eu sempre iria amá-lo, independentemente das atitudes dele. Mas ele tinha duas escolhas: primeira, me fazer sorrir com as atitudes; segunda, me fazer chorar.

Nós também temos duas escolhas, fazer o nosso Pai se alegrar ou se entristecer com as nossas escolhas. "Na primavera" que está chegando, Deus quer voltar com a bênção nas mãos para alegrar o seu coração. Não há nada impossível para o Senhor e não há nada que ele queira mais do que compartilhar conosco seus planos e projetos. Qual tem sido a sua reação quanto ao que Deus tem visto na sua vida? Decida hoje começar a fazê-lo sorrir com os seus passos.

Você pode escolher enfrentar a mudança ou decidir permanecer como está.

@juniorrostirola

365 **DEVOCIONAL**
258/365

LEITURA BÍBLICA
SALMOS 111

PALAVRA-CHAVE
#ESCOLHA

ANOTAÇÕES

ELE ESTÁ CONTIGO

16
SET

#CAFECOMDEUSPAI

"Por isso não tema, pois estou com você; não tenha medo, pois sou o seu Deus. Eu o fortalecerei e o ajudarei; eu o segurarei com a minha mão direita vitoriosa."

ISAÍAS 41.10

Deus Pai nos dá a força e o entendimento necessários para vencermos os desafios diários.

@juniorrostirola

DEVOCIONAL 365
259/365

LEITURA BÍBLICA
SALMOS 112

PALAVRA-CHAVE
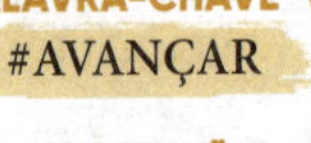
#AVANÇAR

ANOTAÇÕES

Imagine que você possa caminhar por jardins totalmente floridos até onde a sua vista alcança. Na vida, muitas vezes caminhamos por lugares assim. Quando tudo está dando certo, você está em busca de um milagre e, de repente, o milagre acontece e tudo ao seu redor é maravilhoso, transformado pela fé e pela entrega.

Também podemos caminhar em campinas. Apesar de não ser tão belas quanto um jardim florido, é um belo lugar por onde caminhar, onde podemos desfrutar de algo bom, com o vento soprando, ou seja, um tempo de refrigério. Mas também há outro caminho que se torna um pouquinho mais difícil, caminhar pelos montes, em que será necessária maior perseverança diante das inclinações do solo e dos diversos obstáculos e maior esforço. Mas, quanto mais você sobe, melhor e mais belo é o ambiente, e, apesar do esforço e do cansaço, mais você deseja subir.

Assim deve ser a nossa busca por intimidade com o Senhor, pois, quanto mais o adoramos e buscamos viver na presença dele, tudo se torna mais belo ao nosso redor. Não é um caminho fácil. Somos desafiados pelo cansaço, pelo desânimo e pelas adversidades, mas, quanto mais avançamos na fé, mais nos sentimos motivados a estar mais perto do Senhor, pois sabemos, pela fé, que no final valerá a pena.

Decida hoje caminhar de forma intencional em intimidade com Deus Pai. Por mais difícil que seja a jornada, essa será a sua melhor escolha. Reflita sobre onde você tem caminhado: é um caminho que você escolheu por conta própria ou foi Deus quem direcionou você a ele? Se foi ele que fez isso, não tenha medo; não fique atemorizado, pois o Senhor está com você!

AGINDO COM MISERICÓRDIA

“Qual destes três você acha que foi o próximo do homem que caiu nas mãos dos assaltantes?” “Aquele que teve misericórdia dele”, respondeu o perito na lei. Jesus lhe disse: “Vá e faça o mesmo”.

LUCAS 10.36,37

17
SET

#CAFECOMDEUSPAI

Quando inquirido por um mestre da lei sobre como herdar a vida eterna, Jesus respondeu com uma parábola comumente conhecida como a parábola do bom samaritano. Na história, um homem, após ser assaltado e ferido, é deixado à beira da estrada. Por ali passa um sacerdote, que não lhe presta socorro, possivelmente por causa das rígidas leis cerimoniais, que proibiam os sacerdotes de tocar em cadáveres e lhes exigiam rituais de purificação. Posteriormente, pelo mesmo caminho, um levita transita e também lhe nega ajuda, certamente por ter passado pelo sacerdote e, temendo a desaprovação deste, por não ter ajudado ao homem, também passa longe. Por fim, no local passou um samaritano, que cultural e religiosamente era rival dos judeus, mas que ignorou essas diferenças e prestou auxílio ao homem ferido, sem fazer nenhuma acepção.

Jesus nos ensina com essa parábola que, muitas vezes, o próximo, que nos estenderá as mãos nas horas mais difíceis, não necessariamente será alguém a quem somos semelhantes. A ajuda deve ser dada e recebida independentemente de barreira cultural ou religiosa, pois amar ao próximo é um mandamento universal. Não é alternativo ou facultativo, mas deve ser cumprido integralmente.

Assim como as misericórdias do Senhor se renovam a cada manhã, precisamos diariamente ter um olhar compassivo e agir intencionalmente para estender a mão ao próximo, sem subjugá-lo.

Às vezes, quando estou em algum ambiente ou até mesmo na rua, fico observando o semblante e o olhar muitas vezes vazio e distante das pessoas. Em alguns momentos, até é possível dirigir uma palavra, como quem estende a mão para demonstrar compaixão. Hoje é o dia ideal para sermos como o bom samaritano. Olhe à sua volta. Não perca a oportunidade!

Tenha atitudes como a de Jesus, agindo com compaixão e misericórdia.

@juniorrostirola

DEVOCIONAL
260/365

LEITURA BÍBLICA
SALMOS 113

PALAVRA-CHAVE
#AUXÍLIO

ANOTAÇÕES

AMOR INCONDICIONAL

18
SET

#CAFECOMDEUSPAI

"Porque Deus tanto amou o mundo que deu o seu Filho Unigênito, para que todo o que nele crer não pereça, mas tenha a vida eterna."
JOÃO 3.16

Você sempre vai encontrar muitos motivos para não amar. O mundo torna isso cada vez mais evidente, seja por causa do individualismo competitivo no qual somos educados a buscar, seja pelo rancor e pela falta de perdão em face dos atos praticados por outras pessoas contra nós. Mas existe uma ordem sobre a sua vida, a de que devemos amar o próximo independentemente das escolhas que os outros tenham feito, porque, assim como Deus jamais irá nos amar menos por causa de algo que tenhamos feito, da mesma forma não podemos deixar de amar o próximo. Você não precisa concordar com os atos ou com as opiniões das pessoas, mas precisa amar cada uma delas.

Certa vez, em uma conversa com meu filho, João Pedro, falei para ele: "Filho, o pai nunca vai deixar de ser o seu pai e nunca vai deixar de amar você, mas as suas escolhas na vida irão fazer o seu pai feliz ou triste. Então, cuide para não entristecer o coração do seu pai". Isso também é verdadeiro em nossa relação com o Pai celestial.

Com isso, entendemos que não podemos nos chamar cristãos e adorarmos a Deus se não amarmos o nosso próximo, não agirmos com misericórdia, não estendermos a mão ou não demonstrarmos empatia. Sem isso, não adianta em nada nos dizermos cristãos, pertencermos à família chamada igreja, se de fato não vivermos o evangelho de Cristo. Em todo tempo, Deus Pai nos amou, dando-nos seu Filho unigênito, para que somente pelo amor expressado por ele no Calvário tenhamos a vida eterna.

Hoje é o dia oportuno para você amar de forma intencional, sem reservas, sem esperar nada em troca, mas simplesmente fazendo como Jesus fez: amar incondicionalmente.

Assim como o perdão, o amor é uma decisão.

@juniorrostirola

DEVOCIONAL
261/365

LEITURA BÍBLICA
2TIMÓTEO 1

PALAVRA-CHAVE
#AMAR

ANOTAÇÕES

MOVIDOS PELO CHAMADO

Pela fé Abraão, quando chamado, obedeceu e dirigiu-se a um lugar que mais tarde receberia como herança, embora não soubesse para onde estava indo. Pela fé peregrinou na terra prometida como se estivesse em terra estranha; viveu em tendas [...].

HEBREUS 11.8,9

19
SET

#CAFECOMDEUSPAI

Nessa passagem, vemos uma ordem do Senhor acompanhada de uma promessa. Certamente um dos maiores exemplos de fé e obediência a Deus é visto em Abraão, pois toda a sua vida foi pautada pela obediência e pela fé. Ele vivia confortavelmente na casa de seus pais. Ao ser chamado pelo Senhor para deixar sua parentela e migrar para uma terra desconhecida, ele obedeceu. Talvez Abraão tenha sentido o mesmo frio na barriga que sentimos diante do desconhecido. Trocar a casa paterna por tendas deve ter sido uma tremenda mudança de realidade, mas a fé e a confiança na promessa falaram mais alto.

Muitas vezes, não rompemos, não vamos além, porque não obedecemos a Deus. A chave da sua vitória está em confiar integralmente nos apontamentos revelados pelo Senhor. Talvez os seus olhos não enxerguem, mas Deus disponibiliza tudo que é necessário para o seu milagre acontecer.

Pode parecer improvável o caminho revelado pelo Senhor para você. Considere a experiência de Abraão: idade avançada, esposa estéril e também com idade avançada; ainda assim, Deus prometeu que ele teria um filho com Sara e se tornaria pai de nações. Abraão acreditou e obedeceu.

Sei muito bem o que é ter uma promessa, não ver a sua realização por muito tempo na vida e, ainda assim, ser estimulado a confiar. Houve promessas que se cumpriram muito rápido na minha vida, algumas no último ano, mas outras ainda não se cumpriram. Enquanto isso, mantenho a fé, crendo que Deus fará o que prometeu. Você também não pode desistir; tenha fé e verá as promessas do Senhor se cumprirem. Você pode até dizer: "Mas já faz tanto tempo... Deus se esqueceu". Permaneça firme, pois, se Deus prometeu, ele irá cumprir!

O primeiro passo para viver o seu chamado é uma resposta de obediência.

@juniorrostirola

DEVOCIONAL
262/365

LEITURA BÍBLICA
2TIMÓTEO 2

PALAVRA-CHAVE
#SUJEIÇÃO

ANOTAÇÕES

VIVA O SOBRENATURAL

20
SET

#CAFECOMDEUSPAI

Teus caminhos, ó Deus, são santos. Que deus é tão grande como o nosso Deus? Tu és o Deus que realiza milagres; mostras o teu poder entre os povos.

SALMOS 77.13,14

Independentemente do cenário atual, Deus deseja que participemos ativamente do processo de milagre. A verdade é que o Senhor não precisa de homens para realizar milagres, porque ele é Deus e soberano; no entanto, o Pai nos convida a participar ativamente e nos envolver, porque gosta de examinar o nosso coração e estar ao nosso lado.

Existe um fato que é fundamental conhecer: os milagres geralmente nascem em meio a um cenário desolador e caótico de crise. Para existir o milagre, é necessário que antes haja o diagnóstico de algo humanamente impossível de ser feito.

Sem uma atitude precedente de fé, não é possível o milagre acontecer. O Senhor tem poder para multiplicar o azeite, mas deseja que você busque as vasilhas vazias. Ou seja, para a centelha do milagre, é necessário que antes o seu diagnóstico negativo esteja embebido no líquido inflamável da fé; assim, a sua vida será incendiada pelo milagre do Senhor.

Fazer milagres é próprio de Deus, o que nós chamamos de sobrenatural é natural no Reino de Deus, e a Bíblia nos revela isso página a página, por meio dos incontáveis testemunhos da ação de Deus em favor do seu povo.

Confie que Deus é poderoso para realizar milagres e para romper com aquilo que você considera impossível. Por isso, sabendo que o Senhor é o mesmo ontem, hoje e sempre, acredite que hoje mesmo ele pode fazer um milagre na sua vida, basta você dar o primeiro passo crendo nele.

O vento de Deus não é para destruir, e sim para colocar as coisas no lugar.

@juniorrostirola

DEVOCIONAL 365
263/365

LEITURA BÍBLICA
2TIMÓTEO 3

PALAVRA-CHAVE
#MILAGRE

ANOTAÇÕES

VOCÊ NÃO ESTÁ SOZINHO

Todavia, como está escrito: "Olho nenhum viu, ouvido nenhum ouviu, mente nenhuma imaginou o que Deus preparou para aqueles que o amam".
1CORÍNTIOS 2.9

21
SET

#CAFECOMDEUSPAI

Em meio a uma sociedade em que diariamente somos impactados com notícias lamentáveis, na qual atos de crueldade e barbaridade são cometidos, começamos a perder a esperança na humanidade. Por isso, passamos a viver desconfiando de todos ao nosso redor, acreditando que o tempo inteiro estamos cercados de inimigos e sozinhos nessa luta.

Você precisa de esperança para resistir ao ceticismo em relação à humanidade. Muitas vezes, achamos que não tem mais jeito para os nossos dilemas e entregamos os pontos.

Mesmo que o ceticismo e a falta de fé batam à porta do seu coração, não dê ouvidos a eles; resista e vença com fé. Porque o tempo é de fé, e com Jesus os nossos melhores anos ainda estão por vir. Não acredite no caos, ou que se esgotaram as possibilidades, mas tenha fé que virá um tempo de esclarecimento à sua vida, quando a intimidade com Deus Pai lhe dará uma nova e ampla visão. Uma grande colheita está por vir, e os dias ruins serão somente uma recordação de algo que ficou para trás.

Nunca se esqueça de que você precisa de esperança para resistir e de fé para manter-se firme. Resista com bravura os dias ruins, seja qual for o problema, a dificuldade financeira, a instabilidade emocional, os problemas no relacionamento, o diagnóstico contrário, alguém dependente de um vício ou o momento difícil de transição no trabalho. Você não os enfrentará sozinho. O Senhor está com você.

Não pare por causa das circunstâncias. Prossiga, porque Deus está com você.

@juniorrostirola

DEVOCIONAL
264/365

LEITURA BÍBLICA
2TIMÓTEO 4

PALAVRA-CHAVE
#FIDELIDADE

ANOTAÇÕES

UMA NOVA ESTAÇÃO

22
SET

#CAFECOMDEUSPAI

A terra fez brotar a vegetação: plantas que dão sementes de acordo com as suas espécies, e árvores cujos frutos produzem sementes de acordo com as suas espécies. E Deus viu que ficou bom.
GÊNESIS 1.12

Podemos ver os sinais das maravilhas de Deus tanto no microscópio, ao contemplarmos a beleza de um simples grão de areia, como também no telescópio, ao olharmos para o espaço e contemplarmos a maravilhosa imensidão das estrelas.

Contudo, toda a beleza da criação não foi gerada para nossa simples contemplação, pois em cada simples detalhe existe algo que o Senhor nos ensina e nos deixa impactados e comovidos com tamanha sutileza e perfeição. Davi enxergou os sinais das maravilhas de Deus ao escrever o salmo 92, ao escolher comparar o justo com a palmeira, a qual tem seu crescimento por camadas verticais; ou seja, ela cresce gradativamente de dentro para fora, diferentemente das demais árvores, que crescem exteriormente na horizontal. A palmeira é também um exemplo de resiliência, uma vez que, ao encontrar um obstáculo ao seu crescimento, ela o contorna e continua a crescer. Davi também compara o justo ao cedro do Líbano, pelo fato de essa árvore ter raízes tão fortes que percorrem quilômetros debaixo da terra, até encontrarem água para nutri-la.

A declaração de Davi é muito sábia e poderosa, pois, assim como a palmeira, o nosso crescimento deve ser somente pautado em Deus, nas coisas que vêm do alto, e, assim como o cedro, nós precisamos ter raízes fortes para resistir aos ventos e que nunca se saciem de receber o alimento da Palavra de Deus e que resistam aos ventos.

Portanto, continue resistindo, permaneça crendo no Senhor, pois você está prestes a viver um novo tempo. Que você alcance o extraordinário nesta nova estação.

Ser alguém que ouve continuamente Deus é essencial para permanecer frutífero.

@juniorrostirola

265/365

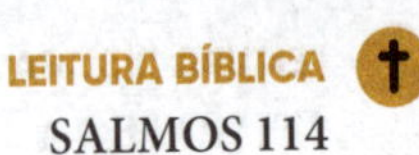

SALMOS 114

#RENOVO

VOCÊ PODE IMITAR O PAI

Portanto, sejam imitadores de Deus, como filhos amados.

EFÉSIOS 5.1

23 SET

#CAFECOMDEUSPAI

A melhor maneira de aprender a ser um bom pai é espelhar-se no exemplo do melhor pai que pode existir, o nosso Deus Pai. Ele é o melhor que o mundo já conheceu. Compreender e aplicar o padrão de Deus Pai à sua família é uma das coisas mais sábias que você pode fazer, porque esse é o modelo de santidade a ser seguido.

Conhecer Deus e imitá-lo são duas coisas diferentes. Até mesmo os principados e potestades infernais conhecem Deus, mas não o seguem, porque não exercem fé sincera e não se submetem a ele.

Se a sua fé não é autenticamente ativada nos preceitos do Senhor, ela não é uma fé bíblica.

Reflita, se você é pai, tem sido honesto com os seus filhos? Quando foi a última vez que você pediu que o seu filho o perdoasse? O que aconteceria se os seus filhos fizessem anotações sobre você e imitassem o que eles observam?

João Pedro, meu filho, compartilhou num vídeo preparado para meu aniversário que, quando criança, ele já sabia mais ou menos o horário em que eu chegaria em casa. Então, ele se escondia atrás do sofá para me dar um susto quando eu entrasse em casa, e isso se repetiu várias vezes. Como é bom poder deixar boas memórias na vida das pessoas! O Pai usa a bondade como meio para motivá-lo a mudar.

É o grande amor de Deus por você que o transforma. Deus não é distante ou passivo quando se trata de seus filhos.

O amor não é um discurso, mas uma decisão que gera uma ação.

@juniorrostirola

365 **DEVOCIONAL**
266/365

LEITURA BÍBLICA
SALMOS 115

PALAVRA-CHAVE
#EXEMPLO

ANOTAÇÕES

VIVA INTENSAMENTE

24
SET

#CAFECOMDEUSPAI

Pois nele foram criadas todas as coisas nos céus e na terra, as visíveis e as invisíveis, sejam tronos sejam soberanias, poderes ou autoridades; todas as coisas foram criadas por ele e para ele.

COLOSSENSES 1.16

Desde os primeiros segundos de vida, todos nós passamos por várias experiências marcantes e intensas. Viver é sair da zona de conforto. Um navio está em segurança no porto, pois, ao içar a âncora e adentrar no alto-mar, ele estará sujeito a fortes ondas, tempestades e demais contratempos que poderão fazê-lo naufragar.

Mas nenhum navio foi projetado para permanecer ancorado no cais. Da mesma forma, você não nasceu para a inércia, para ver da janela de sua casa a vida passar, sem de fato vivê-la. Você foi criado para viver os sonhos do Senhor.

Para viver uma vida intensamente, é preciso descobrir o seu propósito e derrotar a crise do "algum dia". Você tem protelado as coisas que estão ao seu alcance, para um futuro incerto, no qual "algum dia" aproveitará a vida, ficará mais tempo com a família, arrumará um trabalho não tão estressante, em meio a outras coisas que nunca saem do campo das ideias para a prática? Esse é um erro gravíssimo, porque é preciso entender que você não tem nas mãos o seu passado, pois não pode mudá-lo, mas também não tem nas mãos o seu futuro, porque não pode viver no futuro.

Você pode viver o presente, e o seu presente é hoje. Então, se você tem a oportunidade de viver intensamente hoje, viva, para não ter arrependimentos amanhã! Entregue a Deus o seu futuro e peça direcionamento para o presente, para que você possa agradá-lo em tudo o que fizer. Existe uma vida intensa reservada para você; não a deixe passar!

Os desafios nos impulsionam a ir além dos nossos limites.

@juniorrostirola

DEVOCIONAL 365
267/365

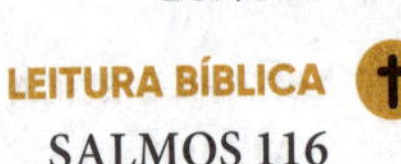

LEITURA BÍBLICA
SALMOS 116

PALAVRA-CHAVE
#HOJE

ANOTAÇÕES

DEUS SEMPRE PROVERÁ

E ao homem declarou: "Visto que você deu ouvidos à sua mulher e comeu do fruto da árvore da qual ordenei a você que não comesse, maldita é a terra por sua causa [...]. Ela lhe dará espinhos e ervas daninhas, e você terá que alimentar-se das plantas do campo".

GÊNESIS 3.17,18

25 SET

#CAFECOMDEUSPAI

Muitos erroneamente atribuem o fato de termos de trabalhar para prover o sustento a uma maldição lançada a Adão e Eva por terem sido desobedientes a Deus.

Entretanto, a maldição nesta passagem não se refere ao fato de termos de trabalhar, mas a trabalhar e não ter o retorno do seu trabalho. Existem muitas pessoas que trabalham incansavelmente, mas não veem retorno e não prosperam naquilo que fazem. Contudo, em Deus, seremos abençoados e recompensados pelo nosso trabalho.

Quando eu e Michelle decidimos nos casar, os pais dela se desesperaram. Ela era filha única e tinha tudo que quisesse com os pais. Não bastasse isso, havia o fato de que nós dois éramos estudantes e o que recebíamos de salário nem sequer pagava a nossa faculdade. Dependíamos dos pais.

Então, eu tinha uma escolha a fazer: eu poderia ficar esperando, ou eu poderia orar e fazer a minha parte. Assim, eu decidi fazer a minha parte. Dias depois, fui até outra empresa da cidade e entreguei o meu currículo ao gerente de recursos humanos. No final do dia, fiz a entrevista, e fui contratado. Com isso, na data marcada, nós nos casamos. Deus proveu e nos honrou.

Deus é um Deus de provisão, sustento e abundância. Se os seus planos estiverem em concordância com a vontade de Deus, ele proverá. Talvez não lhe falte fé, mas ação. Corra atrás dos seus sonhos e da promessa, faça acontecer, confiando que o Senhor está contigo. Hoje é o dia de dar um passo em direção àquilo que Deus quer para você. Qual é a sua escolha?

A vida é feita de escolhas e decisões.

@juniorrostirola

DEVOCIONAL
268/365

LEITURA BÍBLICA
PROVÉRBIOS 1

PALAVRA-CHAVE
#PROVISÃO

ANOTAÇÕES

VIVA DA MELHOR FORMA

26
SET

#CAFECOMDEUSPAI

Vocês nem sabem o que acontecerá amanhã! Que é a sua vida? Vocês são como a neblina que aparece por um pouco de tempo e depois se dissipa.

TIAGO 4.14

Você acessa os céus por meio da sua fidelidade.

@juniorrostirola

DEVOCIONAL 269/365

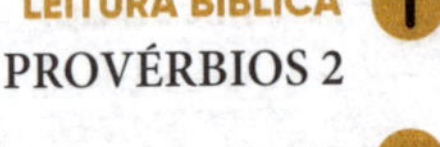

LEITURA BÍBLICA PROVÉRBIOS 2

PALAVRA-CHAVE #MUDANÇA

ANOTAÇÕES

Todos nós, quando acordamos, temos decisões a tomar, desde as mais simples, como escolher a roupa para vestir, até as mais complexas, que podem mudar a nossa vida de modo profundo. E, para termos uma vida intensa no melhor dos sentidos, o que devemos buscar no Senhor é viver uma vida sem arrependimento. Uma vida intensa na presença do Senhor.

A vida é passageira, e, nas vezes em que acontece algo ruim, devemos parar e refletir sobre o que realmente importa e o que vale pena. Diante de situações difíceis, muitas pessoas olharam para si e perceberam que precisavam mudar, que suas atitudes e palavras deveriam ser outras. As adversidades levaram as pessoas a compreender aquilo que de fato era importante.

A vida na terra é única e breve. Então, é fundamental uma vida sem arrependimento, uma vida que não pode ser vivida de forma pequena.

Quando sei que alguém está em algum quadro depressivo, isso mexe demais comigo. Fico pensando sobre o potencial que tem a vida para podermos desfrutá-la de modo feliz.

Ao olhar para a vida e para a morte com maior naturalidade, e admitir que a sua vida é única e breve, você será livre para agir com maior autenticidade. Seja autêntico e sábio nas suas escolhas. Permita que todas elas sejam guiadas pelo Senhor, e assim cada momento da vida será valioso e prosperamente proveitoso todos os dias.

OBEDEÇA

"Se vocês obedecerem fielmente ao SENHOR, o seu Deus, e seguirem cuidadosamente todos os seus mandamentos que hoje dou a vocês, o SENHOR, o seu Deus, os colocará muito acima de todas as nações da terra. Todas estas bênçãos virão sobre vocês e os acompanharão se vocês obedecerem ao SENHOR, o seu Deus."

DEUTERONÔMIO 28.1,2

27 SET

#CAFECOMDEUSPAI

Se queremos obter a bênção do Senhor, é necessário obedecer. Obedecer a Deus não requer simplesmente seguir regras impostas por uma religião; a obediência é um ato de gratidão a tudo o que o Senhor já fez e irá fazer na vida de cada um de nós.

Primeiro Samuel 15.22 diz que a obediência é melhor que o sacrifício, ou seja, não se trata de uma barganha, por meio da qual você poderá ser abençoado seguir fielmente as doutrinas cristãs. Se isso não for feito de coração puro e sincero, será um esforço em vão, que no mínimo o levará a ter uma vida ética, somente isso, nada mais.

Todas as vezes que leio esse texto de Deuteronômio, faço a seguinte analogia: é como num relacionamento entre pai/mãe para com seu filho, que ensinam, orientam, aconselham, explicam, consolam, encorajam, sustentam e proporcionam o melhor para seu desenvolvimento, mas, atrelado a isso, esperam que o filho lhes obedeça, lhes dê a devida honra por serem seus pais.

É preciso entender que há princípios na Palavra que devem ser colocados em prática se queremos ter uma vida abençoada. Há aqueles que frequentam uma igreja, mas, por sua infidelidade, não desfrutam das bênçãos de Deus, isso porque as nossas atitudes é que determinam quem somos diante de Deus.

Seja obediente, por amor a Deus e como demonstração da gratidão por sua fidelidade, bondade, misericórdia e graça. Escolha viver para o Senhor e para agradá-lo. Deus conhece o nosso íntimo e retribuirá a cada um conforme seus atos e a intenção do coração.

Acredite que Deus equipou você para ir muito além da sua capacidade.

@juniorrostirola

365 **DEVOCIONAL**
270/365

LEITURA BÍBLICA
PROVÉRBIOS 3

PALAVRA-CHAVE
#SINCERO

ANOTAÇÕES

CRESÇA COM A DOR

28
SET

#CAFECOMDEUSPAI

O Senhor lhe disse: "Vá à casa de Judas, na rua chamada Direita, e pergunte por um homem de Tarso chamado Saulo. Ele está orando".
ATOS 9.11

As dores que vivemos até hoje foram para nos livrar da morte!
@juniorrostirola

271/365

PROVÉRBIOS 4

Provavelmente, Paulo cresceu orando muito e sendo fiel e temente a Deus. Afinal, ele era fariseu, um judeu muito culto e que considerava profanador o movimento cristão. Por isso, decidiu perseguir cruelmente os membros da recém-formada igreja cristã.

Contudo, a vida de Paulo estava prestes a mudar naquela estrada de Damasco. Uma luz brilhante o deteve de repente, fazendo-o cair do cavalo. Jesus falou diretamente com Saulo e o cegou. Como resultado, ele foi levado à cidade de Damasco, onde jejuou e orou como nunca.

É difícil fazer muita coisa quando se deixa subitamente de enxergar. Saulo não sabia se ele ficaria cego permanentemente ou, pelo menos, até Deus falar-lhe em uma visão, quando o certificou de que Ananias o procuraria e lhe restauraria a visão.

Muitas vezes, Deus permite que cheguemos a um lugar escuro na vida, onde não podemos ver sem a ajuda dele. Ele faz isso justamente antes da maior revelação de nosso propósito e chamado. Ou seja, Deus não vai nos conduzir à dor e ao sofrimento, mas as nossas escolhas nos levam até esse lugar. Então, o Senhor, sabendo que seguimos em direção errada, nos tira a visão, para nos dar uma nova, clareada pela sua luz.

Se o lugar onde você está não é o que você havia planejado, se está em um ambiente de dor e desconforto, tenha a ousadia de indagar ao Senhor o que ele está querendo fazer em sua vida. Ele lhe responderá.

CUMPRA A SUA JORNADA

Que o amor e a fidelidade jamais o abandonem; prenda-os ao redor do seu pescoço, escreva-os na tábua do seu coração. Então você terá o favor de Deus e dos homens e boa reputação.

PROVÉRBIOS 3.3,4

29
SET

#CAFECOMDEUSPAI

Que desculpas damos quando se trata de buscar o nosso destino? Ficamos presos no passado limitante sobre nós? Deus não consulta nosso passado, quem éramos, nossos erros e defeitos ao determinar nosso futuro. Ele sempre parece nos chamar para fazer um trabalho grande demais para nós. Por quê?

Quando você sabe que está no centro do propósito e da vontade de Deus, experimenta um prazer duradouro que simplesmente não pode ser encontrado em nenhum outro lugar. Ouse andar no seu destino. Mas isso não vem de graça, porque as aflições do mundo são inevitáveis.

Depois que os apóstolos foram açoitados, eles se regozijaram com o fato de Deus os considerar dignos de sofrer desgraça pelo nome de Jesus. Existe algo atrapalhando você no seu destino? Nesse caso, você precisa identificá-lo e eliminá-lo.

Quando iniciei a história da Igreja Reviver, precisei deixar o emprego que tinha na época. Eu estava em grande ascensão profissional, até mesmo com a proposta de gerenciar uma das filiais; no entanto, o chamado era maior e o desafio imenso, embora o temor e o desejo de servir superassem todas as barreiras e dúvidas.

Os primeiros discípulos simplesmente deixaram suas redes para seguir Jesus. Acaso a sua vida ficou tão complicada que seria difícil deixar as suas redes? O mundo está arrastando você em uma direção diferente da planejada por Deus? Essas são perguntas importantes que somente você pode responder.

Só chegaremos ao nosso destino se renunciarmos àquilo que nos impede de fluir.

@juniorrostirola

365 **DEVOCIONAL**
272/365

LEITURA BÍBLICA
SALMOS 117

PALAVRA-CHAVE
#RENÚNCIA

ANOTAÇÕES

ACIMA DE TUDO, AME O SENHOR

30
SET

#CAFECOMDEUSPAI

Respondeu Jesus: "O mais importante é este: 'Ouça, ó Israel, o SENHOR, o nosso Deus, o SENHOR é o único SENHOR. Ame o SENHOR, o seu Deus, de todo o seu coração, de toda a sua alma, de todo o seu entendimento e de todas as suas forças' ".

MARCOS 12.29,30

Nestas palavras tão emotivas e apaixonadas de Jesus, aprendemos que ele não quer que você apenas o ame. Ele quer que você o ame apaixonadamente, com todo o seu coração, toda a sua alma, toda a sua mente e toda a sua força. Deus não quer que você o conheça de forma analítica e racional; ele quer um relacionamento emocional, intencional e íntimo com você.

Você não pode receber um presente tão grande e viver de forma pequena!

@juniorrostirola

Há algumas coisas que você precisa entender sobre esse amor verdadeiramente apaixonado de Deus por nós. O Senhor se revelou a nós e nos deu a capacidade de senti-lo desde o início da nossa jornada na terra. Isso está em nosso DNA, sendo até mesmo reconhecido pela ciência o nosso anseio por buscar o Criador e a saudade que sentimos de sua presença.

Sua habilidade emocional permite que você o busque, o ame, seja fiel, leal, gentil e generoso. Essa intimidade com o Pai é nutrida por meio da oração, por isso é tão importante conectar-se com Deus para conhecê-lo.

Na vida, as nossas emoções têm um impacto muito grande em tudo o que fazemos ou deixamos de fazer. Elas muitas vezes se sobrepõem à razão, porque, na maior parte do tempo, o pensamento racional nos paralisa ao impor barreiras imaginárias.

No entanto, Deus espera que você o ame de forma integral, como um ser com intelecto, físico, emoções e vontade. Ele deseja que você o ame apaixonadamente, com todo o seu coração, toda a sua alma e todas as suas forças.

DEVOCIONAL
273/365

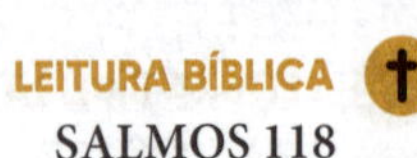

LEITURA BÍBLICA
SALMOS 118

PALAVRA-CHAVE
#ENTREGA

ANOTAÇÕES

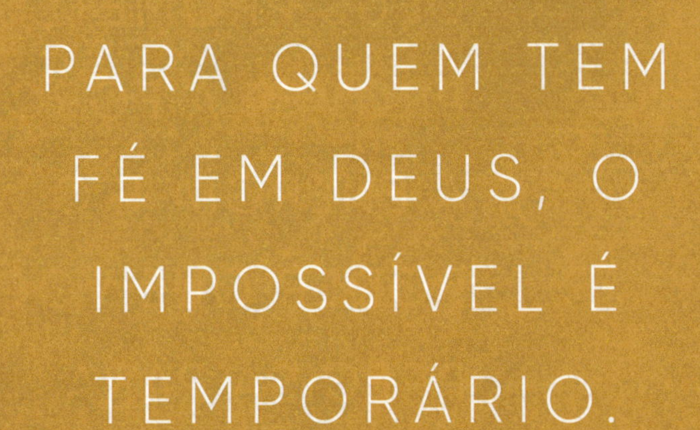

@juniorrostirola

#CAFECOMDEUSPAI

DEUS PROMETEU **PROVER** A FORÇA, A ENERGIA E O PODER QUE VOCÊ PRECISA PARA PROSSEGUIR.

@juniorrostirola

OUTUBRO

#CAFECOMDEUSPAI

café com Deus pai

TENHA EMPATIA

A religião que Deus, o nosso Pai, aceita como pura e imaculada é esta: cuidar dos órfãos e das viúvas em suas dificuldades e não se deixar corromper pelo mundo.

TIAGO 1.27

01 OUT

#CAFECOMDEUSPAI

Nenhum de nós vive totalmente isolado. Todos vivemos diariamente cercados de pessoas que na maioria das vezes não conhecemos. Contudo, nossas atitudes podem revelar muito a nosso respeito, levando as pessoas a perceber o quanto somos parecidos com Jesus. Pode parecer simples: Você costuma cumprimentar o porteiro do seu prédio? Dá bom dia ou boa tarde aos atendentes dos estabelecimentos comerciais? Trata com gentileza os colegas de trabalho? Demonstra empatia por alguém que passa por uma situação difícil? Esses são apenas alguns dos exemplos do dia a dia, mas o suficiente para nos dar uma boa noção de quanto podemos ser melhores com as pessoas ao nosso redor.

No entanto, não se trata somente de gentileza, de termos um bom relacionamento com as pessoas, porque a vida é mais do que isso, ou seja, a vida é sobre o que podemos fazer aos menos favorecidos, aqueles que vivem à margem da nossa sociedade.

Precisamos compreender que às vezes Deus nos põe em lugares e situações estratégicas para falar do amor dele. Temos sido sensíveis a isso? Precisamos nos lembrar de que de nada vale uma parede repleta de diplomas e títulos se não fazemos diferença na vida do próximo. Sem Jesus, não somos nada; tudo é dele e para ele. A grande lição que aprendemos ao agir com humildade é que a humildade não nos torna melhores que as outras pessoas; ela nos torna cada dia mais parecidos com Jesus, e esse é o verdadeiro norte que a nossa vida deve seguir, pois somente sendo verdadeiros imitadores de Cristo é que poderemos de fato sentir o seu amor. Tenha atitudes hoje que o farão mais parecido com o Mestre!

Não permita que as pessoas saiam da sua presença sem se sentirem melhores.

@juniorrostirola

DEVOCIONAL
274/365

LEITURA BÍBLICA
SALMOS 119

PALAVRA-CHAVE

#RELACIONAMENTOS

ANOTAÇÕES

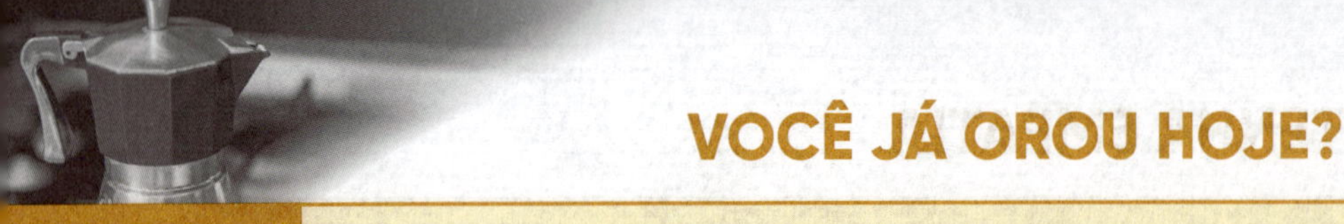

VOCÊ JÁ OROU HOJE?

02
OUT

#CAFECOMDEUSPAI

"Venha o teu Reino, seja feita a tua vontade, assim na terra como no céu".
MATEUS 6.10

A oração do Pai-nosso é certamente a mais conhecida no meio cristão, proferida até mesmo por aqueles que não pertencem a nenhuma denominação religiosa. Entretanto, existem nuances nessa oração, ensinada pelo próprio Jesus Cristo, que nos servem de legado e diretriz na vida em busca de uma intimidade com o Senhor.

Nesse sentido, um dos trechos menos compreendido, ou menos posto em prática, refere-se ao descrito em Mateus 6.10. Vivemos em uma cultura da supervalorização do *eu*. A ideia de coletividade vem sendo suprimida pela ideia de individualidade. A busca pela satisfação do *eu* tem afogado a busca pelo *nós*. Como reflexo, a nossa fé torna-se individualista. Clamamos ao Senhor somente buscando os nossos interesses, invertendo os conceitos e valores de servo e Senhor.

A oração é um instrumento poderoso, não para que a vontade do homem seja feita no céu, mas para que a vontade de Deus seja feita na terra. A fé não deve estar fundamentada somente na nossa vontade. Não é pecado querermos o nosso bem, pois ninguém deseja sofrer, mas a fé deve ser pautada em trazer o céu à terra e viver a cultura do Reino neste mundo, para cumprir o legado deixado por Jesus por meio da oração que ele ensinou a seus discípulos.

Jesus ensinou a oração do Pai-nosso a pedido dos discípulos, que diziam não saber orar. Talvez esta seja a sua realidade, de alguém que diz não saber orar. Orar é conversar com Deus, orar é ter um momento de diálogo com o seu Criador. Por isso, eu o desafio neste momento. Se possível, feche os olhos e converse com Deus. Ele está só esperando você dizer: "Pai, eu quero conversar contigo...".

Quando você para de orar, milagres param de acontecer.

@juniorrostirola

DEVOCIONAL
275/365

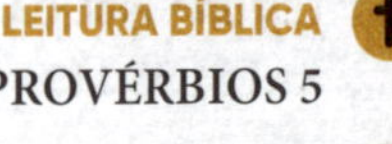

LEITURA BÍBLICA
PROVÉRBIOS 5

PALAVRA-CHAVE
#ORAÇÃO

ANOTAÇÕES

APRENDA COM O MESTRE

"[...] Senhor, se quiseres, podes purificar-me!" Jesus estendeu a mão, tocou nele e disse: "Quero. Seja purificado! [...]"

MATEUS 8.2,3

03
OUT

O verbo "querer", descrito tanto no pedido do leproso quanto na resposta de Jesus, corresponde à palavra grega para anseio e desejo. O desejo e anseio de Jesus em ver aquele homem curado revela sua compaixão para com a dor dos que sofrem. Ao longo dos evangelhos, contemplamos testemunhos da compaixão de Jesus curando doentes, compadecendo-se das multidões, enxergando-as como ovelhas sem pastor. Ele se comove com a dor das pessoas e chora pelo falecimento de seu amigo Lázaro. Ensina que a compaixão é a conexão de coração capaz de tornar o anseio do outro um desejo seu. Ela nos torna incapazes de sermos indiferentes à dor do outro.

Jesus continua sendo o mesmo, mas pode ser que você esteja passando por dificuldades e se sinta abandonado, rejeitado, esquecido por Deus e pelas pessoas. Expresse hoje as suas necessidades ao Mestre. Certamente ele atenderá à sua súplica. Abra o seu coração. Ele deseja ouvir, pois sempre foi desejo dele realizar o milagre e fazer o sobrenatural acontecer.

Jesus nunca fica indiferente ou apático à dor das pessoas, pois Cristo ama todos nós. Ele sofre as nossas dores, e as nossas lágrimas são as lágrimas dele. Creia: você não está sozinho. Com Cristo, a sua dor se tornará o seu maior testemunho. Tenha fé, não desanime, espere em Deus, pois ele é o nosso auxílio e salvação. Nas noites mais escuras, ele será a nossa luz, guiando-nos em direção a dias mais claros e gloriosos em sua presença.

Quais atitudes de fé você tomará hoje para viver o seu milagre? Você pode ser luz na vida de alguém, demonstrando compaixão e tornando o anseio do próximo um desejo seu.

Renove a esperança em Deus com porções diárias de fé e coragem e para prosseguir.

@juniorrostirola

365 **DEVOCIONAL**
276/365

LEITURA BÍBLICA
PROVÉRBIOS 6

PALAVRA-CHAVE
#ESPERANÇA

ANOTAÇÕES

SIGA EM FRENTE

04 OUT

#CAFECOMDEUSPAI

Disse então o Senhor a Moisés: "Por que você está clamando a mim? Diga aos israelitas que sigam avante. Erga a sua vara e estenda a mão sobre o mar, e as águas se dividirão para que os israelitas atravessem o mar em terra seca".

ÊXODO 14.15,16

Muitas pessoas se conformam com pouco e vivem na escassez. Mas o bom é inimigo do ótimo, e o Deus ao qual servimos é um Deus que supera todas as expectativas e sempre faz o melhor por seu povo. Um pai sempre desejará o melhor para os filhos, e Deus é Pai. Quando o povo hebreu estava diante do mar Vermelho, com o exército egípcio vindo em seu encalço, Moisés consultou Deus, ao que o Senhor lhe respondeu: "Por que você está clamando a mim? Diga aos israelitas que sigam avante". Deus não esperava uma atitude apenas de Moisés; esperava do povo.

Independentemente das circunstâncias, não desista, siga em frente! Vire a página! Se preciso, comece de novo!

@juniorrostirola

Isso nos ensina que tudo depende de nós; as nossas atitudes nos conduzirão ao nosso destino. Deus Pai trabalha a nosso favor, faz os arranjos para vencermos e cumprirmos o nosso destino. Quem tem que caminhar somos nós. Ele nos mostra a porta e o caminho da salvação, mas precisamos caminhar e cruzar os umbrais da porta. Jesus é o caminho, a verdade e a vida. Ele está à nossa espera. Devemos agir segundo os seus apontamentos, pois, assim como o Senhor só permitiu que o mar se abrisse para o povo passar após eles começarem a andar em direção ao mar, ele só permitirá o milagre quando você agir, sair da inércia e caminhar em direção ao impossível.

Enquanto me mantive no meu quarto, vivendo uma vida sem sentido, com dores e traumas, nada mudava, nenhuma esperança era criada. Mas, quando eu disse sim a Jesus, tudo começou a mudar. Lembro-me de que, quando cheguei em casa naquele dia, disse à minha mãe: "Nós temos esperança; existe uma saída". Então, siga rumo à vontade de Deus para a sua vida.

DEVOCIONAL 365
277/365

LEITURA BÍBLICA
PROVÉRBIOS 7

PALAVRA-CHAVE
#PERSEVERANÇA

ANOTAÇÕES

PERMITA SER MOLDADO

"[...] *Como barro nas mãos do oleiro, assim são vocês nas minhas mãos, ó comunidade de Israel.*"

JEREMIAS 18.6

05
OUT

#CAFECOMDEUSPAI

A obra de Deus na nossa vida não é conforme a nossa vontade, mas conforme os propósitos soberanos do próprio Deus. Isso significa que Deus tem controle absoluto sobre tudo e planos mais elevados do que os nossos próprios sonhos. Os projetos de Deus são mais altos, pois ele é o oleiro, e nós somos o barro.

A vida de muitas pessoas não flui por não entenderem que não é o barro quem ordena ao oleiro como será; é o oleiro quem decide o que fazer do barro. Quando olhamos para toda a criação, vemos esse princípio em ação. Deus cria e organiza todas as coisas. Ele é o autor e mantenedor de tudo. Criou os céus, espalhou as estrelas no firmamento, lançou os fundamentos da terra. Sem ele, nada existiria, nem mesmo nós!

O oleiro divino, o próprio Deus, deseja esculpir em você a beleza de Jesus. Você é o projeto mais precioso. Mesmo que você se veja como um projeto inexistente, Deus já vê a sua vida transformada, e ele jamais desistirá de você. Mesmo que você sinta frustração, os planos de Deus não podem ser frustrados, e você é parte desses planos. Mesmo que se sinta um vaso quebrado, não tenha medo: Deus pode fazê-lo de novo. Ele jamais vai desistir de você. Para ele você é vaso de honra.

A minha oração é que você entenda que, nas mãos do oleiro, o barro vira obra de arte: de elemento aparentemente sem valor, torna-se valioso e útil, armazena o que há de mais precioso, a presença dele. Permita-se hoje sair de onde está e ser moldado pelo Senhor, para cumprir o seu destino profético aqui na terra.

Permitir ser moldado pelo oleiro facilita o processo!

@juniorrostirola

DEVOCIONAL
278/365

LEITURA BÍBLICA
PROVÉRBIOS 8

PALAVRA-CHAVE
#APROVAÇÃO

ANOTAÇÕES

CATALISANDO A DOR

06
OUT

#CAFECOMDEUSPAI

Quando ouvi essas coisas, sentei-me e chorei. Passei dias lamentando-me, jejuando e orando ao Deus dos céus.
NEEMIAS 1.4

Catalisar é transformar as incertezas do hoje nas vitórias do amanhã.
@juniorrostirola

DEVOCIONAL
279/365

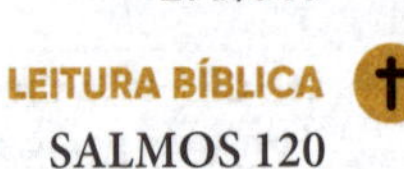
LEITURA BÍBLICA
SALMOS 120

PALAVRA-CHAVE

#EMPATIA

ANOTAÇÕES

Todos fomos criados com um propósito, projetados para impactar e fazer diferença como agentes catalisadores. Neemias, após receber a notícia do que acontecera com seu povo, a absorveu e a transformou em combustível que impulsionou todo o povo na reconstrução da cidade, que passava por tão grande humilhação. É importante compreendermos que, assim como um catalisador num veículo, que tem o poder de transformar todos os gases tóxicos em gases inoperantes, precisamos ser também agentes transformadores, passando à condição de catalisadores de Deus.

Diariamente somos surpreendidos por notícias desanimadoras, podemos ser tomados pela dor e pelo desânimo, pois alguns acontecimentos podem impactar diretamente a nossa vida, como a perda de um ente querido. O luto e o pesar são inevitáveis. O próprio Neemias lamentou e chorou pelo que acontecia a seu povo, mas não se prendeu ao pesar ou à autopiedade; o profeta restabeleceu-se e se dirigiu até lá para poder fazer diferença na vida daquelas pessoas.

É comum encontrarmos pessoas que são denominadas fortes, que parecem suportar toda e qualquer dor, mas também há aquelas que parecem ser muito frágeis. Neemias foi uma dessas pessoas fortes, que auxiliou aqueles que estavam frágeis. Nós também podemos ser agentes catalisadores na vida das pessoas ao nosso redor. Chorar e sentir-se triste diante de situações desagradáveis é humanamente inevitável, mas a nossa dor pode ser superada e transformada em um belo testemunho de vitória e superação.

Não sei o que você enfrentou até aqui, mas sei que o Deus que transformou toda a minha história e catalisou a minha dor quer fazer o mesmo por você. Abra o coração e acredite que ele o fará!

HOJE É TEMPO DE ADORAR

"No entanto, está chegando a hora, e de fato já chegou, em que os verdadeiros adoradores adorarão o Pai em espírito e em verdade. São estes os adoradores que o Pai procura."

JOÃO 4.23

07
OUT

#CAFECOMDEUSPAI

Em seu encontro com Jesus, a mulher samaritana à beira do poço o questiona acerca da forma correta de adorar a Deus. Jesus lhe ensina, dizendo que a forma por si só não era importante, mas que os verdadeiros adoradores devem adorá-lo em Espírito e em verdade.

É muito bela a forma como Jesus ministra na vida daquela mulher. Ele fala a seu coração e a retira do pátio da religiosidade, ensinando que não é em Samaria ou em Jerusalém que ocorre a verdadeira adoração, e sim em todo lugar onde Deus é adorado em espírito e em verdade.

Adoração a Deus não é dogma, estilo e ritmo, mas, sim, uma cultura de vida. Você não precisa visitar as cidades santas nem realizar rituais rígidos para que as suas orações sejam ouvidas pelo Senhor. Ele busca em você a simplicidade e a sinceridade de uma criança, pois a sua adoração não é a um deus distante no alto de um monte ou frio como uma estátua de gesso, e sim a Deus Pai, que o ama como filho.

Muitas pessoas têm dificuldade de se relacionarem com Deus justamente por causa dos rótulos e das tradições que a religião impôs em sua caminhada. A adoração não está relacionada apenas às canções. Adoração é a sinceridade expressa em palavras simples de amor ao Senhor. Talvez você não se sinta digno disso, mas, como a mulher samaritana, você pode ser perdoado e ter uma nova vida. Para isso, é necessário aceitar que Jesus inunde a sua vida com perdão. Você quer receber esse perdão em sua vida? Receba e viva uma vida de adoração.

Render-se a Deus não é opção; é a única maneira de viver.

@juniorrostirola

DEVOCIONAL
280/365

LEITURA BÍBLICA
SALMOS 121

PALAVRA-CHAVE
#ADORAÇÃO

ANOTAÇÕES

SURPREENDA JESUS COM A SUA FÉ

08
OUT

Ao ouvir isso, Jesus admirou-se dele e, voltando-se para a multidão que o seguia, disse: "Eu digo que nem em Israel encontrei tamanha fé".

LUCAS 7.9

Uma fé inabalável é quando eu desvio o olhar das circunstâncias e olho para aquilo que Deus colocou em mim.

@juniorrostirola

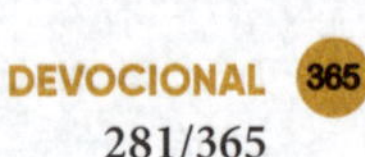

DEVOCIONAL
281/365

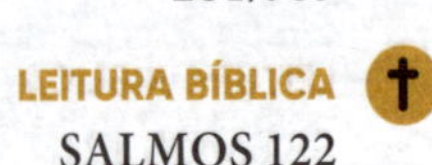

LEITURA BÍBLICA
SALMOS 122

PALAVRA-CHAVE
#SURPREENDER

ANOTAÇÕES

É surpreendente ouvir de Jesus a afirmação de que nem mesmo em Israel havia alguém com tanta fé quanto o centurião dessa passagem do evangelho. O centurião era um militar romano encarregado de impor ordem em uma terra que seu país subjugava.

O ato de ir ao encontro de um homem que se dizia filho de um Deus que ele não conhecia, de acreditar que ele seria capaz de trazer um milagre à sua casa e, diante do reconhecimento da majestade de Jesus, deixar para trás o orgulho e reconhecer sua indignidade em receber o Filho de Deus em sua casa, de fato faz dele merecedor de receber a admiração de Jesus.

Para que o milagre também atravesse os umbrais da sua casa, surpreenda Jesus com a sua fé. Saiba que o tamanho dos seus problemas não se compara ao poder do seu Deus. Reconheça as suas falhas e limitações, pois somente nele a sua vida pode ser restaurada por completo. Só basta a ele proferir uma simples palavra, e você será salvo.

Muito do que vivi com Cristo é fruto de atitudes surpreendentes e ousadas. Parece antagônico dizer que nós podemos surpreender o Senhor com algo, mas hoje qual é a surpresa que você poderia fazer para atrair a atenção de Cristo, como fez aquele centurião?

A ousadia aqui não é um ato impensado, sem medir as consequências, e sim a fé movida pela coragem e pela determinação de ver o impossível. Creia no poder do Filho de Deus. Decida dar passos surpreendentes em direção ao extraordinário com atitudes ousadas de fé.

AS CHAVES CERTAS

Ali, junto ao canal de Aava, proclamei jejum para que nos humilhássemos diante do nosso Deus e lhe pedíssemos uma viagem segura para nós e nossos filhos, com todos os nossos bens.

ESDRAS 8.21

09
OUT

#CAFECOMDEUSPAI

Não tem como você ganhar certas batalhas sem as armas corretas, e no mundo espiritual o jejum e a oração são as armas infalíveis. O jejum e a oração liberam a bênção de Deus sobre a sua vida, ou seja, o sobrenatural, que é aquilo que está além do que os nossos olhos e ouvidos podem enxergar e captar.

Por isso, é fundamental entender o que é viver no Espírito, no sobrenatural; afinal, não somos seres humanos com experiências espirituais, mas seres espirituais com experiências humanas. Não somos deste mundo e não somos guiados pelo que vemos, mas pelo Espírito Santo.

O mundo invisível governa o mundo visível. É libertador entender isso, pois nos leva a compreender que, primeiramente, tudo nasce no mundo espiritual, para depois concretizar-se no mundo físico. Tudo que você precisa será conquistado primeiro no mundo espiritual.

Por isso, é bom cuidar de tudo que sai da nossa boca, pois as palavras têm poder, e palavras de maldição podem ser atiradas como flechas em chamas. O que sai da nossa boca revela a natureza do nosso espírito.

Esse entendimento é fundamental para os que nasceram de novo. Compreender e viver sob essa direção é como utilizar chaves poderosas que darão acesso ao seu propósito e mudarão para sempre a sua realidade. E como você vai acessá-las? Por meio da oração, do jejum e da leitura da Palavra. Viver pela fé é trazer à existência as coisas que não existem.

A fé o conduzirá a lugares que, sozinho, você jamais chegaria.

@juniorrostirola

DEVOCIONAL
282/365

LEITURA BÍBLICA
PROVÉRBIOS 9

PALAVRA-CHAVE
#CHAVES

ANOTAÇÕES

VOCÊ NASCEU PARA ILUMINAR

10 OUT

#CAFECOMDEUSPAI

Os olhos são a candeia do corpo. Quando os seus olhos forem bons, igualmente todo o seu corpo estará cheio de luz. Mas quando forem maus, igualmente o seu corpo estará cheio de trevas.

LUCAS 11.34

Não deixe que o medo do passado escondido em seu coração obstrua o brilho da glória de Deus contido em sua revelação.

@juniorrostirola

A candeia era um instrumento para iluminação, servindo de lâmpada nos tempos antigos. Na parábola, ela representa a luz de Deus que brilha por meio de quem realmente passou por uma experiência com Cristo, por uma conversão genuína, e com isso anda conectado com o Senhor, ou seja, tem a vida cheia do Espírito Santo.

Ao observarmos a estrutura de uma candeia, compreendemos a coerência e a sabedoria de Jesus ao escolher tal objeto como referência em sua parábola. Para montar uma candeia são necessárias três peças básicas: o bojo, geralmente feito de barro, onde o óleo é depositado; o pavio, feito com barbantes torcidos, que seria aceso; por fim, o suporte para manter o barbante preso à vasilha com o óleo.

De forma análoga à candeia, nós, seres humanos, somos compostos de corpo, alma e espírito. Para iluminar, precisamos do óleo que nos é derramado pelo Espírito Santo. É necessário brilhar com a luz do Espírito Santo. Para tanto, precisamos estar atentos para que os nossos olhos não sejam maus e o nosso corpo não seja trevas. Porque, se os nossos olhos forem bons, todo o nosso corpo também será bom. Os olhos são a candeia do corpo. Bons olhos levam boa luz, iluminando todo o corpo.

Talvez você esteja com o seu recipiente de óleo vazio ou ainda restem poucas gostas, mas saiba que hoje é o dia em que Deus Pai deseja transbordar novamente sobre você para que você possa continuar a iluminar os ambientes que frequentar. Faça uma oração, pedindo a Deus que encha o seu coração da sua doce presença, e mergulhe em uma nova fase de intimidade e entrega.

DEVOCIONAL

283/365

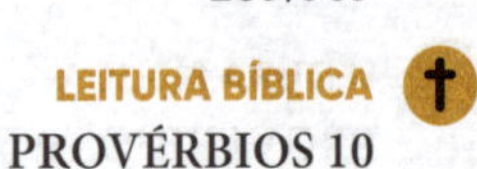

LEITURA BÍBLICA

PROVÉRBIOS 10

PALAVRA-CHAVE

#LUZ

ANOTAÇÕES

VOCÊ TEM UMA MISSÃO

"Assim como me enviaste ao mundo, eu os enviei ao mundo."

JOÃO 17.18

11
OUT

#CAFECOMDEUSPAI

Sabia que sua vida na terra tem um sentido único e especial? Sabia que você tem um chamado para cumprir? E se eu dissesse que há pessoas que só terão a vida mudada e direcionada para a jornada a qual o Senhor as criou depois de serem alcançadas por seu intermédio?

É isso mesmo. Quando comecei a caminhar com Cristo, tive essa oportunidade porque uma pessoa me fez um convite para conhecê-lo. Quando você ouve falar em missões, o que lhe vem à mente? Pensa naqueles que saem de sua terra natal para residirem em outra terra, muitas vezes assolada por crises humanitárias, guerras, catástrofes?

Certamente aqueles que cumprem tal chamado são pessoas muito comprometidas, pois entenderam que sua vida precisa ser dedicada ao cumprimento de uma missão. No entanto, cada um de nós também tem essa missão, cada um de nós tem um chamado que o Pai espera que cumpramos na nossa jornada, e nossa vida só será completa quando essa missão for realizada.

Talvez o seu chamado seja como o de Barnabé, que foi responsável por trazer credibilidade ao apóstolo Paulo, sendo Paulo um dos homens mais relevantes do Novo Testamento, pois, quando encontrou Cristo, entendeu sua missão e seu chamado.

Não pense que você está aqui por acaso. A sua vida na terra tem uma missão. Deus o colocou no lugar em que você está, na família em que você nasceu, para ser exatamente o que ele planejou para você ser. Você já possui as ferramentas necessárias para cumprir o propósito para o qual existe. Seja mensageiro das boas-novas do evangelho de Jesus Cristo, cumpra a sua missão e verá o sobrenatural acontecer por meio da sua vida.

O navio pode estar seguro no porto, mas não foi para isso que ele foi criado.

@juniorrostirola

DEVOCIONAL
284/365

LEITURA BÍBLICA
PROVÉRBIOS 11

PALAVRA-CHAVE
#AUTORIDADE

ANOTAÇÕES

VOCÊ É FILHO

12
OUT

#CAFECOMDEUSPAI

Instrua a criança segundo os objetivos que você tem para ela, e mesmo com o passar dos anos não se desviará deles.

PROVÉRBIOS 22.6

É indiscutível que todos nós somos filhos, independentemente de termos sido criados pelos nossos pais ou não. O adulto que você é hoje é um reflexo de sua infância, e muitos traumas e bloqueios que o impediram ou ainda o impedem de viver em plenitude.

Durante muitos anos, vivi preso a experiências e memórias tristes de minha infância, por causa do lar disfuncional em que fui criado. No entanto, em meio a essas lembranças amargas, tenho boas recordações do conforto, do calor e da proteção que recebia no colo de minha mãe. E, por ter essa doce lembrança emoldurada por sofrimentos, considero-me vitorioso. Hoje, tendo Deus como Pai, trato os meus filhos com o amor, a dedicação, o respeito e a segurança que não recebi de meu pai. Tenho certeza de que dei aos meus filhos uma infância que, além de trazer a eles calorosas lembranças, será responsável pela formação neles de um caráter íntegro e temente a Deus.

Hoje comemoramos o Dia das Crianças. Quero que compreenda que os filhos são como uma folha em branco em nossas mãos, que com o passar dos anos pode se tornar uma obra de arte ou um rascunho, dependendo do que fizermos com eles. Só depende de nós conduzirmos nossos filhos para destinos muito maiores do que os nossos, pois, ao carregá-los sobre os nossos ombros, a visão deles deve alcançar distâncias muito maiores do que a nossa.

Seja um agente de mudança em sua geração, oferecendo a seus filhos um amanhã muito melhor.

Você não pode ir muito longe se não tiver identidade.

@juniorrostirola

DEVOCIONAL
285/365

LEITURA BÍBLICA
PROVÉRBIOS 12

PALAVRA-CHAVE
#FILIAÇÃO

ANOTAÇÕES

DEUS ESTÁ VENDO

Nada, em toda a criação, está oculto aos olhos de Deus. Tudo está descoberto e exposto diante dos olhos daquele a quem havemos de prestar contas.

HEBREUS 4.13

13
OUT

#CAFECOMDEUSPAI

Os olhos de Deus são infalíveis. Nada fica oculto a eles, mas a nossa visão pode ser muito limitada. Algumas coisas podem tirar o nosso foco e nos impedir de ver com clareza, de forma que nem tudo é o que parece. Mas os olhos de Deus não falham; eles conseguem ver além do que somos capazes de imaginar.

O Senhor é capaz de ver as profundezas do nosso interior. Muito além da nossa aparência, ele enxerga desejos, intenções, medo, frustrações e sentimentos íntimos. Consegue ver o que mais ninguém é capaz de ver. O que torna isso surpreendente é que, mesmo conhecendo o pior de cada um de nós, o Senhor nos ama. Quando Adão e Eva pecaram, ao notar a presença do Senhor, se esconderam. Obviamente, o Senhor sabia onde eles estavam, mas perguntou. Isso me ensina que naturalmente tentaremos encobrir os nossos erros.

Na adolescência, com 17 anos, sem pedir autorização da minha mãe, fui à praia com meus amigos. Para que ela não descobrisse, não molhei as roupas, esperei o corpo secar para vesti-las. Assim, ela não perceberia, nem mesmo pelo cabelo seco. Eu só não contava com um detalhe: a queimadura do sol. Cheguei em casa vermelho. Ela fez o que qualquer mãe faria: repreendeu-me e me aplicou um castigo.

Deus não castiga ninguém, embora repreenda; ele é longânimo. Não é vingativo nem omisso. Ainda que sejamos inclinados ao pecado, ele age com amor. Escolhe nos resgatar e promove-nos à condição de filhos. Devemos, então, correr em direção à santidade, buscando agradar ao Pai com a transformação realizada por ele em nós. Se você precisa confessar algo ao Senhor, faça isso hoje!

Sua vista pode ser a maior inimiga da sua visão.

@juniorrostirola

DEVOCIONAL
286/365

LEITURA BÍBLICA
SALMOS 123

PALAVRA-CHAVE
#VISÃO

ANOTAÇÕES

SEJA VOCÊ A RESPOSTA

14
OUT

#CAFECOMDEUSPAI

O Senhor viu que ele se aproximava para observar. E então do meio da sarça Deus o chamou: "Moisés, Moisés!" "Eis-me aqui", respondeu ele.

ÊXODO 3.4

A o ter um encontro com Deus, Moisés mudou por completo sua trajetória e toda a história de um povo. Tudo começou quando ele observou o fenômeno da sarça ardente que não se consumia. O que vem depois também é brilhante: Moisés ouve Deus chamá-lo e responde da melhor forma: "Eis-me aqui".

Sejamos a resposta de Deus na vida das pessoas com quem interagimos.

@juniorrostirola

Saiba que em nossa vida é importante dar a resposta certa para que as oportunidades se abram. A história poderia ter sido outra se Moisés não tivesse respondido nada e ido embora, ou se sua reposta fosse diferente, ou ainda se não tivesse a devida reverência ao local em que ele estava pisando.

Que resposta temos dado ao Senhor? Temos sido resposta para as pessoas? Será que a verdade que habita em nós está sendo compartilhada?

Enfrentaremos oposições, é verdade, mas precisamos superá-las; ficar retraído não mudará a nossa história, tampouco a de quem precisa receber algo por meio de nós.

Sempre lutei contra a timidez e luto ainda, mas, se eu tivesse continuado no banco da escola, esquecido, lamentando as decepções, os medos e as dores, não estaria vivendo minha jornada extraordinária.

Assim, posicione-se com a resposta correta no seu contexto. Seja você aquele que mudará a história da sua vida e, mediante essa atitude, a de muitas outras pessoas. Ficar lamentando as dores e as dificuldades não muda ninguém de situação, mas ter uma atitude vitoriosa diante das circunstâncias mudará você. Você está pronto?

DEVOCIONAL
287/365

LEITURA BÍBLICA
SALMOS 124

PALAVRA-CHAVE
#EMPATIA

ANOTAÇÕES

O CRISTO DE DEUS

Ela lhe respondeu: "Sim, Senhor, eu tenho crido que tu és o Cristo, o Filho de Deus que devia vir ao mundo".

JOÃO 11.27

15
OUT

#CAFECOMDEUSPAI

Marta, assim como muitas outras pessoas ao longo dos evangelhos, durante o ministério de Jesus, o descreveram justamente como diz o texto lido, que o Senhor é o Cristo, ou Ungido, o Filho de Deus. Ele tem todo o poder para curar, libertar, restaurar, edificar e nos salvar.

Não há problema impossível para Jesus, pois ele foi ungido pelo Pai para nos salvar. Essa é a verdade que moveu o coração de Marta e a levou a reconhecer diante de uma situação tão adversa, a morte de seu irmão, Lázaro: a grandiosidade de Jesus.

Quero aproveitar essa breve passagem para estimular você a crer em Jesus como o Cristo de Deus. Sim, reconheço que você, assim como eu, tem muitos problemas, mas, para vencê-los, devemos admitir que Jesus é o Cristo. Marta e Maria, com o irmão enterrado havia poucos dias, viveram o milagre, o sobrenatural se manifestou na vida delas.

A parte mais difícil no processo de viver uma vida de milagres é reconhecer, admitir e entregar os nossos problemas a Deus. Entregar implica um compromisso de fé. No entanto, hoje Deus está falando ao nosso coração que Jesus, o Cristo de Deus, está disposto a nos honrar.

Talvez haja áreas na sua vida que estão como Lázaro, mortas e enterradas, sem perspectiva de vida, mas, diante desta palavra, aplique fé e creia na transformação de Deus. Então, não questione as lutas; apenas reconheça que Jesus é o ungido de Deus, e grandes coisas ele fará na sua vida.

Tudo o que Jesus espera de nós é que tenhamos fé!

@juniorrostirola

DEVOCIONAL
288/365

LEITURA BÍBLICA
SALMOS 125

PALAVRA-CHAVE
#SOBERANIA

ANOTAÇÕES

DEUS DE MILAGRES

16
OUT

#CAFECOMDEUSPAI

Jesus olhou para eles e respondeu: "Para o homem é impossível, mas para Deus todas as coisas são possíveis".

MATEUS 19.26

Hoje vou compartilhar com você um testemunho de que não há impossível que Deus não possa realizar. Quando o meu filho João Pedro nasceu, em 2004, ele tinha uma marca na coluna, algo que nos fazia lembrar de uma irmã minha que nascera com hidrocefalia, causa de sua morte.

Num primeiro momento, Michelle e eu, como pais de primeira viagem, poderíamos ter ficado em desespero e com medo de perder o nosso filho. No entanto, ali tivemos mais uma experiência com o Senhor, algo extraordinário, pois os médicos, após o nascimento, foram bem enfáticos quanto aos possíveis problemas que o João poderia ter.

A partir daquele momento, começamos a declarar o milagre sobre a vida do nosso filho. Nenhum procedimento foi realizado. João Pedro tem apenas a cicatriz para contar a história, e nossa família o milagre para testemunhar.

Com isso, entenda que, por mais adversa e impossível que seja a situação na qual você se encontra, Deus está a seu favor; afinal, para existir um milagre, é preciso antes existir um diagnóstico contrário. Saiba que não sou melhor ou mais importante que você no Reino de Deus. Tanto você quanto eu somos amados por Deus Pai. Então, não fique em dúvida; aplique fé no sobrenatural.

Eu não sei qual é a sua situação, se recebeu uma sentença ou algum diagnóstico negativo. Talvez esteja passando por uma situação difícil e percebe que depende somente de um milagre. Creia que este é o momento perfeito para Deus fazer o extraordinário. Renove a fé no Senhor, declare palavras de vida sobre as circunstâncias e viva o seu milagre.

Para Deus nada é impossível.

@juniorrostirola

DEVOCIONAL 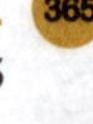
289/365

LEITURA BÍBLICA 
PROVÉRBIOS 13

PALAVRA-CHAVE 
#SOBRENATURAL

ANOTAÇÕES 

SEJA UM AGENTE DE MUDANÇAS

Alguns homens trouxeram-lhe um paralítico, deitado em sua maca. Vendo a fé que eles tinham, Jesus disse ao paralítico: "Tenha bom ânimo, filho; os seus pecados estão perdoados".

MATEUS 9.2

17 OUT

#CAFECOMDEUSPAI

Pessoas fiéis a Deus compartilham sua fé com pessoas necessitadas. O versículo que lemos nos ensina que alguns homens, cuja identidade não é revelada, se comoveram com a realidade de um homem paralítico. A comoção deles foi tão grande que não mediram esforços para levá-lo até Jesus, e o resultado foi revertido em favor daquela vida, pois Jesus, além de perdoar os pecados dele, também o curou completamente, de modo que ele saiu carregando a própria maca.

Note que não foi a fé do paralítico que o levou à cura; foi a fé de seus amigos, que, mesmo com o obstáculo de uma multidão à frente, encontraram uma maneira de fazer o amigo chegar até Jesus. Quando Jesus viu que esses quatro amigos se importavam o suficiente para trazê-lo, disse-lhes: "Esses homens têm muita fé. Eles esperam que eu cure o amigo deles", e assim o fez.

Deus quer saber se você será fiel o suficiente para levar os seus amigos a Jesus, para que suas vidas sejam transformadas ao conhecerem o amor do Pai. E, se você for fiel, Deus honrará a sua fé. Ele não apenas curará os seus amigos, mas também os abençoará.

Deus está lhe dando a oportunidade hoje mesmo de ter uma vida abundante e de ser canal de bênçãos. Não deixe isso passar, não avance sem crer nesta palavra. Decida renovar a sua esperança hoje. Não desista de ser um agente de mudanças e de testemunhar as maravilhas da vida com o Senhor! Temos essa esperança da vida eterna como âncora da alma, firme e segura.

Para experimentar o plano completo de Deus aprenda a ver com os olhos da fé.

@juniorrostirola

DEVOCIONAL
290/365

LEITURA BÍBLICA
PROVÉRBIOS 14

PALAVRA-CHAVE
#COMPANHEIRISMO

ANOTAÇÕES

COM JESUS NO BARCO

18
OUT

#CAFECOMDEUSPAI

Entrando ele no barco, seus discípulos o seguiram. De repente, uma violenta tempestade abateu-se sobre o mar, de forma que as ondas inundavam o barco. Jesus, porém, dormia. Os discípulos foram acordá-lo, clamando: "Senhor, salva-nos! Vamos morrer!"

MATEUS 8.23-25

Em nosso coração, sempre temos sonhos maiores do que podemos realizar. Assim, dependemos mais de Deus.

@juniorrostirola

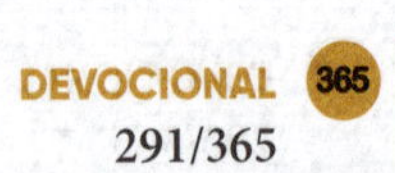

DEVOCIONAL
291/365

LEITURA BÍBLICA
PROVÉRBIOS 15

PALAVRA-CHAVE
#CONFIANÇA

ANOTAÇÕES

A vida não é fácil, ainda mais em tempos instáveis e incertos como os atuais. Todavia, essa definição não é a final. Existe vida depois da crise e da dificuldade, existe algo mais, porque sempre há esperança no Senhor, que não nos desampara e permance conosco nas circunstâncias difíceis.

Certa vez, quando eu orava e refletia acerca dessa palavra, o Senhor me fez observar que em alguns momentos Jesus chamou os discípulos de pessoas de pequena fé. Isso me levou a observar o que tinham feito para que a fé deles fosse pequena. Imaginei que, se eu fizesse o contrário, pelo menos teria fé suficiente para vencer os problemas, independentemente do grau de dificuldade.

A verdade é que os discípulos, em desespero, começaram a gritar. É possível que tenham até sacudido Jesus para acordá-lo, mas ele calmamente levantou-se e deu ordem ao vento e à tempestade, que imediatamente cessaram. É incrível que, mesmo eles tendo andado tanto tempo com Jesus e testemunhado tantos feitos milagrosos, não depositassem a confiança nele em meio àquele momento difícil.

Não tema os dias difíceis, não se deixe paralisar pelas tempestades fortes, pois, com Jesus a bordo na sua vida, não há ventos contrários ou crises que o possam abater. Os dias difíceis virão, mas acredite que Jesus é infinitamente poderoso para dissipar os problemas da sua vida, acalmar a tempestade e trazer paz ao seu coração e à sua mente. Não se esqueça de que Jesus tem poder para mudar toda e qualquer situação. Simplesmente creia!

TENHA EXPECTATIVA

Busquei ao Senhor, e ele me respondeu;
livrou-me de todos os meus temores.
Os que olham para ele estão radiantes de alegria;
seu rosto jamais mostrará decepção.

SALMOS 34.4,5

19
OUT

#CAFECOMDEUSPAI

A fé é fundamental para um relacionamento com o nosso Deus Pai. Entretanto, não basta somente acreditar; é necessário esperar nele, depositar todas as suas expectativas de que nele os mares se tornarão tranquilos.

É preciso uma fé fundamentada na expectativa, pois fé sem expectativa é como motor sem combustível; não produz o efeito desejado, e o carro não sai do lugar. Então, crie as melhores expectativas, confie plenamente, e você viverá o milagre do Senhor. Tenha alegria em viver e confiar ao Senhor o seu destino e saiba que ele tem o melhor para você.

Você nunca chegará ao ambiente de fé sem entusiasmo. Portanto, alegre-se e seja grato por tudo o que o Senhor fará em você muito antes de ele agir, pois isso realmente é ter fé, ou seja, trazer à realidade aquilo que ainda não existe. Então, tenha entusiasmo e alegria, e esteja convicto de que o Senhor está com você em todo o tempo.

A sua expectativa atrai a presença de Deus; a sua fé valoriza essa presença; e a sua atitude extrai o poder de sua presença. Tudo que você precisa para viver uma temporada de milagres é expectativa, fé e atitude. Toda expectativa sem Deus se transforma em frustração. Deposite sua expectativa somente em Deus e você jamais será frustrado, porque ele sempre cumpre as suas promessas.

Para viver o melhor de Deus, entregue tudo o que ele lhe pedir. Sabe, na vida enfrentaremos decepções: os pais podem falhar, cônjuge pode falhar, nós podemos falhar, mas o nosso Deus não falha. Espere nele, seja ousado, tenha uma atitude de fé.

A sua fé precisa ser maior do que o seu sonho.

@juniorrostirola

DEVOCIONAL
292/365

LEITURA BÍBLICA
PROVÉRBIOS 16

PALAVRA-CHAVE
#CONFIANÇA

ANOTAÇÕES

É TEMPO DE VENCER!

20
OUT

#CAFECOMDEUSPAI

O sol parou, e a lua se deteve, até a nação vingar-se dos seus inimigos [...]. O sol parou no meio do céu e por quase um dia inteiro não se pôs. Nunca antes nem depois houve um dia como aquele [...]. Sem dúvida o SENHOR lutava por Israel!

JOSUÉ 10.13,14

A esperança não é um sonho, mas uma oportunidade de transformar os sonhos em realidade.

@juniorrostirola

DEVOCIONAL 365
293/365

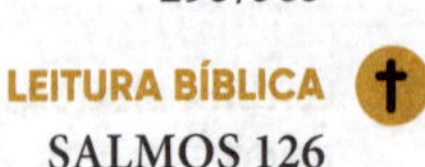

LEITURA BÍBLICA
SALMOS 126

PALAVRA-CHAVE
#VITÓRIA

ANOTAÇÕES

Todos nós vivemos tempos difíceis, momentos de instabilidade e também desafios. Enfrentar adversidades faz parte de sermos seres humanos.

Josué, ao enfrentar uma grande adversidade, experimentou o favor de Deus no campo de batalha. Quando tudo estava contra ele, Josué viu a mão de Deus. Ele pôde desfrutar das promessas do Senhor ao entrar na terra prometida e ao obter o favor de Deus, quando o Senhor lutou por ele suas batalhas e até mesmo alterou as condições naturais a seu favor, fazendo que o sol parasse.

Veja bem: quando a terra estava um caos, o Senhor a organizou. Mas o que ele fez primeiro foi trazer luz, claridade sobre a escuridão da terra no primeiro dia da criação. Por mais cinco dias, Deus continuou seu projeto de dar forma completa à terra e a todos os seres existentes.

Você vai viver o seu milagre e desfrutar de tudo aquilo que o Senhor lhe reservou. Da mesma forma, ele lhe trará clareza e entendimento, você só precisar pedir. Busque sabedoria do alto, se aproxime do Senhor. E, então, os planos do Senhor serão os seus planos.

Você pode ter certeza de que Deus Pai tem os melhores pensamentos a seu respeito, os melhores sonhos. Sua história será transformada, e os seus sonhos serão realizados de acordo com a vontade soberana do Pai, que tem planos de lhe dar esperança e um futuro próspero. Nunca se esqueça de que Deus luta por você. Ele trabalha a seu favor.

RESPEITE O TEMPO DETERMINADO

Dessa maneira, ele nos deu as suas grandiosas e preciosas promessas, para que por elas vocês se tornassem participantes da natureza divina e fugissem da corrupção que há no mundo, causada pela cobiça.

2PEDRO 1.4

21
OUT

#CAFECOMDEUSPAI

Existem momentos na vida que pedimos muito ao Senhor por algo. Por mais que a gente se esforce e se dedique, parece que não somos merecedores ou que o Senhor não deseja nos conceder o que lhe pedimos. Entenda que há coisas que Deus não concede não porque ele não possa ou não deseje, mas para não nos perder e também para nos ensinar a valorizar o que temos nas mãos.

Quando eu tinha 17 anos, fui sorteado no consórcio de uma moto. Naturalmente, eu não podia dirigir, pois não tinha habilitação por causa da idade. Mesmo assim, retiramos a moto da concessionária e a levamos para casa. Um dia, resolvi sair para andar, e imagine o que aconteceu: vi uma viatura da polícia e imediatamente corri para minha casa. Os policiais, percebendo o meu nervosismo, vieram atrás de mim. Eles chamaram a minha mãe e alertaram: "Sabemos que ele não tem idade para dirigir moto. Desta vez, passa, mas, na próxima, apreenderemos a moto".

Tive que vender a moto e esperar o tempo certo para ter outra novamente. Precisamos entender que existe um tempo certo para cada coisa, e nem sempre esse tempo corresponde ao nosso. Todavia, Deus sabe de todas as coisas e o tempo pertence a ele.

O Senhor quer nos ver preparados para receber as promessas que ele tem para a nossa vida. Mas tenha uma vida que respeite o tempo determinado para cada coisa. A promessa é uma semente, e toda semente precisa passar pelo processo de fecundação para que possa desenvolver, florescer e gerar frutos.

Não existe fracasso em Deus; existe processo.

@juniorrostirola

DEVOCIONAL
294/365

LEITURA BÍBLICA
SALMOS 127

PALAVRA-CHAVE
#ESPERAR

ANOTAÇÕES

DEUS SUPRIRÁ

22 OUT

#CAFECOMDEUSPAI

Então chegaram a Mara, mas não puderam beber das águas de lá porque eram amargas. Esta é a razão pela qual o lugar chama-se Mara. E o povo começou a reclamar a Moisés, dizendo: "Que beberemos?".

ÊXODO 15.23,24

Deus tem você na palma da mão. Não desista, mas mova as circunstâncias pela oração.

@juniorrostirola

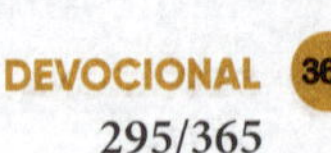

DEVOCIONAL

295/365

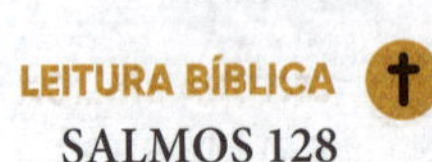

LEITURA BÍBLICA

SALMOS 128

PALAVRA-CHAVE

#FONTES

ANOTAÇÕES

Após atravessar o mar Vermelho, o povo hebreu comemorou por três dias a alegria de se ver livre do cruel jugo egípcio. Ao sentir sede, em vez de consultarem Deus por meio de Moisés, eles param em Mara e bebem daquela água. As águas de Mara eram amargas. O povo, então, começa a murmurar. Entretanto, perto dali existia um lugar chamado Elim, onde havia 12 fontes de água doce e 70 palmeiras, onde poderiam descansar à sombra.

Entenda que muitas vezes, nas palavras do apóstolo Paulo, esmurramos o vento e corremos sem alvo. O motivo de tudo isso é porque nos apressamos e corremos à frente de Deus, pensando com isso ter a solução. Doze fontes de água estão à nossa espera, mas cremos que Mara é o lugar certo. O resultado é frustração, queixa, decepção e falta de fé.

Como o povo judeu, quando estamos com medo, temos a tendência de buscar, pelo instinto de sobrevivência, resolver a nossa situação. De certo modo, esse instinto não é ruim; afinal de contas, ele serve para nos alertar em situações de emergência. O grande problema é quando esse mesmo alerta transcende para algo que nos paralisa, impedindo-nos de alcançar a verdadeira bênção que Deus reservou para nós.

Hoje o Senhor chama você para viver grandes coisas. Ele quer dar o melhor a você, mas é preciso esperar e ter a certeza de que Deus está nos conduzindo à abundância. Então, se algo lhe causa medo ou desconforto, confie que Deus tem a resposta certa, na hora certa. Ele suprirá todas as suas necessidades e irá muito além do que você possa imaginar. Ele não o decepcionará!

CONFIANÇA INABALÁVEL

Os que confiam no SENHOR são como o monte Sião, que não se pode abalar, mas permanece para sempre. Como os montes cercam Jerusalém, assim o SENHOR protege o seu povo, desde agora e para sempre.

SALMOS 125.1,2

23
OUT

#CAFECOMDEUSPAI

É muito comum todos nós fazermos planos. A longo prazo: como o lugar para onde viajaremos nas férias, a casa de praia onde morar na aposentadoria etc.; a curto prazo: como ir ao mercado ou ao shopping no fim do dia.

Mas nem sempre tudo ocorre da forma que planejamos, e as variáveis no meio do caminho, que não podíamos prever ou impedir, acabam frustrando o nosso planejamento e nos deixando decepcionados, tomados pela sensação de impotência.

Quando você entende que a sua vida é como a folha de uma árvore, que ao se desprender é soprada e levada pelo vento, até onde ele quer, então passa a viver em confiança, dirigido pelo Espírito Santo de Deus, pois sabe que ele o conduzirá com bons ventos para lugares melhores. Não significa que viverá sem planos ou sonhos, mas que passará a ter maturidade para compreender que tudo o que ocorre na sua vida, até mesmo o que foge ao seu planejamento, coopera para que a vontade do Senhor impere.

Quando criança, cheguei a ter pensamentos em que me perguntava por que nascera na minha família. Hoje entendo que havia um propósito de Deus para mim. Esse salmo diz que aquele que confia no Senhor é como o monte Sião, que não se abala, mas permanece para sempre. Se você quer ser ou se manter inabalável, deve confiar plenamente no que Deus faz. Entenda que os planos do Senhor são perfeitos e jamais serão frustrados. Tudo o que Deus faz tem um propósito, ainda que não possamos entender, mas o Pai sabe do que precisamos e fará grandes coisas. Certamente, o caminho com ele será diferente!

Quando você não consegue encontrar uma solução, é aí que Deus intervém.

@juniorrostirola

365 **DEVOCIONAL**
296/365

LEITURA BÍBLICA
PROVÉRBIOS 17

PALAVRA-CHAVE
#INABALÁVEL

ANOTAÇÕES

CRESÇA E DÊ FRUTOS

24
OUT

#CAFECOMDEUSPAI

Os justos florescerão como a palmeira,
crescerão como o cedro do Líbano.
SALMOS 92.12

Davi, antes de ser rei, era poeta e músico. Grande parte dos salmos foi composta por ele. Davi descreve como é a vida de um justo e o compara ao cedro do Líbano e à palmeira. Com isso, ele quer dizer que o justo teme ao Senhor, que não é justo por sua justiça, mas pela misericórdia de Deus.

A coisa mais interessante no crescimento das árvores é que isso se dá por adição de camadas exteriores em seu tronco. Já a palmeira cresce de forma diferente; ela cresce internamente. Como a palmeira, cresça primeiro para dentro, com um coração puro. Busque a santidade no seu íntimo.

As circunstâncias não definem você.

@juniorrostirola

Alinhe o seu coração ao coração de Deus. Aquele que teme ao Senhor é próspero, ao passo que o injusto, que se acha justo aos próprios olhos, engana a si mesmo.

A palmeira tem a capacidade de sobreviver nas mais difíceis condições; em desertos, onde nenhuma outra planta semeada vinga, e frutifica no lugar onde não tem vida. Suas raízes crescem profundamente, e ela não se alimenta do que tem ao redor, mas somente da fonte.

Quantas vezes você se alimentou daquilo que falaram a seu respeito? Nós precisamos saber quem somos. Conhecer a nós mesmos faz toda a diferença na vida, pois o justo não pode depender dos fatores externos para florescer. Assim como a azeitona, após ser espremida, entrega o que tem de melhor, o óleo, use as circunstâncias da vida para dar o seu melhor para o mundo.

DEVOCIONAL 365
297/365

LEITURA BÍBLICA
PROVÉRBIOS 18

PALAVRA-CHAVE
#FLORESCER

ANOTAÇÕES

COMO ESTÃO OS SEUS OLHOS?

Todas as coisas trazem canseira. O homem não é capaz de descrevê-las; os olhos nunca se saciam de ver, nem os ouvidos de ouvir.

ECLESIASTES 1.8

25
OUT

#CAFECOMDEUSPAI

A visão é um dos cinco sentidos que formam o conjunto de nossa percepção. O olho é o órgão responsável pela visão nos seres humanos. Quando olhamos na direção de algum objeto, a imagem captada atravessa a córnea e chega à íris, que regula a quantidade de luz recebida através de uma abertura chamada pupila. Quanto maior a pupila, mais luz entra no olho.

Ao olharmos para o evangelho, perguntamos: de que maneira Jesus exercia o sentido da visão? Como Jesus via as pessoas? Assim como nós as vemos? Com certeza, não. Jesus as via de outra forma. Não apenas pelo sentido de ver, tal como os seres humanos são caracterizados em seu conjunto de percepção.

Jesus as via diferentemente da forma que nós as vemos. Por uma ótica muito mais definida e profunda, Cristo enxerga além da aparência; ele vê o interior. Seus olhos penetram o profundo da nossa alma, pois "são como chama de fogo", que consomem toda a nossa camada exterior, até o mais profundo do nosso ser, e é capaz de nos compreender e de nos ajudar na pequenez da nossa fé. Os olhos de Jesus veem nossa alma e encontram as nossas intenções e desejos mais profundos.

Peça a Deus que o ajude a enxergar as pessoas e a si mesmo da forma como Jesus enxerga. Assim, você poderá aprender a amar, perdoar e servir como Cristo. Jesus nos vê com amor eterno e, ao se interessar por nós, apesar das nossas falhas, nos acolhe e nos aceita como somos. Porque para ele não somos nossas falhas nem nossos defeitos, mas filhos amados de Deus Pai.

Em um piscar de olhos, Deus pode levá-lo de um lugar de anonimato para o seu destino.

@juniorrostirola

365 **DEVOCIONAL**
298/365

LEITURA BÍBLICA
PROVÉRBIOS 19

PALAVRA-CHAVE
#DIREÇÃO

ANOTAÇÕES

VOCÊ FOI CHAMADO POR ELE

26
OUT

#CAFECOMDEUSPAI

Irmãos, quero que saibam que o evangelho por mim anunciado não é de origem humana.
GÁLATAS 1.11

Quando lemos a mensagem de Gálatas 1, vemos que o apóstolo Paulo estava sendo questionado pelos cristãos apegados às práticas judaicas de que ele não era um dos apóstolos originais de Cristo e provavelmente teria recebido instruções dos outros apóstolos.

Os chamados "judaizantes" eram pessoas que tinham vindo da Palestina ensinando que os crentes gentios, ou seja, não judeus, não poderiam ser verdadeiramente cristãos até que se submetessem às práticas ritualistas do judaísmo. Paulo deixou claro que ele era igual aos 12 apóstolos de Cristo, pois havia recebido um convite direto de Jesus para anunciar as boas-novas.

Não deixe que as pessoas determinem seu valor. Elas podem não acreditar em você, mas você tem valor.
@juniorrostirola

Quando compreendemos a origem do nosso chamado, não o submetemos a nenhuma regra ou condição humana que tente se opor a ele. Não podemos desistir daquilo que Deus nos convidou para fazer por causa de dificuldades, adversidades e críticas, pois é certo que elas virão.

Se o que você faz se deve a pessoas, você deixará de fazer por causa delas também. Mas, se você está em obediência a uma chama que Deus acendeu no seu coração, nada poderá pará-lo.

O nosso papel é desenvolver os dons que recebemos de Deus e empregá-los para que seja liberado poder para transformar vidas. Anunciemos a palavra da salvação com o nosso testemunho de vida em obediência ao chamado de Cristo. Lembre-se: você foi chamado por ele e é ele que o sustenta.

DEVOCIONAL 365
299/365

LEITURA BÍBLICA
PROVÉRBIOS 20

PALAVRA-CHAVE
#CHAMADO

ANOTAÇÕES

DEUS NÃO MUDA

"De fato, eu, o Senhor, não mudo.
Por isso vocês, descendentes de Jacó,
não foram destruídos."

MALAQUIAS 3.6

27
OUT

#CAFECOMDEUSPAI

Ao longo de toda a Bíblia, é possível ver que muitas pessoas foram vitoriosas, pois, além de terem uma atitude de fé, uma fé ousada que move o sobrenatural, também obedeceram às direções do Senhor e naturalmente, como consequência, conquistaram o impossível.

Sei bem que este século tem se mostrado historicamente um período de mudanças extremamente rápidas, com avanços tecnológicos cada vez mais surpreendentes, crescimento e queda econômicas nunca vistos na história; vemos pessoas com muito ímpeto de vencer, mas, ao mesmo tempo, aumenta o número de pessoas transtornadas por doenças psicossomáticas cada vez mais visíveis nas relações sociais.

Talvez você seja uma pessoa que se encaixe perfeitamente em tudo o que acabamos de descrever.

Você pode, assim como muitas outras pessoas, ter dúvidas quanto ao que o Senhor pode fazer neste tempo da sua vida, como se Deus tivesse nos esquecido neste mundo difícil simplesmente para que vagássemos sem esperança e destino.

Creia, porém, nesta palavra: O Senhor não muda, seu cuidado conosco permanece, sua capacidade de abençoar continua a mesma, ele é o mesmo que tudo criou e tudo formou. Sua palavra permanece viva, verdadeira, eficaz e plena sobre a nossa vida. Basta um posicionamento nosso para vencermos as batalhas do dia a dia.

Não devemos nos contentar com uma vida rasa ou medíocre. Entenda que você não depende das circunstâncias. Deus é imutável. Se determinado projeto estiver dentro dos propósitos de Deus, ele cumprirá em seu favor. Creia!

O desconforto vem sobre nós para nos levar a um movimento e a uma transformação da nossa realidade.

@juniorrostirola

DEVOCIONAL
300/365

LEITURA BÍBLICA
SALMOS 129

PALAVRA-CHAVE
#IMUTÁVEL

ANOTAÇÕES

COMO É DEUS PARA VOCÊ?

28
OUT

#CAFECOMDEUSPAI

Toda boa dádiva e todo dom perfeito vêm do alto, descendo do Pai das luzes, que não muda como sombras inconstantes.

TIAGO 1.17

Mesmo na adversidade, Deus mantém tudo sob controle. Não existe acaso, contratempo, mau tempo ou acidentes na sua trajetória.

@juniorrostirola

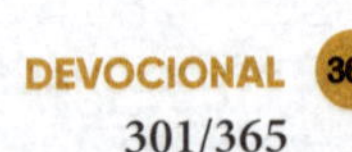

DEVOCIONAL
301/365

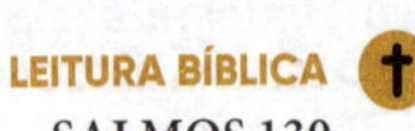

LEITURA BÍBLICA
SALMOS 130

PALAVRA-CHAVE

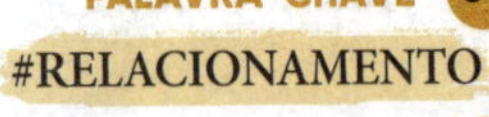

#RELACIONAMENTO

ANOTAÇÕES

Você já teve a sensação de que Deus mudou ao longo da sua vida? Na verdade, Deus não muda quanto a princípios; o que muda é a nossa compreensão de Deus. Depois que amadurecemos, não temos mais uma visão infantil sobre ele, que era imaginativa e um reflexo da educação que recebemos de berço.

É interessante considerar como a Bíblia nos dá uma visão em desenvolvimento de Deus. Por exemplo, os israelitas gradualmente deixaram de acreditar que Deus era um entre muitos deuses para o reconhecerem como o único e verdadeiro Deus. Agora está bem claro que ele não mudou, mas a compreensão das pessoas sobre Deus e a verdade sobre ele mudam conforme avançamos em direção à sua revelação.

Quanto mais você se relaciona com o Pai, mais você cresce e mais descobre sobre sua verdadeira essência de filho. O amor do Pai é tão grande que, quanto mais você se entrega a ele, mais você ganha propósito na vida. O relacionamento com Deus muda você e o seu modo de enxergá-lo, não mais como alguém aparentemente distante, mas como um Pai presente todos os dias, que cuida, provê e lhe dispensa bênçãos sem medida.

Escolha estar mais perto do Pai e conhecê-lo melhor. Entregue-se ao seu infinito amor e aceite ser moldado para o seu propósito. Se hoje você fosse descrever Deus Pai na sua vida, o que ele representa, o que ele já fez, como você o enxerga, que palavras você usaria para se expressar numa carta?

ESTEJA DISPOSTO

E ele designou alguns para apóstolos, outros para profetas, outros para evangelistas, e outros para pastores e mestres, com o fim de preparar os santos para a obra do ministério, para que o corpo de Cristo seja edificado.

EFÉSIOS 4.11,12

29
OUT

#CAFECOMDEUSPAI

Deus criou cada um de nós com habilidades e dons especiais e exclusivos. A vontade dele é que descubramos nossas características pessoais para nos comprometermos em desenvolver e usar os dons e talentos que ele nos deu para servi-lo na família, na igreja e na comunidade.

Deus é consistente em seus planos para cada um de nós. Ele não nos deu talentos, temperamento, dons espirituais e toda sorte de experiências para não usarmos. O Senhor nos capacita para realizar a obra e para servir o corpo de Cristo.

Ao amarmos as pessoas com o nosso serviço, somos instrumentos de Deus para que cada pessoa tocada por Jesus tenha a vida transformada. Quando você entende o seu chamado, Deus o leva a refletir sobre a melhor forma de pôr em prática o serviço.

Precisamos sempre estar dispostos a servir com responsabilidade. Você é chamado a cada dia para realizar o seu ministério. Não importa o lugar, o importante é que o seu coração esteja disposto a servir. Você é chamado para servir não só na igreja. Deus lhe deu um dom especial para cuidar de pessoas no seu trabalho. Você é chamado para levar um direcionamento de Deus na sua escola. Você é chamado para ensinar em seu lar a Palavra de Deus.

Cada um de nós foi chamado para um tipo de ministério no corpo de Cristo. Esteja disposto a servir e a exercer o seu ministério, para que Deus seja glorificado por meio da sua vida e para que os outros possam conhecer a Cristo com o seu testemunho. Como tem sido para você servir com o seu chamado no Reino?

Faça grandes coisas para Deus e espere coisas extraordinárias de Deus.

@juniorrostirola

DEVOCIONAL
302/365

LEITURA BÍBLICA
SALMOS 131

PALAVRA-CHAVE
#MINISTÉRIO

ANOTAÇÕES

EM DEUS PODEMOS VIVER O NOVO

30
OUT

#CAFECOMDEUSPAI

Aos 130 anos, Adão gerou um filho à sua semelhança, conforme a sua imagem; e deu-lhe o nome de Sete.

GÊNESIS 5.3

Se você servir e andar em obediência a Deus, ele abrirá um caminho mesmo quando não houver caminho.

@juniorrostirola

Adão e Eva devem ter ficado arrasados quando Caim matou Abel. A dor deve ter sido imensa, tanto por perderem um filho de forma tão violenta quanto por ver o outro filho perder-se e sucumbir ao mal. No entanto, eles continuaram a confiar na promessa de Deus.

Quando Eva teve outro filho, Sete, ela disse: "Deus me deu outro filho", indicando confiança na promessa que Deus havia feito, de que a geração deles não seria exterminada.

Vemos outro vislumbre de esperança, em que Sete é descrito como um filho de Adão, à sua própria imagem. Era o Pai celestial renovando a humanidade.

Lembro-me de que, quando criança, uma única vez meu pai me levou ao bar perto de casa, para tomar uma Laranjinha. Pode parecer pouco, mas, cada vez que me lembro dessa cena, é como se eu tivesse esperança de que o meu pai realmente se importava comigo.

Talvez você não tenha grandes lembranças da sua infância, ou até mesmo tente apagá-las da memória, mas algo que não pode ser apagado do nosso coração é quanto o Senhor nos ama.

Quando se relaciona conosco, o Senhor faz exatamente isto: ele cria memórias que nos trazem esperança e vida, possibilitando crescimento e graça. Que possamos servir ao nosso Senhor com alegria e invocar seu nome todos os dias, sabendo que o próprio Filho de Deus veio morar entre nós para cumprir a promessa da salvação de Deus.

DEVOCIONAL 365
303/365

LEITURA BÍBLICA
PROVÉRBIOS 21

PALAVRA-CHAVE
#CONFIANÇA

ANOTAÇÕES

POSICIONE-SE

"Se, porém, não agrada a vocês servir ao Senhor, escolham hoje a quem irão servir, se aos deuses que os seus antepassados serviram além do Eufrates, ou aos deuses dos amorreus, em cuja terra vocês estão vivendo. Mas eu e a minha família serviremos ao Senhor."

JOSUÉ 24.15

31
OUT

#CAFECOMDEUSPAI

Vivemos numa geração em que o imediatismo faz que tudo na vida tenha um curto período de duração, desde bens de consumo com sua obsolescência programada até relacionamentos têm sofrido com a fragilidade e têm tido curta duração. Isso consequentemente revela quão fragmentada e órfã emocionalmente está a nossa geração, mas essa orfandade pode ser curada pelo nosso Deus Pai e, como consequência, todos os lares serem restaurados.

Talvez você esteja vivendo momentos difíceis no seu relacionamento familiar e queira se isolar. Todos diariamente experimentamos um processo de melhoramento e, a cada momento em que nos permitimos ser ajudados, melhoramos.

Decida levar a sua família para mais perto de Deus. Muitas vezes, os problemas nascem em decorrência de pensamentos errados na família. Talvez, assim como eu, que fui o primeiro a começar um relacionamento com Jesus na minha família, você seja a única pessoa na sua, mas saiba que o seu posicionamento e os frutos do seu relacionamento com Jesus farão diferença entre os seus familiares.

Portanto, não desista de demonstrar o amor de Deus, para que ele seja conhecido. Posicione-se como Josué e como tantos outros que ao longo da história entenderam que o melhor para a vida era caminhar com Deus. Continue vivendo conforme a vontade de Deus e interceda pelos seus familiares, para que a sua casa seja abençoada. O seu posicionamento ecoará por gerações, pois o Senhor cumprirá cada uma de suas promessas.

Viver na luz é reconhecer que as trevas são inoperantes diante da grandeza de Deus.

@juniorrostirola

DEVOCIONAL
304/365

LEITURA BÍBLICA
PROVÉRBIOS 22

PALAVRA-CHAVE
#FAMÍLIA

ANOTAÇÕES

INDEPENDENTEMENTE
DAS CIRCUNSTÂNCIAS,
NÃO DESISTA.
SIGA EM FRENTE!
VIRE A PÁGINA,
E, SE PRECISO,
COMECE DE NOVO!

@juniorrostirola

NOVEMBRO

#CAFECOMDEUSPAI

café com Deus pai

EM JESUS ENCONTRAMOS ALÍVIO

"Venham a mim, todos os que estão cansados e sobrecarregados, e eu darei descanso a vocês."

MATEUS 11.28

01 NOV

#CAFECOMDEUSPAI

Essa passagem aponta para a necessidade de comunhão íntima com Cristo. Cada um de nós precisa descansar e se recompor para continuar sua jornada com Jesus. Desse modo, se você sente um fardo pesado sobre ombros, entenda que é esse fardo que o qualifica a ir até Jesus. Se não houvesse fardo, não haveria necessidade de descanso. Deus usa o fardo como matéria-prima para um caminho ao descanso. É tanto um presente como uma condição para nos achegarmos a Cristo.

Talvez hoje você esteja cansado, porque trabalha duro, luta contra realidades e circunstâncias. Você se sente sobrecarregado e oprimido. No seu entendimento não há mais saída. Se você se sente assim, saiba que isso é próprio do ser humano. Contudo, não é legítimo. Há em Jesus o alívio que acalma a sua tempestade. No entanto, ele só trará descanso e conforto se você for até ele, para que ele carregue o seu pesado fardo e vença as suas batalhas.

A leveza de Cristo está disponível para todos, mas acessível somente aos que nele creem. O jugo dele é suave, o fardo dele é leve. Assim como um balão flutua com gás hélio, o jugo de Jesus é leve com seus seguidores. Inflados pelo amor de Cristo, flutuamos pela vida com sua mansidão sem fim e sua humildade acessível. Não é que ele simplesmente nos encontra em nossa necessidade; ele vive a nossa necessidade, nunca se cansa de nos arrebatar, desejando fazer morada no nosso coração. Entregue a ele os fardos que sobrecarregam você. Não se deixe paralisar pelas adversidades e circunstâncias. Viva a leveza de um relacionamento com aquele que o impulsiona para uma nova realidade de descanso e consolo.

Aos cansados, ele dá novas forças e enche de vigor os fracos.

@juniorrostirola

DEVOCIONAL
305/365

LEITURA BÍBLICA
PROVÉRBIOS 23

PALAVRA-CHAVE
#DESCANSO

ANOTAÇÕES

O QUE É A VIDA?

02 NOV

#CAFECOMDEUSPAI

Vocês nem sabem o que acontecerá amanhã! Que é a sua vida? Vocês são como a neblina que aparece por um pouco de tempo e depois se dissipa.

TIAGO 4.14

O nosso tempo é a nossa vida.

@juniorrostirola

DEVOCIONAL 365
306/365

LEITURA BÍBLICA
PROVÉRBIOS 24

PALAVRA-CHAVE
#ENTREGA

ANOTAÇÕES

Existe uma profunda reflexão a ser extraída dessa passagem. O que é a vida? Tiago a compara a um vapor em razão de seu curto e frágil período de duração. A vida é única e breve; esse é um fato.

Partindo desse ponto, olhamos a vida e a morte dessa perspectiva, com mais naturalidade; reconhecemos que a nossa vida é única e breve, podemos nos libertar e agir com mais autenticidade e ousadia. Isso nos leva a viver de forma diferente, pois, atentos à brevidade da vida, não desperdiçamos o nosso tempo, pois ele equivale à nossa vida.

Compreender essa realidade nos leva a viver com maiores prioridades, não renunciando a coisas primordiais, ao passo que deixamos de lado as trivialidades. Muitas vezes, deixamos o tempo passar sem perceber que a vida também está se esvaindo como a areia de uma ampulheta. Então, reflita: quanta areia já desceu na ampulheta da sua vida sem que você, com tantos sonhos e projetos, tenha conseguido realizá-los? Se hoje você fizer uma reflexão acerca dos seus últimos cinco anos, quais escolhas realmente lhe deram orgulho e a respeito de quais delas, em tom recriminatório, você se pergunta: "Por que eu fiz aquilo?".

Somos fruto das nossas escolhas. Tempo é uma questão de escolha e preferência. Você escolhe algo em detrimento de outra coisa. Por isso, lembre-se de que Deus é o Senhor do tempo, e só ele tem poder para transformar a realidade da nossa vida. Ele tem poder de fazer na sua vida aquilo que levaria anos para ser realizado em poucos meses, ou até em poucos segundos. Então, entregue o governo do seu tempo e da sua vida a ele.

CRIE VÍNCULOS

Assim como o ferro afia o ferro,
o homem afia o seu companheiro.
PROVÉRBIOS 27.17

03
NOV

#CAFECOMDEUSPAI

Na sociedade contemporânea, somos cada vez mais induzidos ao individualismo. No mercado de trabalho, somos levados a ver os nossos colegas de trabalho como potenciais concorrentes. As redes sociais e os *reality shows* alimentam a individualidade, tirando-nos o senso de realidade social e nos induzindo a uma vida virtual. Somos cada vez mais movidos a viver focados no prazer, em vez de nas responsabilidades com aqueles que estão ao nosso redor. Às vezes, nem mesmo damos um simples bom dia aos vizinhos. Esse é um caminho perigoso que converge para o fracasso.

Toda caminhada é muito melhor e menos desgastante quando acompanhada de alguém que nos auxilia. Como em uma competição de velocistas no revezamento 4 x 100, a troca de bastão acontece de modo sincronizado, favorece a vitória para a equipe mais harmonicamente alinhada. Certamente, dividir o trajeto entre os quatro competidores é muito mais fácil e leve do que percorrer sozinho. Assim também é a nossa caminhada; precisamos uns dos outros.

É impossível para nós deter todas as formas de conhecimentos e habilidades. Cada um possui algo que o outro não possui, e essa combinação de conhecimentos e habilidades é fundamental para vivermos de forma plena uma vida abundante no Senhor.

Jesus, quando esteve na terra, conviveu com muitas pessoas, mas escolheu 12 em particular para liderar e instruir. Ninguém faz nada grande sozinho, e Jesus nos deu o exemplo perfeito. Portanto, tenha pessoas ao lado que o auxiliem na caminhada; durante toda a minha trajetória, tive o auxílio de pessoas extraordinárias e, na realidade, ainda tenho. Cada uma dessas pessoas é fundamental para a minha trajetória; por isso, não abra mão de bons relacionamentos e seja intencional.

Os seus relacionamentos contribuirão para o cumprimento do seu chamado.

@juniorrostirola

DEVOCIONAL
307/365

LEITURA BÍBLICA
SALMOS 132

PALAVRA-CHAVE
#COMUNHÃO

ANOTAÇÕES

SEJA HUMILDE

04
NOV

#CAFECOMDEUSPAI

"Tomem sobre vocês o meu jugo e aprendam de mim, pois sou manso e humilde de coração, e vocês encontrarão descanso para as suas almas."
MATEUS 11.29

Com certeza, você já deve ter ouvido a frase: "O mundo é dos espertos". Essa frase reflete o contexto atual de individualismo e egoísmo no qual o mundo vive. Infelizmente, esse é o padrão do mundo. Para a maioria das pessoas, não é errado enganar de forma ardilosa o próximo para se dar bem ou ter algum lucro. Nesse contexto, as pessoas vivem como concorrentes em vez de companheiros e irmãos de jornada.

Devemos aprender com Jesus a ser mansos e humildes de coração.
@juniorrostirola

Não precisamos ir longe para perceber que esse egoísmo e individualismo tem induzido cada vez mais as pessoas a viverem uma vida de indiferença e até mesmo de hostilidade.

Com isso, vemos que cada vez mais erguem-se muros mais altos ao nosso redor, que tentam nos impedir de ser a luz do mundo e o sal da terra. Diante disso, como cristãos, temos um desafio: brilhar no mundo como a luz de Cristo. Devemos ensinar a verdade, e a verdade é que o mundo, segundo a Palavra de Deus, não é dos espertos, mas, sim, dos santos, ou seja, daqueles que amam a Deus sobre todas as coisas. Por isso, tão importante como viver no mundo é ter um coração como o de Jesus, que era manso, humilde e gentil, desprovido do egoísmo e do individualismo que correm o mundo.

Precisamos ser parecidos com Jesus, semelhantes a ele em seus passos e em suas ações. Tudo que o mundo precisa é de alguém mais compreensivo, que, como Jesus, nunca apontará o dedo para os erros e pecados das pessoas, mas que irá recebê-las, apesar de suas imperfeições, com os braços abertos, do mesmo modo que ele nos recebeu e deu a vida por nós.

DEVOCIONAL
308/365

LEITURA BÍBLICA
SALMOS 133

PALAVRA-CHAVE
#HUMILDADE

ANOTAÇÕES

SEMELHANTES A CRISTO

Seja a atitude de vocês a mesma de Cristo Jesus, que, embora sendo Deus, não considerou que o ser igual a Deus era algo a que devia apegar-se; mas esvaziou-se a si mesmo, vindo a ser servo, tornando-se semelhante aos homens.

FILIPENSES 2.5-7

05
NOV

#CAFECOMDEUSPAI

A beleza da santidade de Jesus está em sua humildade. Sem dúvida alguma, ele é o maior exemplo de humildade que podemos encontrar na história.

É surreal imaginarmos que alguém com tamanho poder e glória como Jesus pôde durante todo o seu ministério ser tão humilde. Afinal de contas, como Deus, ele poderia ter feito uso de seu poder em várias ocasiões, até mesmo durante seu julgamento e condenação, para evitar todo seu sofrimento, contudo, a Bíblia nos diz que ele foi à cruz como uma ovelha muda.

A beleza da humildade de Jesus revela que ser responsável é se submeter à vontade do Pai. Em outras palavras, ser humilde é passar por todas as sensações e provações e por meio delas dar um bom testemunho vivo, ou seja, é mostrar às pessoas que, quando estamos realizando o propósito do Pai, é possível, sim, superar todas as dificuldades e provações que o mundo oferece, conservando-nos em santidade. Desse modo, aprendemos com o testemunho de Jesus e não pensemos que é por *status*, condição ou prerrogativa que daremos um bom testemunho, mas, sim, pela virtude de Deus, que pela ação do Espírito Santo nos levanta diariamente e potencializa em nós a condição de viver à semelhança de Cristo.

Ser parecido com Jesus é aceitar seu sacrifício, reconhecer que o amor de Deus se manifestou em sua vida verdadeiramente, entendendo que esse amor, além de ter sido por você, também foi em favor de cada pessoa com quem você se relaciona. Talvez as pessoas à sua volta tenham dificuldades de ir ao encontro de Jesus por conta própria. Seja você a pessoa que facilitará esse encontro.

Seja humilde para admitir seus erros e não cometê-los mais.

@juniorrostirola

DEVOCIONAL
309/365

LEITURA BÍBLICA
SALMOS 134

PALAVRA-CHAVE
#SEMELHANÇA

ANOTAÇÕES

CREIA, DEUS PODE FAZER

06
NOV

#CAFECOMDEUSPAI

Imediatamente o pai do menino exclamou: "Creio, ajuda-me a vencer a minha incredulidade!"
MARCOS 9.24

Viver sem fé é murchar diante da vida, definhar lentamente como uma árvore que tem o seu tempo com a incredulidade. A fé ousada faz homens e mulheres realizadores de sonhos e principalmente cumpridores dos planos e propósitos do Pai aqui na terra. Pode parecer difícil aos olhos humanos. Peça, no entanto, ao Senhor um espírito de superação e ousadia para suprimir o conformismo. Deixe a esperança substituir o desespero, troque o ódio pelo amor, trazendo harmonia em meio à desunião. Então, olhe para os seus ideais, para os seus sonhos que foram abandonados, e profetize transformação. Elabore planos, persiga sonhos e transforme-os em realidade.

Reascenda a chama no seu coração. Torne a sua fé feroz e operante e assim viva uma vida agradável diante de Deus e dos homens. Fabrique você mesmo a sua história de vitória e transformação, alimentado pelo poder do Espírito Santo, que será a sua força e o seu norte durante a jornada. Ele lhe dará força e iluminará as suas noites escuras. A fé move montanhas e transforma o impossível. Por isso, apresente a Deus os seus sonhos e deixe-o sonhá-los junto com você. Não é tarde para você! Portanto, tire da gaveta os velhos sonhos e coloque-os na estante, em um lugar de destaque e visibilidade.

A história da igreja que pastoreio é justamente marcada por essa realidade. Estamos na terceira ampliação, e cada uma delas foi marcada por posicionamentos de fé que tivemos. Não fiz nada sozinho. A minha fé contagiou muitos outros que, assim como eu, foram ousados em sua fé. Portanto, tenha uma atitude ousada diante dos desafios, creia no impossível e viva o extraordinário.

Fé é a certeza daquilo que esperamos e a prova daquilo que não vemos.
@juniorrostirola

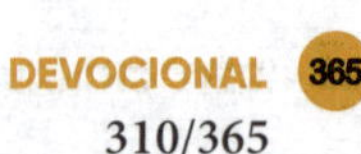

DEVOCIONAL
310/365

LEITURA BÍBLICA
PROVÉRBIOS 25

PALAVRA-CHAVE

#FÉ

ANOTAÇÕES

VOCÊ É O MAIOR TESOURO

Mas temos esse tesouro em vasos de barro, para mostrar que o poder que a tudo excede provém de Deus, e não de nós.

2CORÍNTIOS 4.7

07
NOV

#CAFECOMDEUSPAI

As grandes somas de dinheiro dos bancos são guardadas em reforçados cofres, assim como as mais valiosas obras de arte ficam protegidas pelos mais modernos sistemas de segurança e vidros à prova de balas. Mas o Senhor, segundo sua Palavra, guardou seu bem mais valioso em um lugar muito simples e humilde, em vasos de barro. Essa declaração é surpreendente porque os vasos preciosos que Deus escolheu para guardar sua glória somos eu e você. Pessoas improváveis diante das realidades, porque carregam uma história de vida, passada ou presente, sem possibilidade de sucesso aos olhos humanos.

Nesse sentido, a Palavra de Deus nos ensina que, ao gerar a humanidade, a criação, Deus destinou a humanidade a carregar a maior riqueza dentro de si, a presença dele. Ora, o Senhor poderia ter escolhido qualquer outra matéria-prima para esse propósito, mas escolheu a nós. É verdade que a graça e o amor de Deus estão aqui. De um elemento tão humilde como o barro, ele criou o espaço para pôr sua maior riqueza, a presença dele. Com isso, aprendemos que Deus nos ama muito, pois ele nos escolhe, independentemente de onde estivemos ou estamos, para estar conosco, ou seja, habitar em nós. E isso não é pelas nossas obras, *status* ou posição social, mas, sim, por seu grande amor.

Portanto, entenda, ele nos escolheu para um chamado: carregar sua presença. Desse modo, cada um de nós é um agente de transformação. Não é à toa que somos comparados ao sal da terra e à luz do mundo. Acredite: você é o maior tesouro, pois Deus decidiu fazer habitar em você a presença dele.

O amor incondicional de Deus nos escolheu para sermos habitação de sua presença.

@juniorrostirola

365 **DEVOCIONAL**
311/365

LEITURA BÍBLICA
PROVÉRBIOS 26

PALAVRA-CHAVE
#HABITAÇÃO

ANOTAÇÕES

COMPREENDA O SEU PROPÓSITO

08 NOV

#CAFECOMDEUSPAI

"Ele respondeu: 'Eu digo a vocês que a quem tem, mais será dado, mas a quem não tem, até o que tiver lhe será tirado'."

LUCAS 19.26

Como você tem administrado seu tempo e como tem feito uso de suas habilidades e conhecimentos? Vivemos tempos difíceis, mas a igreja tem uma promessa sobre ela de que as portas do inferno não prevalecerão contra ela. Assim também existe uma promessa sobre a sua vida. Existe um chamado, mas muitos acabam esquecendo-se das suas responsabilidades, do propósito para o qual nasceram, e, como uma fogueira que não é abastecida com lenha, as chamas se extinguem, o chamado é abafado.

É preciso que você entenda que não está na terra por acaso, para uma vida sem sentido e sem propósito. Existe um chamado para a sua vida, uma responsabilidade. No dia em que os céus se abrirem e Jesus vier em glória, todos nós, sem exceção, como na parábola dos talentos, prestaremos contas da nossa administração, e isso é algo muito sério, pois há pessoas que vivem só para o hoje. É bem verdade que o dia de amanhã só ao Senhor pertence. Contudo, precisamos viver com intensidade o hoje, porém conscientes de para onde estamos indo e que Jesus é o caminho, a verdade e a vida. Então, não existe outro caminho, senão Jesus. Como na parábola, ele depositou em você os talentos proporcionais à sua capacidade. Cabe a você administrá-los e fazê-los frutificar.

Convido você a refletir sobre como tem administrado o seu tempo e utilizado as suas habilidades e os conhecimentos recebidos do Senhor para cumprir o seu propósito. Talvez você se sinta como se tivesse perdido o sentido para continuar a sua jornada em razão das mágoas e tristezas que tem enfrentado, ou ansioso demais pelo dia de amanhã, mas foque no agora e busque cumprir o seu chamado com aquilo que você recebeu.

Você não é obra do acaso, mas de um propósito.

@juniorrostirola

312/365

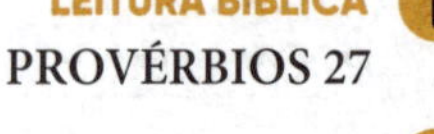

PROVÉRBIOS 27

#ADMINISTRAR

O CAMINHO CERTO

"Eu asseguro a vocês que aquele que não entra no aprisco das ovelhas pela porta, mas sobe por outro lugar, é ladrão e assaltante. Aquele que entra pela porta é o pastor das ovelhas."

JOÃO 10.1,2

09
NOV

#CAFECOMDEUSPAI

É muito interessante observarmos a expressão firme que esta passagem nos transmite: "Eu asseguro a vocês!".

Jesus está dizendo que você pode confiar nele. Mas você sabe por que ele está dizendo isto? Porque entre duas pessoas a base precisa ser a confiança. A fé está estritamente vinculada à confiança. E sem fé você não pode agradar a Deus. Logo, para ter fé, é necessário confiar que ele nos conduzirá por todos os momentos da vida e que o controle sobre o nosso destino está nas mãos do Pai.

Quando Jesus diz que aquele que entra pela porta é o pastor, ele está abrindo o coração para cada um de nós o conhecermos verdadeiramente. Ao entrar pela porta, em vez de usar outro acesso, como o ladrão faria, ele revela que só entrará em nosso coração por meio da legitimidade, não da clandestinidade. A forma de Jesus atuar é sempre aberta e sincera. Não tem subterfúgios nem meias palavras. Com Jesus, o sim é sim; o não é não. Ao entrar, ele realmente cuida das ovelhas, porque elas lhe pertencem e ninguém poderá arrebatá-las dele.

Jesus conhecia toda a realidade que eu enfrentava em casa, onde lutas, dificuldades, problemas e violência eram nossos companheiros mais íntimos. Contudo, abri a porta para Jesus entrar na minha vida e, depois disso, tudo mudou. Essa mudança está acessível a você também. Jesus quer entrar na sua vida e com seu amor, transformar a sua história e restaurar a sua fé. Aceite o convite de Jesus para entregar a sua vida por completo a ele e viva uma nova jornada.

Você não tem tempo para criticar os outros quando está fazendo o que foi chamado a fazer.

@juniorrostirola

DEVOCIONAL
313/365

LEITURA BÍBLICA
PROVÉRBIOS 28

PALAVRA-CHAVE
#LEGITIMIDADE

ANOTAÇÕES

SUPERE A DOR

10 NOV

#CAFECOMDEUSPAI

Então, deixando o seu cântaro, a mulher voltou à cidade e disse ao povo: "Venham ver um homem que me disse tudo o que tenho feito. Será que ele não é o Cristo?" Então saíram da cidade e foram para onde ele estava.

JOÃO 4.28-30

Não deixe que as pessoas tirem a sua identidade apenas por causa de sua circunstância ou situação.

@juniorrostirola

DEVOCIONAL
314/365

LEITURA BÍBLICA
PROVÉRBIOS 29

PALAVRA-CHAVE
#TESTEMUNHO

ANOTAÇÕES

Ao encontrar a mulher samaritana junto ao poço, Jesus mudou a vida dela para sempre. Aquela mulher passou por uma transformação em sua vida. Ela, que outrora ia ao poço no horário em que ninguém estava lá, por vergonha de como vivia a sua vida, agora gritava aos quatro cantos da cidade quanto Jesus era maravilhoso.

Imagine a mulher voltando àquele poço, e até mesmo levando pessoas àquele lugar, para contar-lhes sua história. O lugar da vergonha, ao qual ela não gostava de ir anteriormente, transformou-se num memorial de fé e graça. É isso que Jesus faz: transforma a vergonha em graça, a tristeza em alegria, o medo em fé.

A minha família e eu moramos muitos anos na mesma casa. Para nós, a nossa casa era um lugar de vergonha. Após a morte do meu pai, de uma forma lenta, porém orgânica, tudo foi sendo transformado. Aquela casa passou a ser um lar e o local onde houve a primeira reunião com mais sete pessoas para iniciar o meu chamado ministerial: oito pessoas juntas sonhando os sonhos de Deus.

O lugar que antes era de dor, tristeza e lamento, agora é de adoração, testemunho e gratidão. Então, entenda que o lugar que hoje é a sua vergonha o Senhor transformará no memorial da sua vitória. Vá ao encontro de Jesus e entregue a ele as suas dores, medos e angústias. Confie que o Pai tem poder para transformar a sua história e para converter o choro em riso. A sua dor de hoje, com o mover de Deus, será o seu testemunho de amanhã.

LIDERE AS SUAS DECISÕES

O conselho da sabedoria é: Procure obter sabedoria; use tudo o que você possui para adquirir entendimento.

PROVÉRBIOS 4.7

11 NOV

#CAFECOMDEUSPAI

É muito comum ouvirmos que conhecimento é poder. Contudo, conhecimento desprovido de sabedoria é vão e pode ser empregado de forma errada. Deus nos chama para sermos poderosos, mas não de acordo com o sistema deste mundo. A nossa sabedoria não vem de dinheiro, trabalho, beleza e elegância ou de qualquer outra coisa, mas tem origem em Deus. Ter fé e sabedoria é mostrar coragem diante de situações sombrias. Como filhos de Deus, temos a garra e a força dadas por ele para enfrentar e superar as noites escuras de nossa vida.

Não deixe que outros escrevam a sua história e o façam chegar aonde eles querem que você chegue. Tudo que vem de Deus passa pelo teste do tempo e se cumpre. No momento certo, você chegará ao lugar que ele preparou para você. As promessas de Deus nunca morrem, e o tempo que ele lhe dá antes de alcançar o seu destino profético é fundamental para você adquirir sabedoria e maturidade a fim de ser capacitado e preparado para cumprir com maestria o propósito da sua vida, planejado pelo Pai muito antes de você ser concebido.

Entre as principais virtudes da sabedoria estão paciência e serenidade; fundamentais para você ter resiliência. Durante a minha caminhada, passar pelo teste do tempo foi fundamental. Às vezes, eu não entendia. Hoje, quando vejo o caminho que percorri, percebo que cada desafio foi fundamental para as decisões que exigem de mim sabedoria.

Em Tiago 1.5, o Senhor nos instrui acerca de pedirmos sabedoria: "Se algum de vocês tem falta de sabedoria, peça-a a Deus, que a todos dá livremente [...]". Quer tomar decisões assertivas na sua vida? Peça sabedoria ao Senhor!

Agir com sabedoria é fundamental para o seu propósito.

Ei, esse tema é tão profundo, não é?

Deus falou tanto ao meu coração enquanto eu escrevia.

@juniorrostirola

DEVOCIONAL
315/365

LEITURA BÍBLICA
SALMOS 135

PALAVRA-CHAVE
#SABEDORIA

ANOTAÇÕES

NÃO VIVA PELO OLHAR DA ESCASSEZ

12
NOV

#CAFECOMDEUSPAI

Levanta-te, Juiz da terra; retribui aos orgulhosos o que merecem. Até quando os ímpios, Senhor, até quando os ímpios exultarão?

SALMOS 94.2,3

Muitas vezes, somos tomados por um sentimento de indignação que pode até mesmo evoluir para a ira, ao vermos pessoas injustas prosperarem em sua injustiça. A vida na terra não é sobre mim, mas é sobre Deus e as pessoas. Quando você entende isso, a vida se torna mais leve. Nunca abandone as pessoas da sua vida quando elas mais precisam de você.

Na parábola do filho pródigo, o filho que ficou em casa estava tão distante quanto o que saiu, tão perdido quanto seu irmão, porque não desfrutava do que era seu por direito enquanto remoía com rancor o que seu irmão fazia. Podemos dar mais valor às coisas do que às pessoas. Valorize e nunca abandone as pessoas da sua vida quando elas mais precisam de você.

Sei que isso pode surpreender você, mas, quando criança, senti inveja de ver garotos como eu terem uma família, uma casa para chamarem de lar, mesmo que aparentemente, enquanto a minha realidade era outra, completamente diferente. Eu vivia num lar disfuncional, com uma vida fragmentada por circunstâncias adversas.

Quando você está longe do propósito, fora da direção de Deus, a sua vida é justamente assim: olhar à sua volta, querer o que as pessoas possuem, sem ao menos saber se aquilo é o melhor para você. A escassez nos faz andar por aquilo que falta, não por aquilo que temos. Decida caminhar em direção à vontade de Deus, e a sua realidade será mudada.

O que você chama de dor, Deus chama de treinamento para você chegar aonde tem que chegar.

@juniorrostirola

DEVOCIONAL
316/365

LEITURA BÍBLICA
SALMOS 136

PALAVRA-CHAVE
#DIREÇÃO

ANOTAÇÕES

REPREENDA O MALIGNO

O meu Deus suprirá todas as necessidades de vocês, de acordo com as suas gloriosas riquezas em Cristo Jesus.

FILIPENSES 4.19

13
NOV

#CAFECOMDEUSPAI

Muitas vezes, estamos doentes não só fisicamente, mas também espiritualmente, porque damos legalidade ao Maligno. Mas chegou a hora de romper com toda a autoridade que temos permitido que o mal exerça na nossa vida. Não podemos aceitar os diagnósticos ruins, pois o Senhor promete que, se permanecermos nele, independentemente da necessidade, seja na saúde, seja na área familiar ou financeira, ele suprirá todas elas.

Lembre-se de que toda promessa é seguida de uma condição e, para ela se cumprir, é necessário que façamos a nossa parte. Isso requer fé, obediência e estar cheio do Espírito Santo. Quando estamos cheios do Espírito, não somos abalados, pois, em qualquer decisão que precisarmos tomar em nossa vida, podemos contar com a direção divina; Deus fala conosco. Só precisamos estar sensíveis e ouvir diariamente a voz de Deus.

Se hoje você precisa de sabedoria e orientação, peça ao Senhor. Ele, com toda a certeza, irá apontar o norte a seguir. Muitas vezes, não recebemos porque não sabemos pedir e porque não somos ousados, mas Deus nos deu espírito de ousadia, poder e equilíbrio.

Deus fez este dia para que você desfrute dele com intensidade e paixão. Então, posicione-se e repreenda qualquer mal que possa vir a assolá-lo. Não aceite menos, pois você carrega o DNA do extraordinário. O Maligno não tem poder sobre você nem sobre a sua família.

Tenha intimidade com Deus, viva o seu propósito aqui na terra, e derrote o Maligno.

@juniorrostirola

DEVOCIONAL
317/365

LEITURA BÍBLICA
PROVÉRBIOS 30

PALAVRA-CHAVE
#OUSADIA

ANOTAÇÕES

SOMENTE CREIA

14 NOV

#CAFECOMDEUSPAI

[...] "Escutem-me, Judá e povo de Jerusalém! Tenham fé no SENHOR, o seu Deus, e vocês serão sustentados; tenham fé nos profetas do Senhor, e terão a vitória".

2CRÔNICAS 20.20

Tudo depende da nossa resposta diante da dificuldade: crer ou desanimar.

@juniorrostirola

DEVOCIONAL 365
318/365

LEITURA BÍBLICA
PROVÉRBIOS 31

PALAVRA-CHAVE
#CRER

ANOTAÇÕES

Lamentavelmente, em nossa cultura impera o ideal de que, para prosperar, deve-se de forma egoísta não se importar com as outras pessoas e, se preciso for, até mesmo enganá-las ou tirar vantagem delas; ou que não devemos nos envolver ou nos posicionar no que tange aos nossos valores e ideais, calando-nos sob pressão da opinião predominante. Ninguém será de fato bem-sucedido com fragilidade e instabilidade. Não podemos pender ou oscilar; precisamos sair de cima do muro, viver ou os propósitos de Deus e trilhar os caminhos dele, ou viver os nossos propósitos e trilhar os nossos próprios caminhos. Mas, cuidado, pois o coração do homem é enganoso, e você pode ser levado a um lugar onde Deus não está, e uma hora a conta chegará.

Muitas vezes, somos orgulhosos e não admitimos o erro. Estabilidade física, emocional e profissional não é sinônimo de ser bem-sucedido. Mas o Senhor quer fazer os apontamentos necessários para uma vida bem-sucedida a fim de que você consiga estar convicto de estar no caminho certo. Então, abra o coração a ele para de fato viver nos caminhos dele e ter uma vida próspera no Senhor.

A decisão de abrir o coração e fazê-lo a morada do Senhor trará a você resultados inimagináveis. Não se limite às suas crenças pessoais, mas posicione-se para viver o novo e tocar o sobrenatural que está esperando por você. A renovação que você necessita está acessível. Então, não permaneça com os pensamentos de escassez e mentiras de que você não pode. A sua vida importa; há valor em você. Saiba que você é a expressão da criação de Deus Pai.

CAMINHANDO SOBRE AS TEMPESTADES

Mas o barco já estava a considerável distância da terra, fustigado pelas ondas, porque o vento soprava contra ele. Alta madrugada, Jesus dirigiu-se a eles, andando sobre o mar.

MATEUS 14.24,25

15 NOV

#CAFECOMDEUSPAI

O Senhor nos ensina que precisamos confiar nele em todos os momentos e, para isso, voltarmos ao simples. Mas o que é voltar ao simples? É realmente, diante de circunstâncias terríveis, de ventos contrários, você acreditar que ele é poderoso para fazer, curar e libertar. Menos é mais. Mas o problema é que muitas vezes queremos criar todo um sistema de liturgia, esperando que as coisas aconteçam da nossa forma. No entanto, Deus não opera assim, porque, mais do que nós, ele sabe o que é melhor.

Ele quer fazer grandes coisas, ele quer abrir o mar, mas espera que homens de fé ponham os pés na água. Ele quer multiplicar os pães e os peixes, mas espera homens de fé dispostos a confiar plenamente nele. Ele é um Pai presente, principalmente nas horas ruins.

A existência de circunstâncias contrárias não significa que tudo acabou, que é o seu fim ou a sua derrota. Estando com Deus, as circunstâncias contrárias nos elevam, nos lançam e nos promovem, levando-nos a viver o milagre. Por isso, aprenda com a tempestade, porque assim você não vai ficar caído, não vai se deixar abater pelo desânimo nem vai desistir. Com Deus, você permanecerá firme. Não importa quão forte os ventos soprem, o seu barco jamais afundará; basta apenas que você convide Jesus para viver a bordo do barco da sua vida.

Não sei que ventos e tempestades têm atingido você e a sua família, mas sei que Jesus está presente em meio a tudo isso e realiza o sobrenatural para transformar a sua realidade, acalmando o vento e as águas que o afligem. Convido você a confiar plenamente e clamar ao Mestre, que está pronto a socorrê-lo.

Talvez Deus tenha falado mais baixo para você chegar mais perto.

@juniorrostirola

DEVOCIONAL
319/365

LEITURA BÍBLICA
CANTARES 1

PALAVRA-CHAVE
#CONFIANÇA

ANOTAÇÕES

SEJA PERDOADO

16 NOV

#CAFECOMDEUSPAI

Então Jesus pôs-se em pé e perguntou-lhe: "Mulher, onde estão eles? Ninguém a condenou?" "Ninguém, Senhor", disse ela. Declarou Jesus: "Eu também não a condeno. Agora vá e abandone sua vida de pecado".

JOÃO 8.10,11

Na vida, há situações em que ficamos com dívidas emocionais, ficamos no negativo, no vermelho e com sensação constante de que temos uma dívida impagável. Isso acaba gerando uma vida amarga. Se continuarmos a carregar essa dor, a nossa vida ficará presa, amarrada e sem condições de seguir em frente com alegria e boas expectativas. Por isso, o perdão e o arrependimento são fundamentais. Muitas vezes, não permitimos Deus trabalhar em áreas da nossa vida e nos tornamos pessoas duras, realmente inflexíveis.

Deus nunca viu um homem que ele não possa perdoar.

@juniorrostirola

Quando Jesus pergunta à mulher onde estavam seus acusadores, ele sabia que todos já se haviam retirado, mas ele queria mostrar que todos também eram iguais a ela, pecadores; com isso, ministrou o perdão e o arrependimento na vida daquela mulher ao dizer que também não a condenava.

DEVOCIONAL
320/365

LEITURA BÍBLICA
CANTARES 2

PALAVRA-CHAVE
#PERDÃO

ANOTAÇÕES

Quantas vezes a gente coloca um ponto final na nossa história por causa de uma escolha errada, uma falha ou um pecado. Então, não conseguindo nos perdoar, ficamos cutucando a velha ferida e vivendo presos ao passado. Mas Deus quer lhe dar um novo destino. Siga em frente, pois ele tem coisas novas para você.

Antes daquela mulher ser abraçada pelo amor de Jesus, ela foi inundada pelo perdão de Deus Pai. Talvez você só não tenha conseguido viver uma verdadeira vida com Jesus justamente por isso. Por mais que você tenha conhecimento do amor de Deus por você, a necessidade de perdão o tem impedido de verdadeiramente ser alcançado por essa verdade. Por isso, hoje é o dia oportuno para você se libertar de todas as cargas e dívidas emocionais. Peça e receba o perdão de Jesus.

OUSE ACREDITAR

Ora, a fé é a certeza daquilo que esperamos e a prova das coisas que não vemos.

HEBREUS 11.1

17
NOV

#CAFECOMDEUSPAI

A fé é fundamental para uma vida saudável e equilibrada, por isso ultrapassou o contexto religioso e hoje é conceituada e utilizada até mesmo no campo corporativo, sendo comum utilizá-la para motivar as pessoas. Embora esteja hoje num campo muito abrangente, é importante destacar que a fé que a Palavra de Deus nos convida a aplicar em Jesus não é subjetiva e emocional no sentido terapêutico, mas, sobretudo, algo sobrenatural, uma chave que abre as portas para uma vida de milagres em Deus.

Portanto, quando falo sobre fé, me refiro à fé em Jesus. A fé em Jesus perpassa conceitos humanos, está intimamente ligada ao fundamento de que nele é possível aplicar fé para vivermos uma vida de milagres e em conexão com as promessas de Deus. Exercer fé em Jesus tem uma conotação espiritual, é mais que um conceito positivista, pois ultrapassa o emocionalismo e o psicologismo. Assim, quando exercemos fé em Jesus, não negamos os problemas, mas sobrepomos a máxima de que existe um Deus que governa toda a nossa realidade e que pode fazer milagres.

Se hoje você está em um beco sem saída, não tenha medo. Deus pode fazer milagres na sua vida; exerça fé no nome de Jesus. Lembre-se: ter fé não se trata de negar a existência de problemas. Ter fé significa dar aos problemas uma palavra de governo em nome de Jesus para que o sobrenatural se manifeste em nós. Em resumo, ter fé é tratar as coisas que não são como se já fossem, é confiar plenamente em Jesus e esperar que o mesmo Deus que reescreve o nosso futuro é capaz de nos levar até ele.

A fé tem poder para estabelecer novas realidades.

@juniorrostirola

DEVOCIONAL
321/365

LEITURA BÍBLICA
CANTARES 3

PALAVRA-CHAVE
#FÉ

ANOTAÇÕES

O REINO DE DEUS É INABALÁVEL

18 NOV

#CAFECOMDEUSPAI

O Senhor reina! Vestiu-se de majestade; de majestade vestiu-se o Senhor e armou-se de poder! O mundo está firme e não se abalará. O teu trono está firme desde a antiguidade; tu existes desde a eternidade.

SALMOS 93.1,2

Durante o período bíblico, quatro grandes impérios ergueram-se e caíram. Levantou-se o Império Babilônico e caiu; levantou-se o Império Persa e caiu; levantou-se o Império Grego e caiu; por fim, ergueu-se o Império Romano e caiu. Mas o fato é que o Reino de Deus permanece inabalável.

Por todos os séculos de ascensão e queda de vários impérios e reinos, a igreja do Senhor permaneceu inabalável. Tudo isso porque há uma promessa sobre a igreja do Senhor, a de que as portas do inferno não prevalecerão contra ela, ou seja, contra nós, eu e você, que somos a igreja.

Precisamos estar bem ajustados, andar unidos no mesmo propósito como família espiritual. O Senhor observa quem está mais apegado às coisas deste mundo. O Senhor tem propósitos e está vendo todas as coisas. Ele vê os dias de luta pelos quais passamos e quer muito nos ajudar, embora muitos prefiram andar em desobediência e viver para o próprio ego.

É tempo de estender as mãos, de amar e termos mais empatia, para assim vivermos o sobrenatural em todas as áreas da nossa vida. É importante que você seja santificado e fortalecido pelo Espírito para caminhar conforme a vontade de Deus.

Precisamos realmente nos manter fiéis, porque o mundo jaz no Maligno. Mantermo-nos firmes e fiéis é um grande desafio, mas que é grandemente recompensado pelo Senhor, que jamais deixará de cumprir suas promessas na vida daqueles que o amam e lhe são fiéis.

Se Deus é seu parceiro, projete grande.

@juniorrostirola

DEVOCIONAL 365
322/365

LEITURA BÍBLICA
SALMOS 137

PALAVRA-CHAVE
#FIDELIDADE

ANOTAÇÕES

VOCÊ É VENCEDOR

De todos os lados somos pressionados, mas não desanimados; ficamos perplexos, mas não desesperados; somos perseguidos, mas não abandonados; abatidos, mas não destruídos.

2CORÍNTIOS 4.8,9

19
NOV

#CAFECOMDEUSPAI

Às vezes, estamos tão envoltos em problemas e adversidades que a nossa sensação é de que eles parecem erguer-se ao nosso redor e nos cercar de todos os lados, parecendo não haver possibilidade de fugir nem de resistir e vencer os problemas que são numerosos.

Diante das circunstâncias da vida, ocorrem as mudanças na nossa rotina, e os conflitos e ansiedades consequentemente vêm bater à nossa porta, como visita indesejada. Mas, apesar de não parecer haver saída e o desespero nos assolar, precisamos manter a calma e crer que temos um Deus presente que sente a nossa dor e não deseja nos ver sofrer.

Lembre-se de que Jesus conhece toda e qualquer dor que você possa experimentar, porque ele passou por todas as dores por amor a nós. Assim como ele venceu as aflições, também nos faz vencedores.

Vença o desânimo. Libere vida para a sua família e para os seus amigos. O Espírito do Senhor está sobre você. Ele tem o poder de lhe devolver a esperança que você precisa para resistir. Sua fé no Senhor fará com que ele lhe dê a visão para, em meio ao caos, enxergar a saída. O Senhor lhe dará estratégias para vencer toda sorte de problemas que se levantar contra você.

O meu sentimento de desesperança foi até o momento em que conheci o seu poder. Depois disso, nada mais me paralisou. Quando nos deparamos com a infinitude do amor e do poder de Deus, a desesperança dá lugar à esperança. Eu sei em quem tenho crido. Ele jamais me desamparou e também não desamparará você.

Ser feliz não é o que o faz grato, mas ser grato é o que faz você feliz.

@juniorrostirola

DEVOCIONAL
323/365

LEITURA BÍBLICA
SALMOS 138

PALAVRA-CHAVE
#ESPERANÇA

ANOTAÇÕES

GUARDADOS POR ELE

20
NOV

#CAFECOMDEUSPAI

Irmãos, quero que saibam que o evangelho por mim anunciado não é de origem humana. Não o recebi de pessoa alguma nem me foi ele ensinado; ao contrário, eu o recebi de Jesus Cristo por revelação.

GÁLATAS 1.11,12

O apóstolo Paulo nos diz que aquilo que ele estava anunciando era espiritual. Costumo dizer em minhas pregações que não somos seres terrenos com experiências espirituais, mas seres espirituais com experiência terrena. Quando você entende que existe um mundo espiritual, e que tudo nasce primeiro no mundo espiritual para depois se concretizar no mundo terreno, você entende o papel fundamental do evangelho na terra.

A vida pelo evangelho é a esperança do mundo. Ao compreender essa realidade, você passa a viver o extraordinário ou seja, quando se dispõe a cumprir o propósito para o qual o Senhor o chamou, as portas do céu são abertas.

Antes de você ser gerado no ventre da sua mãe, o Senhor já lhe havia designado um propósito. Mas as suas decisões podem impedir o agir de Deus. Deus nos ama tanto que nos dá liberdade, o livre-arbítrio. Jesus disse que sua igreja, ou seja, a reunião de todos os filhos de Deus que creem em seu nome, seria edificada e que as portas do inferno não prevaleceriam contra ela. Isso quer dizer que, mesmo que as lutas venham, que o Maligno se levante, nós permaneceremos de pé.

Você que já recebeu Jesus no coração faz parte da igreja de Cristo. Então, está debaixo dessa promessa e da proteção do Pai. O Inimigo não vai prevalecer contra você, contra a sua casa, contra a sua família, contra os seus negócios, pois os anjos do Senhor o guardarão. A sua vida está guardada em Deus, por meio de Jesus Cristo, que morreu e se entregou em nosso lugar.

A sua vida está guardada em Cristo.

@juniorrostirola

324/365

CANTARES 4

#PROTEÇÃO

CREIA E DEUS IRÁ CUMPRIR

Levou consigo Pedro, Tiago e João, e começou a ficar aflito e angustiado. E lhes disse: "A minha alma está profundamente triste, numa tristeza mortal. Fiquem aqui e vigiem".

MARCOS 14.33,34

21 NOV

#CAFECOMDEUSPAI

Ciente de tudo o que viria, Jesus estava profundamente angustiado, pois sentia todo o pecado da humanidade recair sobre os seus ombros. Diante da angústia, Jesus passou por um fenômeno que, segundo a medicina, só ocorre quando se é submetido a uma pressão psicológica extremamente severa: os microvasos sanguíneos se rompem, e o sangue mistura-se com o suor.

Em todos os momentos, Jesus foi obediente. Ele sentiu medo por causa de tudo o que estava por vir. Por isso, pediu ao Pai que, se fosse possível, afastasse aquele destino doloroso, mas também se mostrou totalmente obediente, pois sabia que o sofrimento vindouro era inevitável.

Entendemos com isso que existem sofrimentos que são inevitáveis. Contudo, devemos, a exemplo de Jesus, ter fé e mansidão nas horas mais escuras, pois não há sofrimentos que superem toda a dor e todo o sofrimento que Jesus enfrentou por nós, derramando seu precioso e poderoso sangue no Getsêmani.

Independentemente da situação que você esteja passando, se vive momentos de tribulações ou de vitórias, se está alegre ou aflito, somente uma verdade prevalece: há poder no sangue de Jesus! Assim como ele morreu na cruz e ressuscitou ao terceiro dia, seu poder pode também restituir os sonhos que foram tirados de você.

Creia que o desafio que precisa ser vencido, ou o milagre que necessita ser alcançado, vai chegar. Desejo que você simplesmente acredite que não há impossível que Jesus não possa mudar. Mesmo que os diagnósticos sejam contrários, o milagre irá acontecer.

O que você tem em mãos é suficiente para Deus fazer o milagre.

@juniorrostirola

365 **DEVOCIONAL**
325/365

LEITURA BÍBLICA
CANTARES 5

PALAVRA-CHAVE
#ACREDITAR

ANOTAÇÕES

ELE É O DEUS QUE O CURA

22
NOV

#CAFECOMDEUSPAI

Certamente ele tomou sobre si as nossas enfermidades e sobre si levou as nossas doenças [...]. Mas ele foi traspassado por causa das nossas transgressões, foi esmagado por causa de nossas iniquidades; o castigo que nos trouxe paz estava sobre ele, e pelas suas feridas fomos curados.

ISAÍAS 53.4,5

Os sofrimentos pelos quais Jesus passou foram horrendos. Quando foi açoitado, o objeto utilizado pelos romanos na época era um chicote no qual eram atadas esferas de ferro e ossos pontiagudos. Por isso, a cada golpe a carne de Jesus era rasgada, em uma agonia sem igual. O verdadeiro propósito do corpo de Jesus ter sido rasgado e das feridas abertas em seu corpo foi nos trazer cura.

Em 2017, realizei uma viagem missionária até o Haiti. Lá temos uma base missionária que é 100% mantida pela Igreja Reviver, com crianças que estão na escola também mantidas por nós. Após o retorno ao Brasil, passei muito mal por vários dias, pois havia contraído cólera. Uma dor terrível tomava conta do meu corpo. Quando estamos com dor, ficamos confusos e desorientados. Isso ocorre tanto em questões físicas quanto em questões emocionais; em geral, ficamos tão perdidos, podendo chegar em muitos casos, a ponto de a pessoa perder a vontade de viver.

Um clamor sincero faz Deus parar para ouvir você.

@juniorrostirola

Jesus sofreu por você a ponto de entregar sua própria vida, não por desespero, mas por entrega sacrificial e completa, a fim de nós tenhamos vida. Jesus tomou o peso das nossas dores para que fôssemos curados. A sua entrega nos trouxe a paz da redenção e da libertação da culpa do pecado.

Ele pode sarar suas feridas físicas, emocionais e espirituais e trazer paz ao seu coração aflito.

Acredite no poder do sangue de Jesus. Tenha fé no amor dele por você, no poder dele sobre a morte. Ele fará o impossível acontecer na sua vida.

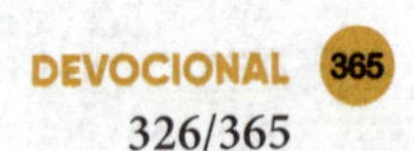

UM NÍVEL ELEVADO

No ano em que o rei Uzias morreu, eu vi o SENHOR assentado num trono alto e exaltado, e a aba de sua veste enchia o templo.

ISAÍAS 6.1

23
NOV

#CAFECOMDEUSPAI

O profeta Isaías estava passando por um momento muito difícil de sua vida quando recebeu essa visão. Ele estava em luto pela morte do rei Uzias. Foi nesse momento de dificuldade que houve o despertar para algo novo.

O Senhor veio em meio à tristeza do profeta e revelou-se a ele, que humildemente reconheceu sua condição de pecador e teve uma experiência única ao ser purificado pela brasa do altar. Independentemente do que você esteja vivendo, o Senhor lhe mostra que você é a pessoa mais propícia a viver novos sonhos, conquistas e realizações.

O grande problema é que muitas vezes nós nos tornamos dogmáticos, demasiadamente presos a regras, ou liberais demais, não respeitando limites nem dando ouvidos ao bom senso, sendo inflexíveis ao mover de Deus.

Deus é amor, mas Deus também é justiça, e ele só age dentro do que é legítimo. Então, permita ser tocado pelo seu santo fogo. A vida com Cristo é algo muito sério, e você precisa tomar uma decisão. Atente-se à voz de Deus e responda ao seu chamado. Não se conforme com uma vida mediana; venha para um nível mais elevado de fé e esperança.

Você pode até dizer: "Mas eu já tentei tantas vezes, e parece que nada muda, parece que as circunstâncias estão me sufocando como se fossem me engolir". Eu tenho uma boa notícia para você: em Deus, quando chegamos ao nosso limite, é porque acabamos de subir mais um nível. Ele pode levar você a lugares altos, renovando as suas forças e a sua esperança.

Um Deus que conhece com o que você pode lidar. Saia do ninho e teste a sua fé.

@juniorrostirola

365 **DEVOCIONAL**
327/365

LEITURA BÍBLICA
CANTARES 7

PALAVRA-CHAVE
#DESPERTAR

ANOTAÇÕES

NÃO PERCA DE VISTA

24
NOV

#CAFECOMDEUSPAI

Então o SENHOR *me respondeu: "Escreva claramente a visão em tábuas, para que se leia facilmente. Pois a visão aguarda um tempo designado; ela fala do fim e não falhará. Ainda que demore, espere-a; porque ela certamente virá e não se atrasará".*

HABACUQUE 2.2,3

Deus viu a sua fé. Ele viu a sua dedicação. O que ele prometeu a você ainda vai acontecer.

@juniorrostirola

DEVOCIONAL 365
328/365

LEITURA BÍBLICA
CANTARES 8

PALAVRA-CHAVE

#SONHAR

ANOTAÇÕES

Deus não nos criou por acaso. Ele nos fez com um propósito de vida. Se você está conectado a ele, os sonhos plantados em seu coração pelo próprio Deus estarão alinhados. Quando vislumbramos o que podemos realizar, quando algum plano, ideia ou projeto arde em nosso coração, temos certeza de que o Inimigo vai querer nos desestabilizar e fazer-nos mudar o foco.

A Palavra de Deus nos adverte: "Escreve a visão", que significa: "Não perca de vista o sonho que Deus fez nascer em você!". Permita que ele permaneça vivo na sua memória. É como se você fosse o responsável por manter uma chama acesa, alimentando-a e zelando por ela.

É possível que nem mesmo as pessoas mais próximas de você compreendam o que Deus lhe falou, não acreditem e, por isso, não o incentivem. Não espere que elas desempenhem esse papel. Se elas o ajudarem, ótimo, pois os esforços conjuntos facilitam a jornada; mas, se elas não fizerem isso, Deus o conduzirá ao caminho que ele determinou para você, colocando as pessoas certas e retirando aquelas que o afastariam do propósito.

Tudo o que Deus planejou para a sua vida vai se cumprir no tempo certo, se você não desanimar nem desistir de seguir adiante com Jesus. Concentre-se na voz de Deus e busque agradá-lo em tudo o que fizer.

Deus viu a sua fé. Ele viu a sua dedicação e conhece a intenção e os desejos do seu coração. Acredite em sua Palavra e siga os seus mandamentos. Portanto, o que ele prometeu ainda vai acontecer! Fique firme!

ATÉ A ETERNIDADE

"Ame o Senhor, o seu Deus, de todo o seu coração, de toda a sua alma, de todo o seu entendimento e de todas as suas forças."

MARCOS 12.30

25
NOV

#CAFECOMDEUSPAI

A vida é apenas um ensaio geral, antes da verdadeira produção. Você passará muito mais tempo do outro lado, na eternidade, do que aqui. Portanto, entenda, a terra é como um lugar de preparação, é como a pré-escola, o vestibular que nos prepara para a vida na eternidade.

Por que estou deixando claro isso? Porque Deus não quer apenas uma parte de sua vida. Ele não quer um pedaço do seu coração, mas toda a sua vida. O Senhor quer tê-lo por completo, sem ressalvas.

Há muita gente interessada em viver com Deus um comprometimento tímido por meio de uma obediência parcial. Sabe, é bom esclarecer que Deus deseja nossa total devoção, não pequenos pedaços de nossa vida. Ele se agrada quando nossa adoração é precisa, autêntica e atenta.

Deus não se agrada dos cânticos descuidados, preces mecânicas, ou seja, de idas e vindas a igrejas ou a lugares santos de forma religiosa. Se a adoração for descuidada, mecânica, religiosa, não significará nada para ele. Tudo que Deus deseja é um comprometimento real, ou seja, uma adoração prática que envolva toda a nossa vida. A intenção do seu coração importa para ele.

Sua vida é importante e única. Até mesmo se você tiver um irmão gêmeo, vocês terão diferenças em alguns aspectos, a começar pela identidade de filho de Deus, que é única. Então, se aprendermos a amar Jesus, o Filho de Deus, e nele confiar, já estamos convidados a passar toda a eternidade com ele. Qual é sua decisão hoje?

Reconhecer quem é Jesus traz à minha vida o discernimento de quem realmente sou.

@juniorrostirola

DEVOCIONAL
329/365

LEITURA BÍBLICA
SALMOS 139

PALAVRA-CHAVE
#ETERNIDADE

ANOTAÇÕES

A AJUDA DE QUE VOCÊ PRECISA

26
NOV

#CAFECOMDEUSPAI

Alguns homens trouxeram-lhe um paralítico, deitado em sua maca. Vendo a fé que eles tinham, Jesus disse ao paralítico: "Tenha bom ânimo, filho; os seus pecados estão perdoados".

MATEUS 9.2

Viver com atitude de gratidão nos ajuda a perceber plenamente como Deus está trabalhando em nós.

@juniorrostirola

Muitas vezes, nos sentimos estagnados, precisando de ajuda como aquele homem. Portanto, precisamos estar atentos porque em muitos momentos pessoas serão usadas por Deus para nos levar até Jesus. Pessoas determinadas como aqueles amigos do paralítico citados na passagem, que não mediram esforços para ajudá-lo.

Foi assim comigo. Antes de conhecer Jesus, eu era uma pessoa totalmente estagnada em todas as áreas. Entretanto, houve pessoas que me auxiliaram na minha reconstrução de vida. Uma pessoa fez um convite que mudou a minha história, mas, assim como ela, outras foram importantes na jornada, e hoje muitas caminham comigo.

Isso nos mostra a importância de pessoas de fé ao nosso lado. Pessoas que estejam dispostas a nos ajudar em nosso processo de cura.

Certamente existem pessoas assim ao seu lado. Você pode reconhecer essas pessoas pela fé que possuem. São pessoas que sempre têm palavras de encorajamento.

Pode ser, porém, que você pense: "Eu não tenho pessoas assim ao meu lado!". Não, isso não é verdade. Sempre há pessoas dispostas a nos ajudar. O problema é que muitas vezes estamos tão focados nos problemas que não olhamos para o lado, mas apenas para baixo. Portanto, hoje, levante a cabeça. Olhe para os lados e certamente você encontrará alguém estendendo as mãos para ajudá-lo.

Você não está só. Jesus vê a sua dor.

DEVOCIONAL 365
330/365

LEITURA BÍBLICA
SALMOS 140

PALAVRA-CHAVE
#CONFIANÇA

ANOTAÇÕES

A BONDADE DE DEUS

Pois o Senhor é bom e o seu amor leal é eterno;
a sua fidelidade permanece por todas as gerações.
SALMOS 100.5

27
NOV

#CAFECOMDEUSPAI

Não seria maravilhoso se pudéssemos encontrar uma cura absoluta para todos os problemas da natureza humana? Já pensou se, em vez do ódio, as pessoas fossem cheias de amor? Já pensou se, em vez da ganância, as pessoas fossem generosas? Suponha que, por algum milagre, todo o passado pudesse ser corrigido, de modo que todas as falhas da vida pudessem ser reparadas! Isso não seria extraordinário?

E se eu disser que isso já está acontecendo, você acredita? Sim, diante da Escritura isso já pode ser uma realidade, pois a misericórdia do Senhor se renova a cada manhã. Ele tem todo o poder de fazer novas todas as coisas.

Desse modo, o pecado, a confusão e a desilusão da vida podem ser substituídos por retidão, alegria, contentamento e felicidade, porque, por meio do sacrifício de Jesus na cruz, ele nos concede a paz que traz refrigério à alma.

Se hoje você vê ou percebe que a sua vida está sendo roubada ou destruída por um luto, abuso, sonho despedaçado, feridas e até culpa por coisas que fez ou deixou de fazer, lembre-se de que Deus, em sua misericórdia, pode trazer restauração a você.

Se você deseja experimentar esse amor de Deus, abra o coração para as verdades de Deus e rejeite todas as mentiras que aprisionam a sua vida e tentam torná-la cativa. Desse modo, você não será mais afetado pela atmosfera espiritual negativa; pelo contrário, será resgatado da sua condição de humilhação autoinfligida.

Quando compreendo e vivo à luz da eternidade, cada momento se torna único e especial!

@juniorrostirola

365 **DEVOCIONAL**
331/365

LEITURA BÍBLICA
ECLESIASTES 1

PALAVRA-CHAVE
#BONDADE

ANOTAÇÕES

O PROPÓSITO DO DESERTO

28
NOV

#CAFECOMDEUSPAI

Mesmo quando eu andar por um vale de trevas e morte, não temerei perigo algum, pois tu estás comigo; a tua vara e o teu cajado me protegem.

SALMOS 23.4

O deserto é, sem dúvida, um lugar desafiador, angustiante e temido por todos nós. Ninguém em sã consciência deseja viver ou passar um longo período no deserto, no máximo um passeio em condições favoráveis. Afinal de contas, deserto nos lembra escassez e morte.

Por outro lado, no sentido espiritual, o deserto é um lugar de desafios, angústia, solidão, mas, ao mesmo tempo, o ambiente que Deus usa para cumprir seus propósitos em nossa vida. Então, entenda: se você está passando por lutas e desafios, não desista. O deserto existe para um propósito, e seu propósito é revelar a soberania de Deus sobre a vida humana.

Acredito que por muitas vezes Deus pode e deve nos levar até esse lugar para que saiamos do modo automático. Isso mesmo, para que saiamos da autodependência e passemos a depender exclusivamente da soberania de Deus. Não é fácil, pois nos momentos de dificuldade normalmente procuramos culpados em vez de soluções.

Portanto, não murmure, não se desespere. É no deserto que Deus passa a ressignificar muitas coisas em nossa vida. Quando passamos pelo deserto, damos valor à vida e ao Deus que nos concedeu a vida e, além disso, valorizamos as companhias que estão conosco no deserto.

Dessa forma, se neste dia você está passando por um deserto, agradeça a Deus e glorifique-o durante todo o percurso. Observe e reflita, mesmo que passem algumas estações, isso só acontecerá porque Deus deseja que você saia mais forte e grato pela fidelidade e pelo amor dele na sua vida.

Deus está conosco no deserto.

@juniorrostirola

DEVOCIONAL 365
332/365

LEITURA BÍBLICA
ECLESIASTES 2

PALAVRA-CHAVE
#CONFIE

ANOTAÇÕES

CONFIE EM DEUS

Por que você está assim tão triste, ó minha alma? Por que está assim tão perturbada dentro de mim? Ponha a sua esperança em Deus! Pois ainda o louvarei; ele é o meu Salvador e o meu Deus. A minha alma está profundamente triste [...].

SALMOS 42.5,6

29
NOV

#CAFECOMDEUSPAI

Uma versão antiga da Bíblia diz: "Espera em Deus, pois ainda o louvarei na salvação da sua presença". Davi diz isso porque a sua alma está ferida, enferma, triste, abatida, enfrentando problemas sérios que ameaçam a sua vida. Mas ele anseia a cura da alma e a solução dos problemas.

Onde podemos encontrar a solução dos nossos problemas e a salvação da nossa alma? Em nós mesmos? Em nossa própria força e sabedoria? Somente em Jesus há salvação. O resgate e a força vêm sempre do Senhor, ele é o nosso refúgio.

A ansiedade gera uma série de doenças da alma que refletem e paralisam o corpo. A entrega é a melhor decisão. Esta palavra é uma Palavra de cura, um antídoto para a sua alma doente, abatida e cansada de tanto engano e frustração causados por este mundo. Você precisa de Deus. Entregue sem reservas a sua vida a ele, confiando plenamente em sua providência.

Hoje convido você a se lembrar de outro salmo, que diz: "Ponha a sua esperança em Deus! Pois ainda o louvarei; ele é o meu Salvador e o meu Deus". Deposite toda a sua esperança no Senhor e confie no mover de Deus.

Há momentos quando devemos ficar quietos e aguardar o agir de Deus. É aí que o mal é vencido, o pecado é confessado e perdoado, a tristeza dá lugar ao canto, e Deus se agrada de nós. Espere no Senhor e ouça as suas intenções, para que você possa caminhar conforme a vontade dele. Receba esta palavra e declare que você vai esperar em Deus.

Há momentos em que devemos ficar quietos. Apenas precisamos deixar nossa fé em Deus falar e agir por nós.

@juniorrostirola

DEVOCIONAL
333/365

LEITURA BÍBLICA
ECLESIASTES 3

PALAVRA-CHAVE
#ESPERANÇA

ANOTAÇÕES

NÃO FIQUE SÓ

30
NOV

#CAFECOMDEUSPAI

O Senhor é o meu pastor; de nada terei falta. Em verdes pastagens me faz repousar e me conduz a águas tranquilas; restaura-me o vigor. Guia-me nas veredas da justiça por amor do seu nome.

SALMOS 23.1-3

O salmo 23 é certamente um dos salmos mais conhecidos da Bíblia, mas nele existem muitos detalhes que certamente passam despercebidos. Sua autoria é atribuída a Davi, e, em consonância com os ricos detalhes acerca da atividade pastoril, não nos resta dúvidas de quem o escreveu, pois seu autor conhecia muito bem como cuidar de um rebanho.

As ovelhas, por não possuírem mecanismos de defesa, como garras ou arcada dentária afiada, são animais totalmente indefesos, por isso presas fáceis quando estão longe da proteção de seu pastor. Da mesma forma, somos totalmente indefesos e presas fáceis quando estamos afastados do nosso Deus. Somos dependentes do Senhor para nos sustentar e nos prover.

Eu entendo você, sei como é estar só, sei o que é querer ficar num ambiente sozinho sem que ninguém o perturbe, mas nós somos seres relacionais, e a vida em sociedade aperfeiçoa nosso caráter. Dependemos exclusivamente do Senhor, ele nos guia, direciona e fortalece. Todavia, é importante que estejamos cercados de pessoas que nos ajudam a crescer na caminhada com Deus. Da mesma forma, precisamos ser pessoas confiáveis, com quem os outros possam contar.

Assim como as ovelhas precisam estar em comunidade, de igual modo nós não podemos ser rebanho do Senhor sozinhos; por isso necessitamos nos relacionar e conviver com as pessoas em nossa comunidade de fé, sempre dirigidos e conduzidos pelo Senhor, que é nosso pastor e protetor, nosso fiel provedor.

Todas as nossas impossibilidades se tornam possibilidades diante de Deus.

@juniorrostirola

DEVOCIONAL 365
334/365

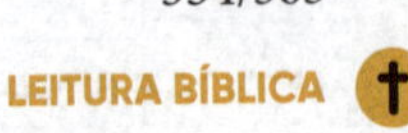

LEITURA BÍBLICA
ECLESIASTES 4

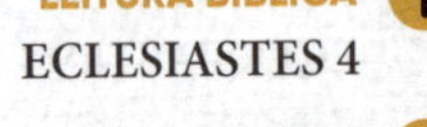

PALAVRA-CHAVE

#DEPENDÊNCIA

ANOTAÇÕES

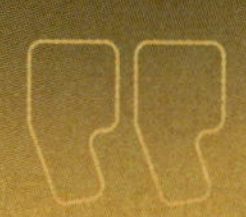

CONFIAR EM DEUS,FECHAR OS OLHOS DA DÚVIDA E ABRIR OS OLHOS DA FÉ.

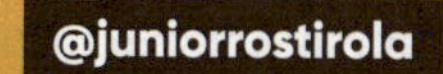

#CAFECOMDEUSPAI

SEJA GRATO

E chegou o último mês do ano! Quantas coisas vivemos e aprendemos...

Independentemente das circunstâncias que passamos, o Pai sempre esteve e sempre estará ao nosso lado. Ele é bom em todo tempo, em todo tempo ele é bom!

Reservei este momento no livro para que você pratique a *gratidão*. Traga à memória agora, desde o início do ano, todos os motivos pelos quais você pode ser grato a Deus.

LEMBRE-SE

O ano ainda não acabou! Ele ainda pode realizar muito neste último mês. Eu costumo dizer que "só acaba quando termina", amém? ***Há 31 dias para você viver o extraordinário ainda neste ano!***

A gratidão é uma das grandes chaves espirituais para novas conquistas!

MÃOS À OBRA!

café
com
Deus
pai

A FÉ É COMO
UMA **SEMENTE**,
QUANDO PLANTADA
GERMINA O
EXTRAORDINÁRIO!

@juniorrostirola

D E Z E M B R O

#CAFECOMDEUSPAI

café
com
Deus
pai

O REINO É IMPORTANTE NA SUA VIDA

Assim como cada um de nós tem um corpo com muitos membros e esses membros não exercem todos a mesma função, assim também em Cristo nós, que somos muitos, formamos um corpo, e cada membro está ligado a todos os outros.

ROMANOS 12.4,5

01 DEZ

#CAFECOMDEUSPAI

Quando você baseia a sua vida no Senhor, há algumas áreas nas quais você precisará se concentrar em mudar com maior ênfase e continuamente se aprimorar para cultivar uma vida espiritual forte e saudável.

A confiança em Deus, o crescente relacionamento com Cristo e a obediência à Palavra de Deus são ferramentas cruciais para a construção de um alicerce sólido para o fundamento de uma vida de fé. As pessoas com as quais você se relaciona são importantes para Deus, e precisam ser valorizadas e estimadas adequadamente, porque o Senhor também habita nelas.

Ninguém faz nada grandioso se estiver sozinho, ainda que tenha pessoas consigo. Centralizar todas as decisões e ações certamente o deixará afadigado e prejudicará consideravelmente sua saúde, e os resultados esperados podem não ser alcançados em sua plenitude.

O modo de você administrar a vida define o lugar que Deus ocupa nela. Entenda que o caminho para a prosperidade está em ser um sábio e bom administrador do seu tempo. Assim, também é importante adorar a Deus, ouvir sua Palavra e ter comunhão com outras pessoas do corpo de Cristo.

Ao investir dessa maneira, disposto a mudanças, você se tornará mais conectado com o Pai, articulado com as pessoas, apto a viver uma vida influenciada por Cristo, segundo o que ele nos ensinou. Como estão essas áreas da sua vida?

Independentemente do seu chamado, primeiro você foi chamado para ser como Jesus.

@juniorrostirola

DEVOCIONAL
335/365

LEITURA BÍBLICA
ECLESIASTES 5

PALAVRA-CHAVE
#CRESCIMENTO

ANOTAÇÕES

NELE TEMOS VIDA

02 DEZ

#CAFECOMDEUSPAI

"E eu profetizei conforme a ordem recebida. Enquanto profetizava, houve um barulho, um som de chocalho, e os ossos se juntaram, osso com osso."

EZEQUIEL 37.7

Deus é infinitamente poderoso, de uma forma que jamais poderemos imaginar, por isso nada é impossível para ele. Devemos declarar nossa fé no Pai e profetizar, não se acomodando e esperando que tudo seja feito por ele, sem que venhamos a nos esforçar e lutar.

Talvez você esteja pensando: "Como profetizar sobre coisas que já estão mortas, que são para nós causas perdidas, como: casais que já assinaram o divórcio; doenças cujos exames dizem ser incuráveis; além de situações nas quais já colocamos um ponto final?".

O maior problema em profetizar é que queremos fazer as coisas acontecerem do nosso jeito; queremos mover o mundo com a força do braço, mas o Senhor não nos disse para fazer isso. Ele nos mandou profetizar, declarar e encher o coração de esperança e fé no poder que vem do alto.

Você não pode pensar que aquilo que os seus olhos estão vendo é o ponto final para a sua vida; antes, precisa profetizar, declarar palavras de poder e ter fé.

Os órgãos que estiverem secos e sem vida podem ter tendões, carne e pele. Não aceite viver a derrota neste momento tão dramático na sua história, nos seus sonhos, na sua fé, nas suas finanças, na sua família, na sua vida espiritual, no seu ministério e nos demais aspectos da sua vida.

Deus não quer que a morte domine a sua vida. Pelo contrário, Jesus se entregou na cruz por você para dar-lhe vida plena e vida eterna. A vida em Cristo jamais deixará de reinar.

Quando você não consegue encontrar uma solução, é aí que Deus intervém.

@juniorrostirola

DEVOCIONAL 365
336/365

LEITURA BÍBLICA
SALMOS 141

PALAVRA-CHAVE
#FÉ

ANOTAÇÕES

A PORTA

"O porteiro abre-lhe a porta, e as ovelhas ouvem a sua voz. Ele chama as suas ovelhas pelo nome e as leva para fora. Depois de conduzir para fora todas as suas ovelhas, vai adiante delas, e estas o seguem, porque conhecem a sua voz."

JOÃO 10.3,4

03 DEZ

#CAFECOMDEUSPAI

A linguagem metafórica de portas é algo muito comum. Geralmente falamos em portas que se abrem em referência a novas oportunidades, e a portas que se fecham como sinônimo de chances perdidas.

Portas são sinônimo de proteção e segurança. Com isso, Jesus se apresenta de forma muito clara a seu povo, como *A Porta*, não uma porta. Ele se apresenta como a verdadeira opção, o único caminho que devemos trilhar e que nos conduzirá a um destino com propósito.

Toda porta, para cumprir efetivamente seu papel, é travada ou destravada com uma chave, caso contrário, não cumpre sua finalidade. Nesse sentido, somente aqueles que são de confiança têm a chave para abrir a porta, por isso é comum darmos uma cópia da chave da nossa casa a quem realmente confiamos.

Se eu chegar à sua casa em algum momento do dia, e você não estiver, certamente não conseguirei entrar, pois não tenho a chave que me dá acesso à sua residência. Da mesma forma, a nossa vida é guardada e protegida e o acesso é dado àqueles em quem confiamos. Jesus quer entrar na sua vida, mas você precisa dar a chave a ele.

Para quem você entregou a chave das portas da sua vida? Jesus tem acesso e liberdade para entrar no seu coração? Ou você tem deixado Jesus do lado de fora esperando? Reflita sobre isso. Entregue a chave da sua vida a Jesus, para que ele tenha livre acesso ao seu coração e nele faça morada.

A coisa mais importante da vida não é a situação em que estamos, mas a direção em que nos movemos.

@juniorrostirola

365 **DEVOCIONAL**
337/365

LEITURA BÍBLICA
SALMOS 142

PALAVRA-CHAVE
#ACESSO

ANOTAÇÕES

VOCÊ É GRATO?

04
DEZ

#CAFECOMDEUSPAI

Sempre dou graças a meu Deus por vocês, por causa da graça que dele receberam em Cristo Jesus.

1CORÍNTIOS 1.4

Viver com uma atitude de gratidão nos ajuda a perceber plenamente como Deus está trabalhando em nossa vida.

@juniorrostirola

DEVOCIONAL 365
338/365

LEITURA BÍBLICA

ECLESIASTES 6

PALAVRA-CHAVE

#GRAÇA

ANOTAÇÕES

Ao olhar para trás e relembrar tudo que já passou em nossa vida, vemos vários acontecimentos marcantes. Alguns são memórias tristes ou desagradáveis; outros são lembranças boas. Com certeza, hoje você está muito melhor do que ontem; pelo menos deveria ser assim. Pessoas vêm e vão, e elas deixam marcas na nossa história. Todos nós passamos por momentos difíceis, e nesses momentos o Senhor sempre colocará em nosso caminho pessoas para nos ajudar e nos reerguer.

Sua vida hoje é melhor porque alguém passou por ela, alguém que mudou a sua realidade para melhor.

Durante a minha infância, a palavra "amizade" era apenas isso: uma palavra. Não se traduzia em verdade nos meus relacionamentos, pois, devido à timidez, eu me fechava e me julgava incapaz de nutrir qualquer tipo de relacionamento com outras pessoas.

No entanto, eu cresci e hoje tenho pessoas extremamente importantes em minha vida, pessoas que são amigas para toda e qualquer hora de necessidade e de boas risadas também. Esse texto do apóstolo Paulo fala sobre sempre dar graças, ou seja, em toda e qualquer situação, Paulo era grato a Deus também pelos seus amigos.

Por quem você precisa expressar gratidão hoje? Será que não está precisando dar uma olhada mais aguçada ao redor, para reconhecer a importância das pessoas à sua volta? Às vezes, na agitação do dia, nos esquecemos de expressar gratidão. Jamais se esqueça de agradecer às pessoas que o ajudaram a chegar ao lugar no qual você chegou.

JESUS ESTÁ CHAMANDO VOCÊ

Depois de dizer isso, Jesus bradou em alta voz: "Lázaro, venha para fora!" O morto saiu, com as mãos e os pés envolvidos em faixas de linho e o rosto envolto num pano. Disse-lhes Jesus: "Tirem as faixas dele e deixem-no ir".

JOÃO 11.43,44

05 DEZ

#CAFECOMDEUSPAI

Por que Jesus chamou Lázaro pelo nome? Ele não poderia simplesmente dizer: "Volte à vida", "Ressuscite" ou "Venha para fora"? É fundamental lembrar que o fato ocorreu em um cemitério. Portanto, se Jesus tivesse dado a ordem sem dizer a quem era dada a ordem, certamente todos os que ali jaziam iriam voltar à vida instantaneamente, tamanho é o poder de Jesus sobre a morte. Por isso, sua ordem foi direcionada exclusivamente a Lázaro.

Jesus ordena que a pedra seja removida e chama você pelo nome, porque é a você que ele quer devolver vida. Ele quer devolver a sua esperança, ressuscitar os seus sonhos, projetos ou relacionamentos. Além disso, Jesus é o único que pode nos livrar da morte espiritual.

Depois de chamar Lázaro para fora, Jesus deu a ordem para que as faixas de Lázaro fossem retiradas. Jesus nos chama para fora e nos dá uma vida nova, mas ele também espera que você se desfaça de todas as amarras que o prendem. Para isso, é preciso obter ajuda e tomar decisões corretas.

A fé que eu hoje vivo em Deus é fruto de uma construção, de uma caminhada com o Senhor. Houve ocasiões em que achei que não seria possível chegar aonde cheguei. Minha oração é pedir sempre ao Senhor que me capacite a exercer tudo o que ele confiou em minhas mãos e honrar o seu chamado. Se você se sente incapaz ou indigno, saiba que você é filho, amado e escolhido para viver justamente os propósitos de Deus.

Você não pode permitir que o Inimigo destrua a sua missão por causa de uma situação sobre a qual você não tem controle.

@juniorrostirola

365 **DEVOCIONAL**
339/365

LEITURA BÍBLICA
ECLESIASTES 7

PALAVRA-CHAVE
#CONSTRUÇÃO

ANOTAÇÕES

RECEBA O NOVO

06 DEZ

#CAFECOMDEUSPAI

Irmãos, não penso que eu mesmo já o tenha alcançado, mas uma coisa faço: esquecendo-me das coisas que ficaram para trás e avançando para as que estão adiante, prossigo para o alvo, a fim de ganhar o prêmio do chamado celestial de Deus em Cristo Jesus.

FILIPENSES 3.13,14

Não permita que as mentiras do Inimigo impeçam você de viver um renovo.

@juniorrostirola

DEVOCIONAL 365
340/365

LEITURA BÍBLICA
ECLESIASTES 8

PALAVRA-CHAVE

#ALVO

ANOTAÇÕES

Todas as pessoas têm uma história de vida, algumas mais complexas, com acontecimentos marcantes e extraordinários, e outras mais pacatas. Mas o que todos temos em comum são as lembranças de como foi o nosso passado.

As conquistas do passado nos alegram, mas não podem impedir as promessas que estão por vir. É justo admitir que existem coisas boas no nosso passado, mas elas não podem impedir aquilo que Deus quer fazer daqui para a frente. Esqueça o que passou, não viva no passado; acima de tudo, lembre-se de que, se ele não foi tão bom assim, o melhor está por vir.

O mais curioso do texto que lemos hoje é que Paulo, quando escreveu, estava preso. Você pode imaginar uma pessoa impedida de ter o direito de ir e vir, em virtude de pregar as boas-novas de Jesus e escrever tal verdade revelada pelo Senhor? É bem assim que nos sentimos quando estamos em Cristo: mesmo que as circunstâncias à nossa volta sejam desfavoráveis, o melhor sempre está por vir.

Para que isso seja real, lembre-se de que a primeira atitude é saber que você não chegou ao nível esperado: "não penso que eu mesmo já o tenha alcançado", diz Paulo. Conosco não é diferente. Sempre há algo novo que Deus espera fazer em nós antes de chegarmos à estatura de Cristo.

Permita que o Senhor, pelo seu Santo Espírito, revele a você o que está por trás da cortina do seu futuro e, com alegria, corra em direção a ele. Abra-se e receba a renovação necessária para prosseguir para o alvo.

PLENA INTIMIDADE

Tu criaste o íntimo do meu ser e me teceste no ventre de minha mãe. Eu te louvo porque me fizeste de modo especial e admirável. [...]

SALMOS 139.13,14

07
DEZ

#CAFECOMDEUSPAI

A busca por autoconhecimento e pela razão individual de cada um estar aqui na terra tem sido alvo de interesse há muitos séculos. Muitas pessoas procuram em livros antigos ou viajam a partes distantes do mundo em busca de si mesmas. Um simples olhar no espelho, porém, pode dar a resposta: procure dentro de você. É no interior do homem que habita a verdade, e a verdade é que em seu interior existe o DNA de Deus. Mas isso não é mérito nosso ou algo que nos torna superiores; na verdade, é a graça do Senhor que, mediante a ressurreição de Jesus, nos permite ser portadores de tamanho presente, pois somos falhos e propensos ao erro desde a nossa concepção.

Muitas vezes, queremos resoluções fáceis e fórmulas rápidas. É preciso entender que, enquanto você fugir dos processos, não será a sua melhor versão nem desfrutará do melhor de Deus para a sua vida. Se você quer realmente resolver todas as questões, é só buscar no seu interior. Você é morada do Espírito Santo e somente nele encontrará tudo que realmente precisa. Você não precisa viajar para longe ou estudar conhecimentos secretos para encontrá-lo. O Senhor habita em você e ele o chama de dentro para fora para você abandonar tudo que o impede de ser morada dele; assim, de fato você poderá se deixar habitar pelo Altíssimo.

Até eu ter um encontro com Deus Pai, estava aprisionado dentro das próprias circunstâncias, mas uma decisão mudou a minha realidade, uma decisão me permitiu sair do vitimismo e ser protagonista da minha história. Você também pode; basta olhar dentro dos seus próprios olhos reconhecendo que você é filho de Deus.

O Reino de Deus é estabelecido por meio da intimidade.

@juniorrostirola

DEVOCIONAL
341/365

LEITURA BÍBLICA
ECLESIASTES 9

PALAVRA-CHAVE
#ENTREGA

ANOTAÇÕES

OUÇA A SUA ALMA

08
DEZ

#CAFECOMDEUSPAI

Por que você está assim tão triste, ó minha alma?
Por que está assim tão perturbada dentro de mim?
Ponha a sua esperança em Deus! Pois ainda o louvarei;
ele é o meu Salvador e o meu Deus.

SALMOS 42.5,6

Às vezes, é necessário refletir sobre quem somos para não mudarmos a nossa identidade.

@juniorrostirola

342/365

ECLESIASTES 10

#IDENTIDADE

Talvez hoje você esteja sofrendo sem saber o motivo. O seu coração e alma estão abatidos e choram. É possível que você busque preencher o vazio de forma superficial, fazendo coisas de que não gosta, indo a lugares que não lhe fizeram bem, mantendo diversos tipos de relacionamento, querendo que todos olhem para você com prioridade, atenção e importância. A cultura dominante deste mundo cria uma pressão tão negativa que o leva a demonstrar exteriormente algo que não condiz de verdade com o que você sente ou com o que lhe agrada, criando um personagem que aparenta estar feliz enquanto em seu interior habitam tristeza e vazio.

Você não nasceu para viver dessa forma, rastejando por aceitação e aprovação. O vazio que existe em você não pode ser preenchido por nada deste mundo. Por mais que você tente desesperadamente procurar uma resposta no mundo, existe só uma saída: deixe o amor do Pai envolvê-lo, e você sentirá uma aceitação e uma liberdade que ninguém mais poderá lhe dar. Você se sentirá completo e preenchido pelo amor de Jesus na sua vida, porque só o amor de Deus pode nos resgatar da posição de humilhação que muitas vezes nos autoinfligimos e nos elevar à condição de filhos de Deus.

Enquanto estive esperando uma postura do meu pai para que de fato vivesse como filho, nunca vivi esse sonho. Mas, quando me posicionei para viver em Deus a minha verdadeira identidade, tudo fez sentido, pois o vazio que eu ansiava ver preenchido pelo meu pai foi transbordado pelo amor de Jesus. Então, se hoje o seu coração está vazio, peça que o amor de Deus o preencha, para que você de fato possa viver a jornada de filho.

VOCÊ É FILHO!

Pois vocês não receberam um espírito que os escravize para novamente temerem, mas receberam o Espírito que os torna filhos por adoção, por meio do qual clamamos: "Aba, Pai".

ROMANOS 8.15

09
DEZ

#CAFECOMDEUSPAI

Por mais que vivamos em uma sociedade livre, onde não existe mais escravidão ou jugo cruel e tirânico de impérios governantes, nem vivemos em prisões individuais, cada um de nós é agrilhoado por dores, sofrimentos e traumas do passado, que nos moldam a personalidade e impedem de viver plenamente. Tudo começa na raiz. O fluxo natural das coisas começa por ela. A raiz de todos os males é a orfandade, pois os sentimentos de rejeição, não aceitação e inadequação desencadeiam os demais males na nossa vida.

Talvez você não seja órfão de pai, mas e em relação à sua mãe? Ela foi a pessoa que deveria ter sido na sua criação? É possível que a convivência com os seus irmãos não tenha sido a esperada. Pode ser que você não tenha irmãos, tendo sido criado sozinho, sem o convívio de uma família.

A orfandade é o motivo pelo qual a sua vida não é diferente. Ela é o maior motivo de você não conseguir ter uma vida saudável e equilibrada. É a âncora que impede o navio de sair do cais para o destino. Por muito tempo, fui paralisado pela orfandade, e isso acontecia exatamente porque fui por muitos anos órfão de pai vivo. Quando entendi que a vida poderia ser diferente, passei a usar a mesma energia que eu usava para viver as minhas dores em favor das minhas conquistas. Comecei a focar aquilo que realmente importava. Todas as correntes de mentiras se romperam. Jesus me libertou para viver o novo dele. Da mesma forma, ele quer romper as suas correntes, desprender a âncora da orfandade que o impede de alcançar o seu destino profético.

Até que você saiba quem é, jamais poderá cumprir o seu propósito.

@juniorrostirola

365 **DEVOCIONAL**
343/365

LEITURA BÍBLICA
SALMOS 143

PALAVRA-CHAVE
#FILIAÇÃO

ANOTAÇÕES

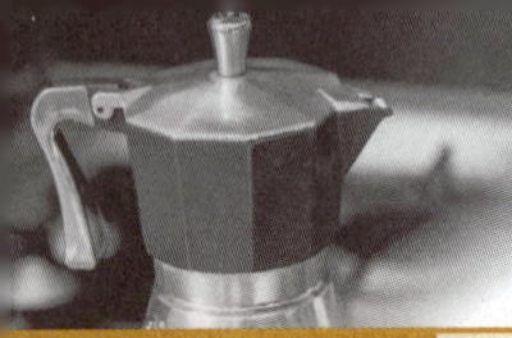

ANDE SOBRE A PALAVRA

10
DEZ

#CAFECOMDEUSPAI

Mas Jesus imediatamente lhes disse: "Coragem! Sou eu. Não tenham medo!" "Senhor", disse Pedro, "se és tu, manda-me ir ao teu encontro por sobre as águas". "Venha", respondeu ele. Então Pedro saiu do barco, andou sobre as águas e foi na direção de Jesus.

MATEUS 14.27-29

Sabe o que temos em comum com Pedro? Os discípulos estavam numa embarcação em meio a ondas e ventos contrários ferozes. Muitas vezes vivemos como os discípulos, como se estivéssemos num barco atingido por ventos e tempestades intensos. Parece que vamos naufragar. Talvez você esteja assim hoje. Não tenha medo! O mais importante não é onde você está, mas aonde poderá chegar.

As tempestades servem para nos conduzir ao sobrenatural com Deus. Essa é a verdade revelada no texto que lemos. Foi no meio de uma tempestade que os discípulos viram Jesus. Pedro pôde pedir ao Senhor para que ele fosse a seu encontro por sobre as águas. Em meio às tempestades da vida precisamos identificar onde o Senhor está, assim como Pedro.

Nem todas as tempestades são para nos destruir. Algumas vêm para nos construir! Se Pedro tivesse se acovardado diante da tempestade, não teria experimentado aquele grande milagre: andar sobre as águas. Aliás, ele foi único além de Jesus!

Talvez hoje a sua vida seja sacudida por ondas e ventos contrários, e o medo tenta estagná-lo. Relembre a primeira palavra dita por Jesus quando caminhava ao encontro dos discípulos na tempestade: "Coragem! Sou eu. Não tenham medo!". Essa foi a palavra que Jesus liberou para que Pedro vivesse o sobrenatural. Pedro não apenas viu Jesus, mas também aplicou fé naquele momento.

Compreenda que o maior desafio não é andar sobre as águas, essa é a especialidade do Senhor. O maior desafio é ver Jesus em meio a tempestades, andar sobre a palavra liberada pelo Senhor e vencer o medo. Quando isso acontece, não há tempestade que nos atemorize. Não desista; a tempestade vai passar. Tão somente creia!

Não é a ausência de tempestades que nos revela, e sim o que vivemos nela.

@juniorrostirola

DEVOCIONAL
344/365

LEITURA BÍBLICA
SALMOS 144

PALAVRA-CHAVE
#VENCEDORES

ANOTAÇÕES

BARRA OU BARRO?

Contudo, Senhor, tu és nosso Pai.
Nós somos o barro; tu és o oleiro.
Todos nós somos obras das tuas mãos.

ISAÍAS 64.8

11
DEZ

#CAFECOMDEUSPAI

Comumente usamos a expressão "barra pesada" para ilustrar algo negativo, situações adversas. Diante dessas situações, percebemos a inflexibilidade pelo peso carregado, como se estivéssemos com uma barra de ferro nos ombros. Se você vive assim, entenda que a vida no mundo é de fato pesada. Às vezes, Deus permitirá que sejamos levados a altíssimas temperaturas, como o ferro, para sermos moldados. Entenda que Deus é um exímio ferreiro. No teste do fogo, ele está depurando a sua vida, moldando o seu caráter, para tornar você resiliente. Em contraponto, fazendo alusão à nossa fragilidade, somos "vaso de barro", figura que demonstra a essência da nossa humanidade, da nossa natureza. O barro vem do pó, um elemento insignificante, mas que, ao ser moldado pelas mãos do Pai, o Oleiro, ganha forma e formosura.

Enfatizo essas duas expressões porque no mundo somos muitas vezes como uma barra de ferro ou um vaso de barro: suscetíveis a mudanças. O ferro muitas vezes oferece resistência em ser transformado, sendo necessário um duro e penoso processo para torná-lo maleável. Já o barro é maleável e vulnerável ao trabalho do oleiro.

Olhando para a sua vida, você pode ser definido como barro ou barra nas mãos de Deus? Você se permite ser mudado e transformado pelo agir e mover do Senhor, confiando incondicionalmente nele, ou é inflexível e irredutível como a barra, que precisa de expressiva e abrupta mudança de atmosfera ao redor para ser dobrada e moldada? Essa reflexão é fundamental para entendermos quão submissos estamos à vontade do Senhor. Sendo barro ou sendo barra, ele tem planos para nos transformar. Ele utilizará os meios adequados para nos moldar, pois estamos em processo de transformação em suas mãos, cada dia mais próximos daquilo que ele sonhou para nós.

Se você é uma pessoa facilmente moldável, Deus o porá no destino certo.

@juniorrostirola

365 **DEVOCIONAL**
345/365

LEITURA BÍBLICA
ECLESIASTES 11

PALAVRA-CHAVE
#QUEBRANTADO

ANOTAÇÕES

APENAS ACREDITE

12
DEZ

#CAFECOMDEUSPAI

"Ai daquele que contende com seu Criador, daquele que não passa de um caco entre os cacos no chão. Acaso o barro pode dizer ao oleiro: 'O que você está fazendo?' Será que a obra que você faz pode dizer: 'Você não tem mãos?' "

ISAÍAS 45.9

Decida acreditar, confiar e ter fé. O amor de Deus supera todas as barreiras e o fortalece para superar qualquer dificuldade!

@juniorrostirola

DEVOCIONAL
346/365

LEITURA BÍBLICA
ECLESIASTES 12

PALAVRA-CHAVE
#CONFIAR

ANOTAÇÕES

Ao observar essa passagem pela ótica humana, é absurdo a criatura, ou seja, o ser humano, questionar o Criador. É absurdo porque a Bíblia diz que Deus é criador e senhor de todas as coisas. Por mais que essa passagem soe como surreal ou inusitada, muitos de nós, quando enfrentamos dilemas, conflitos e crises, apresentamos um comportamento semelhante, uma postura crítica e questionamos Deus. Essa postura, infelizmente, é uma realidade; muitas vezes porque, na verdade, não crescemos espiritualmente o suficiente para distinguir quem é Deus.

É verdade que a vida é difícil, que machuca e por vezes não entendemos as circunstâncias. Entretanto, isso não nos dá o direito de questionar Deus. Questionar Deus é uma atitude altiva que demonstra ignorância quanto aos desígnios do Senhor. Devemos ser maduros e entender que tudo o que Satanás deseja é que não acreditemos nas promessas de Deus. Ele quer matar a nossa fé e nos conduzir a uma vida de desesperança, longe do destino que Deus planejou. Portanto, entenda: por mais difícil que seja a vida, não questione Deus. Traga à memória aquilo que lhe pode dar esperança, pois os sonhos e planos de Deus para a sua vida são maiores que os seus. Acredite, você não é fruto do acaso e do despropósito. Você é um filho amado ou uma filha amada de Deus. Antes que você nascesse, Deus já havia sonhado com você!

Por isso, tenha fé em Deus. Cultive uma fé mansa e humilde e entenda que tudo que ocorre na nossa vida, acontecimentos bons ou ruins, são instrumentos do Senhor para nos moldar e nos tornar cada dia mais próximos da obra final, ou seja, mais parecidos com Cristo.

SEJA GRATO

Um deles, quando viu que estava curado, voltou, louvando a Deus em alta voz. Prostrou-se aos pés de Jesus e lhe agradeceu [...].

LUCAS 17.15,16

13
DEZ

#CAFECOMDEUSPAI

Pessoas gratas são generosas e jamais esquecem de honrar quem lhes deu a mão. Viajando entre Samaria e a Galileia, Jesus curou dez leprosos, porém somente um deles voltou e prostrou-se aos pés de Jesus em gratidão pela cura recebida. A atitude daquele único ex-leproso em voltar e reconhecer o que Jesus fizera por ele abriu uma porta maior do que ele esperava: ele não só foi curado, mas recebeu salvação também. Os nove ingratos se contentaram com a cura do corpo e perderam a salvação.

Os pais costumam ensinar os filhos a dizer obrigado, quando eles recebem um presente ou algo. Curiosamente, parece que, com o passar dos anos, esses valores que aprendemos acabam se perdendo. Então, muito provavelmente, assim como eu, você também foi ensinado a ser grato, a agir com gratidão para com as pessoas. Contudo, quando as pessoas falham conosco, agindo sem medir as atitudes, acabamos nos fechando e nos tornando egoístas.

No entanto, ao renascermos em Cristo, somos novas pessoas, e renascemos para uma nova vida, uma vida que, além de expressar gratidão, também nos torna generosos.

Seja grato, pois com certeza Deus o fez prosperar em vários momentos da sua vida. Ele é o grande doador. Tudo que temos foi doado por ele. As habilidades que hoje você tem e que lhe garantem a sua carreira profissional e o seu sustento, bem como a capacidade de aprender, têm a ver com o seu esforço, é verdade, mas lembre-se de que são dons de Deus.

Então, reflita: quanto você está disposto a voltar e agradecer? Quais pessoas precisam receber uma ligação sua para ouvir de você palavras de gratidão pelo que representaram na sua vida?

Ser grato é uma atitude de nobreza.

@juniorrostirola

365 **DEVOCIONAL**
347/365

LEITURA BÍBLICA
HEBREUS 1

PALAVRA-CHAVE
#GRATIDÃO

ANOTAÇÕES

SEM DÚVIDA, É POSSÍVEL

14
DEZ

#CAFECOMDEUSPAI

Nunca antes nem depois houve um dia como aquele, quando o SENHOR atendeu a um homem. Sem dúvida o SENHOR lutava por Israel!

JOSUÉ 10.14

Estamos chegando ao final de mais um ano. Colecionamos muitas experiências até aqui. Um ano repleto de conquistas, lutas, desafios e superação. Mas será que tem algo a mais para acontecer neste tempo? Quais expectativas você tem para os últimos dias do ano?

O tempo estava se esgotando para Josué, mas ele teve fé e experimentou o milagre de Deus no campo de batalha. É inimaginável ver o movimento natural astronômico da terra ser alterado para permitir que uma nação pudesse vencer uma batalha. Hoje conhecemos o movimento heliocêntrico, tendo caído em desuso o geocentrismo. Todavia, isso não afasta nem diminui a ação de Deus em favor de Israel.

Assim como Josué, nos próximos dias, você terá a oportunidade de mudar a sua atitude e atrair o favor de Deus sobre o seu tempo. Não importa como você começou; o importante é como vai terminar. Termine bem e comece melhor, pois ainda dá tempo de o seu milagre acontecer, a sua história ser transformada e os seus sonhos serem realizados.

Quantas vezes você viu alguém perder uma competição nos metros finais da prova? Quantos poderiam ter vencido se tivessem continuado a se esforçar como vinham fazendo! Assim como um aluno tem um tempo para a realização da prova, usemos todo o tempo disponível para fazermos tudo que depende de nós para a realização do milagre, pois, no que depender de Deus, certamente ele o fará. Lembre-se de que é no final da pista que o avião decola, e o ano ainda não acabou. Portanto, ainda existe um trecho da pista para você decolar para um novo ano de conquistas.

Mais importante do que começar bem é terminar bem.

@juniorrostirola

DEVOCIONAL
348/365

LEITURA BÍBLICA
HEBREUS 2

PALAVRA-CHAVE
#DETERMINAÇÃO

ANOTAÇÕES

QUAL É A SUA PRIORIDADE?

"Busquem, pois, em primeiro lugar o Reino de Deus e a sua justiça, e todas essas coisas serão acrescentadas a vocês."

MATEUS 6.33

15 DEZ

#CAFECOMDEUSPAI

Jesus nos ensina por meio dessa passagem que, quando colocamos em primeiro lugar o Reino de Deus, o Senhor nos concede aquilo que necessitamos para a vida material. Muitos deixam de buscar e servir a Deus porque depositam toda a prioridade na vida material. Na grande maioria das vezes, se frustram pelo fato de as coisas não darem certo e ainda culpam Deus por isso.

O importante é a bênção de Deus sobre a nossa vida. As demais coisas são consequência desse relacionamento. Muitas vezes, somos traídos pelos nossos sentimentos, pela ansiedade, pelo medo de as coisas darem errado. Também as crises econômicas e sociais em que vivemos fazem parecer que não há saída.

Não há nada de errado em ser um excelente profissional. O Reino precisa de pessoas que executem com maestria suas habilidades profissionais. A minha oração por você é que o Senhor faça prosperar a sua vida, de forma extraordinária. Que você use a sua carreira profissional como plataforma para cumprir o seu chamado.

Confie no Senhor! Quando os discípulos passaram a noite inteira pescando sem nada pegar, desanimados e com as redes vazias, antes da pesca milagrosa em que encheram o seu barco com peixes, Jesus os chamou e pediu que o barco fosse usado como instrumento da transmissão da Palavra. Isso nos mostra que, quando entregamos a vida a Deus e confiamos nele, fazendo que ele seja a nossa prioridade e o centro da nossa vida, ele trabalha em nosso favor, pois o Senhor cuida daqueles que depositam sua confiança nele. Cuide para que neste dia você faça do Reino de Deus sua prioridade onde estiver.

Coloque em primeiro lugar o Reino de Deus e viva de forma abundante.

@juniorrostirola

365 **DEVOCIONAL**
349/365

LEITURA BÍBLICA
HEBREUS 3

PALAVRA-CHAVE
#PRIORIDADES

ANOTAÇÕES

A SUA DECISÃO MUDA TUDO

16
DEZ

#CAFECOMDEUSPAI

Pois com o coração se crê para justiça, e com a boca se confessa para salvação.
ROMANOS 10.10

Nunca será fácil crer no impossível de Deus. Por nossa incredulidade, somos pragmáticos e insensíveis às coisas que vêm do alto. Para Deus fazer o milagre em nós, precisamos estar dispostos a alinhar o nosso coração ao coração de Deus.

Certamente você se lembra da afirmação de Jesus: "Pois a boca fala do que está cheio o coração" (Mateus 12.34)? É justamente quanto a isso que precisamos ser transformados. Quais têm sido as suas palavras nos últimos dias? As pessoas que têm conversado com você estão felizes pela forma em que são tratadas?

Nosso coração só será inundado pelo amor de Jesus quando permitirmos sua entrada e habitação, e estaremos prontos para uma nova vida. A primeira experiência que precisamos ter é a salvação da nossa alma, que inunda o nosso ser com a graciosidade do Senhor. Agora é uma excelente oportunidade para você começar a ter o coração limpo das mazelas que carrega na alma há anos. Muitas dessas dores deixamos guardadas em depósitos que trancamos com chaves. Então, dissemos a nós mesmos: "Ficará aqui; ninguém vai mesmo acreditar em mim, então jamais abrirei".

O seu coração não é depósito de sujeiras. Renove hoje a esperança de viver uma nova vida, de viver o que Deus tem para fazer na sua história. Tem algo que aprendi na caminhada e que quero compartilhar com você neste dia: mais do que expor às pessoas aquilo que estamos sentindo, só expomos aquilo que temos coragem que alguém saiba.

Não fique preso às mentiras da rejeição nem às dores da orfandade. Expor a sua dor não é sinal de fraqueza, mas de alguém que quer viver uma nova vida. Deus está pronto para ouvir. Faça isso agora!

Tudo muda quando temos Jesus.

@juniorrostirola

DEVOCIONAL 365
350/365

LEITURA BÍBLICA
SALMOS 145

PALAVRA-CHAVE
#DECISÃO

ANOTAÇÕES

TERMINE O QUE COMEÇOU!

O fim das coisas é melhor que o seu início,
e o paciente é melhor que o orgulhoso.

ECLESIASTES 7.8

17
DEZ

#CAFECOMDEUSPAI

De nada vale você iniciar novos projetos se não acertar as suas pendências, não terminar o que havia iniciado. Não adianta ir para uma nova dimensão se você levar na sua bagagem coisas que aconteceram no passado e que você não superou. Isso o impedirá de viver o extraordinário. Sua vida não mudará se você não mudar as suas atitudes.

Existem aqueles que querem viver o extraordinário em um novo ciclo, mas nem ao menos completaram o que haviam estabelecido no ciclo anterior, deixando em seu caminho um rastro de projetos inacabados e promessas não cumpridas. É necessário encerrar um ciclo antes de dar início a outro. As coisas passadas servem de aprendizado, mas não podem nos prender.

Para você viver o que nunca viveu, é necessário fazer o que nunca fez. Para isso, é necessário você cumprir tudo aquilo que prometeu, obedecer ao Senhor conforme a Palavra nos instrui. Nada vai mudar se você não terminar aquilo que começou.

Encare os términos não como fim, mas como um novo começo. Isso significa que, ao terminar uma estação, o Senhor lhe dará a oportunidade de viver uma nova estação na sua presença. Mas entenda que Deus só agirá na sua vida se houver legalidade, porque, se existir alguma pendência, não tem como Deus agir.

Mantenha o foco. Não tire sua atenção do que você está fazendo até que tenha terminado, para que cada conquista alcançada sirva de degrau para que você possa cada vez mais estar no centro da vontade do Senhor. E, com essa base forte, construída com muito esmero e dedicação, seja forte para suportar os próximos desafios que virão.

Todo grande movimento de Deus pode ser atribuído aos joelhos dobrados.

@juniorrostirola

365 **DEVOCIONAL**
351/365

LEITURA BÍBLICA
SALMOS 146

PALAVRA-CHAVE
#PERSEVERANÇA

ANOTAÇÕES

PERDÃO

18
DEZ

#CAFECOMDEUSPAI

"Os que têm coração ímpio guardam ressentimento; mesmo quando ele os agrilhoa eles não clamam por socorro."

JÓ 36.13

Em nossa vida, algumas das coisas que mais nos paralisam e nos impedem de avançar para uma vida de plenitude são o ressentimento e o rancor. Viver carregando o fardo do ressentimento é um mal unilateral, uma vez que só atinge a pessoa que está ressentida, até mesmo porque às vezes a pessoa pela qual nutrimos rancor nem ao menos sabe do nosso sentimento.

Você precisa compreender que o seu passado ou a sua condição atual não são a sua realidade.

@juniorrostirola

Costumo dizer que guardar rancor e ressentimento é como beber veneno esperando que a outra pessoa morra. Por isso, para não carregar esse fardo desnecessário e viver preso a um sentimento que só faz mal a você, eu o convido a deixar hoje, ao pé da cruz, tudo o que está deixando o seu coração pesado e cheio de ressentimentos.

352/365

HEBREUS 4

#ARREPENDIMENTO

Deus está chamando seu povo para arrependimento, confissão, perdão e mudança de vida. Em tempos como esse é que de fato vem à tona o que estava escondido no interior de cada um. Mais do que nunca, é tempo de arrependimento, confissão e perdão. Você precisa hoje mesmo resistir às tentações, vencer o desânimo, não se deixar levar pelo desespero. Não se deixe envenenar pelo ceticismo e pelos ressentimentos. Ainda existe saída, ainda existe esperança: Jesus.

O que você precisa entregar? Quem ou o que você tem carregado que tem deixado a sua vida pesada demais? Hoje é o dia oportuno para se livrar desse peso. Entregue o fardo do rancor nas mãos de Deus e peça a ele que lhe dê paz. Aprenda a perdoar como Jesus, que, com a sua perfeita graça, perdoou os nossos pecados. Jesus tem para você uma vida leve e livre.

CICLOS DA VIDA

Para tudo há uma ocasião certa; há um tempo certo para cada propósito debaixo do céu.

ECLESIASTES 3.1

19
DEZ

#CAFECOMDEUSPAI

Tentar acelerar ou antecipar os acontecimentos em nossa vida é a mesma coisa que querer apanhar uma fruta fora de época; ela ainda não estará madura. Do mesmo modo, colher uma fruta muito tardiamente; certamente ela já estará estragada e talvez até com insetos. Os dois extremos não são saudáveis. Por isso, precisamos viver as estações de Deus, no tempo dele. Se uma estação já passou, não há motivos para você ficar preso nela.

O tempo é uma grande dádiva concedida por Deus a cada ser humano, e todos nós igualmente recebemos 24 horas por dia, sete dias por semana, meses e anos, assim como as demais pessoas. Por isso, é muito importante atentar para tudo aquilo que Deus está fazendo e falando para trazer ao nosso coração.

Todavia, é muito interessante a avaliação de quem está vivendo o mesmo período, porque, com o mesmo tempo dado a todos, uns vivem de forma extraordinária enquanto outros vivem na escassez; ou seja, enquanto alguns estão construindo e progredindo, outros estão patinando e debatendo-se na areia movediça. O que os distingue não é o tempo, e sim a forma com que o administram.

Como você tem utilizado o tempo que o Senhor lhe dá? Quais têm sido as suas prioridades? Reflita, pois ainda há tempo de mudar, ainda há tempo de rever seus princípios e priorizar aquilo que realmente importa. Passaremos por diversas estações, e o Senhor estará presente em todas elas. Entregue o seu tempo e os ciclos nas mãos do Pai e peça que ele o ensine a administrar as suas prioridades. Valorize cada momento do seu dia.

Não vivo movido só por metas, mas por propósitos! As metas me dizem até onde posso chegar, mas os propósitos me levam além do que posso imaginar!

@juniorrostirola

365 **DEVOCIONAL**
353/365

LEITURA BÍBLICA
HEBREUS 5

PALAVRA-CHAVE
#TEMPO

ANOTAÇÕES

LUTE, NÃO DESISTA!

20
DEZ

#CAFECOMDEUSPAI

"Seja forte e lutemos com bravura pelo nosso povo e pelas cidades do nosso Deus. E que o SENHOR *faça o que for de sua vontade."*

2SAMUEL 10.12

Não precisamos temer o desconhecido, porque sabemos que Deus está conosco. À medida que avançamos, ele nos acompanhará em toda a jornada. Confie nele e, com fé, peça que ele o encha de coragem. Então, dê o primeiro passo. Superar o medo é algo que só pode ser feito ao enfrentar tudo aquilo que enche o nosso coração de temor.

Hoje a coragem é escassa, e o enfrentamento é evitado ao máximo. O medo domina a maioria das pessoas quando elas olham para coisas que podem lhes fazer mal. O medo é uma das maiores ferramentas de Satanás em seu arsenal para nos impedir de avançar.

Algumas pessoas que fazem parte da nossa vida precisam ver a nossa força e coragem a fim de serem impulsionadas a seguir em frente. Quando damos passos em direção ao desconhecido, podemos servir de exemplo de como o Pai nos dirige.

Paulo nos diz que Jesus não nos deu um espírito de medo, mas de poder, amor e equilíbrio. Nossa força não vem da nossa capacidade, mas de Deus. Aproxime-se de Jesus e peça coragem para seguir. Jesus morreu na cruz de braços abertos, para que, ao nos lembrarmos dessa cena, tenhamos a certeza de que temos acesso a ele.

Deus tem seus melhores interesses em mente para você. Enfrente os seus medos com a certeza de que você tem um Pai que não o abandonará. Tenha coragem e persista no Senhor. Não se deixe levar pelo medo do que pode acontecer, pois com certeza Deus sempre fará o melhor.

Se você tem medo do fracasso, da decepção, da desaprovação, isso se tornará seu mestre.

@juniorrostirola

DEVOCIONAL
354/365

LEITURA BÍBLICA
HEBREUS 6

PALAVRA-CHAVE
#CAPACIDADE

ANOTAÇÕES

VIVA SUA NOVA ESTAÇÃO!

"Enquanto durar a terra, plantio e colheita, frio e calor, verão e inverno, dia e noite jamais cessarão."

GÊNESIS 8.22

21
DEZ

#CAFECOMDEUSPAI

Não é dada a nós pelo Senhor a possibilidade de conhecer os dias vindouros, e isso na verdade trata-se de um sinal do amor e cuidado de Deus para conosco; afinal, se todos nós soubéssemos o dia de amanhã, não teríamos passado por vários momentos da vida, que, por mais dolorosos que possam ter sido, foram um processo necessário para chegarmos até aqui.

Estamos perto de terminar mais um ano, e acabamos de encerrar mais um ciclo; no entanto, outra estação em nossa vida se inicia hoje.

Na passagem que lemos, Deus firma uma promessa de provisão e sustento para a humanidade. Em sua infinita sabedoria, ele estabeleceu a divisão das estações, períodos cíclicos pelos quais todos nós teremos de passar ao longo da nossa jornada, para que entendamos com serenidade que existem processos e momentos na vida pelos quais é necessário passar por um tempo de autorreflexão e transformação, para que as coisas velhas que nos impediam de avançar sejam abandonadas.

Temos muitos motivos para sermos gratos a Deus. Pode ser que nem tudo tenha ocorrido como você esperava, mas muitas coisas vieram na estação que passou, e muitos bons frutos virão nesta nova estação, pois este é um novo tempo, de renovo em Deus, para que novos planos e metas sejam semeados.

Agradeça a Deus por tudo o que ele tem feito na sua vida e pelos frutos que você tem colhido. Entregue esta nova estação a Deus. Este é um tempo fértil de provisão, sustentação, plantio e grandes colheitas.

Só porque Deus não está trabalhando no seu tempo não significa que ele não está trabalhando em seu favor.

@juniorrostirola

365 **DEVOCIONAL**
355/365

LEITURA BÍBLICA
HEBREUS 7

PALAVRA-CHAVE
#GRATIDÃO

ANOTAÇÕES

PERMITA-SE SER CUIDADO PELO SENHOR

22
DEZ

#CAFECOMDEUSPAI

"O vento sopra onde quer. Você o escuta, mas não pode dizer de onde vem nem para onde vai. Assim acontece com todos os nascidos do Espírito."

JOÃO 3.8

Deus o levará aonde você não pode ir sozinho.

@juniorrostirola

DEVOCIONAL 365
356/365

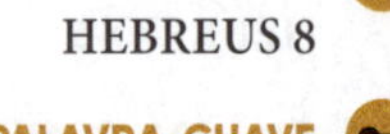

LEITURA BÍBLICA
HEBREUS 8

PALAVRA-CHAVE
#NOVIDADE

ANOTAÇÕES

Quando indagado por Nicodemos acerca de como seria a vida de quem nasce de novo, Jesus lhe explica que a sua vida é dirigida pelo Espírito Santo de Deus. O soprar do vento do Espírito nos conduz todos os dias a viver em novidade de vida.

Viver em novidade de vida é quando as pessoas olham para você e veem de fato algo diferente em suas atitudes, falas e gestos; quando as palavras que saem da sua boca são palavras que edificam, não palavras depreciativas, de crítica e murmuração.

Isso é viver em novidade: sempre ter algo de bom para entregar a alguém, doar-se ao próximo, cumprir o seu chamado. Essas são as atitudes daqueles que vivem pelo Espírito e são atraídos pela luz do Filho de Deus. O Senhor faz resplandecer a sua luz sobre aqueles que o amam e obedecem aos seus mandamentos.

A Palavra diz que o Espírito nos é dado sem limitações. O Espírito Santo nos dá entendimento, direção, consolo e paz, e nos guia em direção à santificação. Quando somos conduzidos pelo Espírito, chegamos mais perto do coração do Pai.

O Senhor quer ter intimidade com você e quer que você o conheça cada vez mais. Ele tem planos de crescimento, prosperidade e esperança para a sua vida e quer cuidar de cada detalhe da sua história. Mas, para isso, você tem que escolher viver a vida que o Pai quer lhe proporcionar.

Aceite ser conduzido pelo Espírito Santo em direção à vontade de Deus. Permita que o Senhor cuide do seu coração, da sua mente, dos seus sonhos e do seu espírito. Entregue sua vida nas mãos do Pai e confie no seu poder!

ABANDONE A ESCASSEZ

Porque Deus não nos chamou para a impureza, mas para a santidade.

1TESSALONICENSES 4.7

23
DEZ

#CAFECOMDEUSPAI

Desde o momento em que acordamos pela manhã, fazemos escolhas. Na vida, esteja certo de que o que vai mover você para o propósito é a sua decisão. Você não nasceu por acaso; você nasceu para um propósito maior do que você, seus planos e seus projetos. Quando você entender isso, será libertador, porque acabará vivendo uma vida diferente, uma vida centrada em Deus.

Entre uma vida rasa, fadada à escassez, escolha viver para a grandeza. Quando você entende isso, passa a viver no Espírito, não mais na carne. Pois a vida carnal é uma vida pequena e fadada a um propósito temporal, ao passo que uma vida no Espírito é uma vida plena guiada pelo mover de Deus em direção ao propósito eterno do Senhor.

Alguma vez você já se esqueceu de colocar para fora o lixo que é produzido na sua casa para que a empresa que faz a coleta o recolhesse? Ou, quem sabe, houve um feriadão, e eles acabaram não trabalhando. Quando você percebe, aqueles sacos que estavam bem fechados começaram a atrair insetos pelo mau cheiro que exalavam. Também na nossa vida, quando não damos a devida atenção aos processos pelos quais passamos, com o que está no coração, vamos acumulando lixo na alma, trazendo complicações emocionais e físicas ao nosso corpo.

Neste dia, ore para que o Senhor alinhe o seu coração ao dele, para que a vontade dele seja a sua. Queira sonhar os sonhos de Deus, pois eles são infinitamente maiores e melhores do que os nossos. Além disso, peça para ele limpar cada canto remoto da sua alma, a fim de que você viva intencionalmente a sua jornada de filho.

O tempo de Deus nunca está errado. Confie nele em todos os momentos.

@juniorrostirola

DEVOCIONAL
357/365

LEITURA BÍBLICA
SALMOS 147

PALAVRA-CHAVE
#ABANDONAR

ANOTAÇÕES

VOCÊ DECIDE

24
DEZ

#CAFECOMDEUSPAI

José havia sido levado para o Egito, onde o egípcio Potifar, oficial do faraó e capitão da guarda, comprou-o dos ismaelitas que o tinham levado para lá. O Senhor estava com José, de modo que este prosperou e passou a morar na casa do seu senhor egípcio.

GÊNESIS 39.1,2

Quando você vive para a grandeza de seu propósito, torna-se semelhante ao apóstolo Paulo, que entendeu que todas as coisas cooperam para o bem daqueles que amam a Deus. Do mesmo modo, José entendeu o propósito para o qual ele nasceu e, seguindo os sonhos que o Senhor lhe revelava, superou todas as adversidades para cumpri-lo.

A tempestade não é para destruí-lo, mas para lhe mostrar quem é Deus.

@juniorrostirola

Por muitos anos da minha vida, eu não compreendia por que viera ao mundo e questionava Deus por me haver colocado na família em que eu vivia. Quando encontrei a verdade e a vida em Jesus, tudo mudou e passou a fazer sentido. Eu comecei a compreender que até as circunstâncias contrárias cooperavam para o meu bem.

DEVOCIONAL 365
358/365

LEITURA BÍBLICA
SALMOS 148

PALAVRA-CHAVE

#INTENSIDADE

ANOTAÇÕES

A profundidade da sua dor determina a intensidade da sua resposta. Quando somos feridos, o nosso instinto busca formas de ferir de volta. Pense nas vezes em que você teve a oportunidade de revidar os golpes daqueles que o feriram. Já teve a chance? Talvez sim, talvez não.

A escolha de José foi perdoar, ou seja, além de ser curado internamente em sua alma, demonstrou que mesmo injustiçado é possível perdoar. Deus o havia posto como governador do Egito, ocupando um cargo de alta responsabilidade. José escolheu não dar o troco, porque sabia que Deus o havia posto ali.

Busque entender o propósito para o qual você nasceu e tome uma decisão. Qual é a sua escolha: continuar lamentando as injustiças e erros na vida, ou se levantar e seguir em frente para o seu destino profético?

O VERDADEIRO NATAL

"Hoje, na cidade de Davi, nasceu o Salvador, que é Cristo, o Senhor. Isto servirá de sinal para vocês: encontrarão o bebê envolto em panos e deitado numa manjedoura."

LUCAS 2.11,12

25 DEZ

#CAFECOMDEUSPAI

Existe um grande motivo para celebrar hoje, apesar das controvérsias quanto à data exata do nascimento de Jesus. Mas o fato é que nós já temos algumas informações. Sabemos, por exemplo, que o nascimento de Jesus não ocorreu no inverno do hemisfério norte, pois, segundo o relato do Evangelho de Lucas, no dia havia pastores cuidando de seus rebanhos.

Nesta data presenteamos as pessoas que amamos, nos divertimos com as crianças que abrem, animadas, os embrulhos das caixas e se surpreendem com seus novos brinquedos. Mas o Natal é mais do que isso, pois o maior presente que poderia ser dado para nós não veio embrulhado em papéis coloridos e laços com fitas brilhosas colocados sob uma árvore. O nosso maior presente veio embrulhado em panos rústicos e colocado em uma humilde manjedoura.

Ao contrário do que o mundo prega, que o presente de Natal vem para aqueles que são bonzinhos e merecedores, o nosso verdadeiro Presente de Natal veio porque não merecíamos, porque éramos maus e incapazes de salvar a nós mesmos.

Por isso, Jesus veio, para ser o justo entre os injustos. Assim, temos muito o que comemorar no dia de hoje, pois esse foi o dia em que a verdadeira jornada para a nossa salvação se iniciou na pequena cidade de Belém. Uma vida plena aqui na terra, uma vida eterna lá no céu, o melhor presente de todos: Jesus conquistou tudo isso para você!

O evangelho não promete riqueza; promete salvação!

Feliz Natal para você e sua família!

Já recebemos o melhor presente de todos. Não há nada melhor do que relembrar isso ao lado de quem amamos. Podemos amar, abraçar e nos doar mais às pessoas, porque Jesus nos deu o sentido para viver.

@juniorrostirola

DEVOCIONAL
359/365

LEITURA BÍBLICA
HEBREUS 9

PALAVRA-CHAVE
#SALVADOR

ANOTAÇÕES

NÃO É TARDE DEMAIS

26 DEZ

#CAFECOMDEUSPAI

Jesus lhe respondeu: "Eu garanto: Hoje você estará comigo no paraíso".
LUCAS 23.43

Você enfrentará dificuldades durante sua jornada. Os motivos são erros, teimosia, surpresas desagradáveis, escolhas erradas e fatores alheios à sua vontade. Entretanto, isso nunca deverá ser maior do que a sua filiação e os privilégios inerentes a ela. No Evangelho de Lucas, encontramos uma frase de Jesus que nos traz uma certeza e uma convicção extremamente grandes.

Cristo nos *garante* a paz. Mesmo diante das fragilidades e dos momentos ruins, ele *garante* a paz. Ele *garante* que você conseguirá superá-las. Jesus *garante* uma vida de conquistas e de transformação da realidade.

Qual era o histórico do ladrão crucificado ao lado de Jesus? Provavelmente ninguém sabe, e as Escrituras nada falam a respeito. Mas de uma coisa temos certeza: pelo fato de ele estar ali pregado na cruz, não tinha uma boa história de vida. Mas, naquele momento, que fez toda a diferença, ele teve um encontro com Jesus que mudou totalmente seu destino. Jesus lhe disse: "Eu lhe garanto uma vida no meu Reino, uma vida de transformação, uma nova vida, novos sonhos, nova realidade, comigo".

Deus sempre está de braços abertos para recebê-lo, independentemente do momento ou do que você tenha feito no passado. Quando você erra, Deus só espera uma única atitude da sua parte: arrependimento sincero. Assim como para aquele homem crucificado ao lado de Jesus não era tarde demais, ainda não chegou o fim da linha para você. Ainda há tempo para uma mudança de vida em Cristo hoje mesmo.

Abra espaço para novos sonhos e oportunidades.

@juniorrostirola

DEVOCIONAL
360/365

LEITURA BÍBLICA
HEBREUS 10

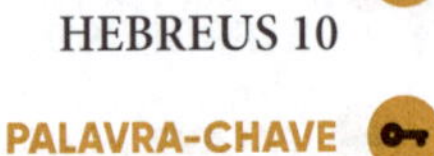
PALAVRA-CHAVE

#MUDANÇA

ANOTAÇÕES

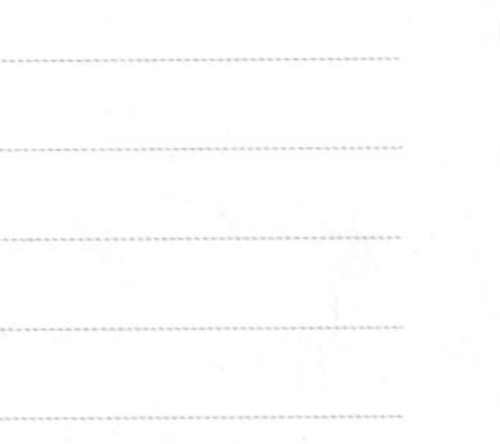

DEMONSTRE GRATIDÃO

Deem graças em todas as circunstâncias,
pois esta é a vontade de Deus
para vocês em Cristo Jesus.

1 TESSALONICENSES 5.18

27
DEZ

#CAFECOMDEUSPAI

No dicionário, a palavra "gratidão" significa qualidade de quem é grato. Reconhecimento de uma pessoa por alguém que lhe prestou um benefício, um auxílio, um favor etc.; agradecimento.

Uma publicação médica da Universidade Harvard afirma que existe uma forte relação entre gratidão e felicidade. A gratidão ajuda as pessoas a serem mais positivas, a aproveitar os bons momentos da vida e a lidar melhor com os problemas. Também melhora a saúde e ajuda a construir relacionamentos mais fortes. A Bíblia nos incentiva a demostrar gratidão.

Quando Paulo pregou aos tessalonicenses e eles aceitaram a mensagem, seu coração ficou extremamente grato a Deus. É claro que não vamos ser felizes só por dizer "obrigado" de vez em quando. O que Paulo pede e tem é uma atitude de gratidão. Isso quer dizer que não vamos esperar que as pessoas se sintam obrigadas a fazer coisas por nós. Essa atitude também vai nos proteger da inveja e do ressentimento, sentimentos que tiram a nossa alegria e levam as pessoas a se afastarem de nós.

Você não precisa agradecer por tudo, mas em tudo devemos ser gratos, pois a gratidão constrange o avarento, fazendo que a atmosfera do ambiente seja transformada pela atitude de quem é grato. Certamente existem pessoas que merecem receber de você a expressão de gratidão pelo que fizeram na sua vida. Eu mesmo tenho inúmeras pessoas pelas quais sou grato. Sem elas ao meu lado, eu jamais poderia viver o que hoje estou vivendo. Portanto, não perca tempo e expresse gratidão a essas pessoas. O dia delas será diferente.

O milagre da multiplicação é precedido por uma atitude de gratidão.

@juniorrostirola

365 **DEVOCIONAL**
361/365

LEITURA BÍBLICA
HEBREUS 11

PALAVRA-CHAVE
#GRATIDÃO

ANOTAÇÕES

DEUS O FEZ ÚNICO

28
DEZ

#CAFECOMDEUSPAI

Tu criaste o íntimo do meu ser e me teceste no ventre de minha mãe.

SALMOS 139.13

Aquilo que ganha foco na minha vida sempre se expande.

@juniorrostirola

DEVOCIONAL 365
362/365

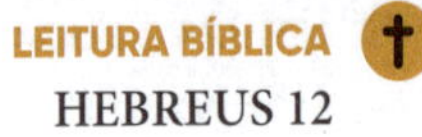

LEITURA BÍBLICA
HEBREUS 12

PALAVRA-CHAVE
#SINGULARIDADE

ANOTAÇÕES

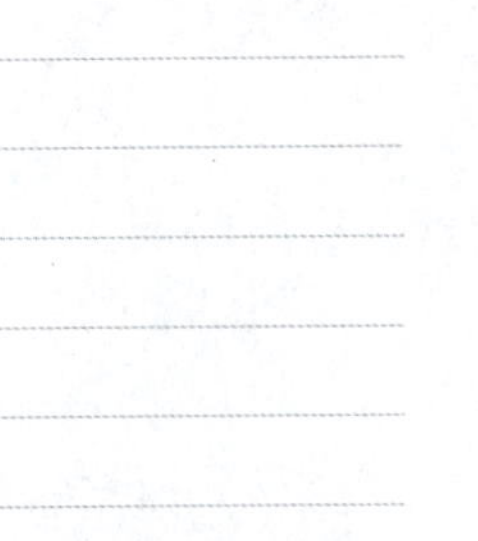

Deus projetou cada um de nós de modo singular para que não houvesse réplica em todo o mundo. Isso significa que absolutamente ninguém mais na terra será capaz de desempenhar o papel que Deus planejou para você.

Se você não der a sua contribuição individual ao corpo de Cristo, ela não será dada por outra pessoa. Seus recursos pessoais são os talentos únicos naturais com os quais você nasceu. Algumas pessoas têm uma habilidade natural com as palavras: já na infância despontam com uma retórica formidável! Outras têm habilidades atléticas naturais, destacando-se em agilidade física. Outras ainda são boas em matemática, música ou mecânica.

Todas as suas habilidades vêm de Deus. Visto que as suas capacidades naturais vieram de Deus, elas são tão importantes e espirituais quanto os seus dons espirituais. A única diferença é que você as recebeu no nascimento e só precisou do impulso correto para exercitá-las.

Se você não exercitar os músculos, eles enfraquecem e atrofiam. Da mesma maneira, se não utilizar as habilidades e capacidades que Deus lhe deu, irá perdê-las.

Quaisquer que sejam os dons que lhe tenham sido concedidos, eles podem ser ampliados e desenvolvidos pela prática. Concentre-se em fazer o melhor para Deus. Não se envergonhe do ofício que você exerce, pois ele lhe foi dado pelo Senhor para prover o sustento do seu lar. Independentemente da peculiaridade do seu trabalho, veja nele um campo fértil para propagar uma vida segundo os desígnios de Cristo. Você tem valor para o Reino.

NÃO TEMA, POIS O SENHOR ESTÁ COM VOCÊ

Podemos, pois, dizer com confiança:
"O Senhor é o meu ajudador, não temerei.
O que me podem fazer os homens?"

HEBREUS 13.6

29
DEZ

#CAFECOMDEUSPAI

Desejar sorte, paz e prosperidade na virada do ano não convida Deus para o seu ano e não vai gerar um ano abençoado. Para que Deus faça parte do seu novo ano, comece e termine seus planos com Deus em primeiro lugar. Compartilhe com ele os seus planos, para que os planos dele sejam os seus.

Não faça planos precipitados ou impulsivos. Tenha prazer em planejar com Deus, tenha prazer na vontade dele, ocupe-se em conhecer Deus e segui-lo. Busque Deus antes de tudo, e o resto ele acrescentará. Submeta os seus desejos e suas metas à vontade soberana do Senhor.

Não fique paralisado pela dúvida ou incerteza do amanhã, mas tenha atitude de fé e confiança no Senhor, que até aqui tem estado ao seu lado guiando-o, protegendo-o e provendo tudo de que você precisa. A ambição e o medo do futuro são marcas do nosso tempo e da nossa cultura superficial e volátil. Viver dessa forma é ser contaminado pela cultura fatalista: não é acaso, não é sorte, não é o aleatório nem, de modo algum, como se o nosso destino fosse escolhido com um lançar de dados.

Também não se trata de pensamento positivo ou de boas vibrações, porque o poder não vem de nós; vem do Senhor. Há somente um caminho, e a bênção de Deus sobre a sua vida passa por ele! Ele quer ser encontrado e permite ser achado por nós! Chame por Jesus, ponha a Palavra em prática e viva o melhor que ele preparou para você. O Pai tem grandes planos para a sua vida; os planos dele são infinitamente melhores do que os nossos. Que a sua meta seja estar cada dia mais próximo de Deus. O novo está chegando!

Não fique paralisado pela dúvida ou incerteza do amanhã.

@juniorrostirola

365 **DEVOCIONAL**
363/365

LEITURA BÍBLICA
HEBREUS 13

PALAVRA-CHAVE
#CONFIANÇA

ANOTAÇÕES

NO SENHOR, TEMOS UM RECOMEÇO

30
DEZ

#CAFECOMDEUSPAI

Disse Deus: "Haja luminares no firmamento do céu para separar o dia da noite. Sirvam eles de sinais para marcar estações, dias e anos, e sirvam de luminares no firmamento do céu para iluminar a terra". E assim foi.

GÊNESIS 1.14,15

O Senhor, nosso Deus, criou as estações para dividir de forma equiparada os períodos cíclicos da terra. Ele fez os dias e os anos que dividem e marcam a nossa vida e estabelecem níveis e dimensões de caminhada aqui na terra.

A cada final de ano, somos levados por nossos pensamentos a estabelecer desafios novos, renovação de votos, tomada de decisões.

As suas escolhas precisam contemplar Deus.

@juniorrostirola

Deixamos para trás tudo aquilo que não deu certo e começamos um novo ano com nova disposição. Nesse tempo, afirmamos para nós mesmos com confiança: "Agora sim, neste novo ano tudo dará certo, tudo será diferente..."

Acontece que vamos descendo a "montanha" do novo ano, os meses vão se passando, e vemos que muitas coisas continuam do mesmo jeito. Alguns alvos e objetivos não são alcançados, e as expectativas de mudança dão lugar à luta diária pela sobrevivência, como se estivéssemos andando em círculos.

DEVOCIONAL
364/365

LEITURA BÍBLICA
SALMOS 149

PALAVRA-CHAVE
#CICLOS

ANOTAÇÕES

Deus criou as estações, os dias, os meses e os anos para servirem de dimensões na vida. A cada nova dimensão ou etapa, somos chamados a algo novo. No entanto, precisamos aprender a entrar nelas da forma correta, terminando tudo que começamos antes de iniciar coisas novas. Não estou falando de entrar o ano, supersticiosamente, com o pé direito. Estou falando de entrar o ano novo no caminho direito, fazendo a coisa certa. O que vai determinar que será um ano vitorioso não são as esperanças das festas de fim de ano, mas uma decisão pessoal de andar em intimidade com Deus Pai.

CELEBRE AS SUAS CONQUISTAS

O Senhor é Deus, e ele fez resplandecer sobre nós a sua luz. Juntem-se ao cortejo festivo, levando ramos até as pontas do altar.

SALMOS 118.27

31
DEZ

#CAFECOMDEUSPAI

Deus é especialista em nos trazer alegria e felicidade.

Neste ano que está se encerrando, podemos expressar toda a nossa gratidão e alegria por aquilo que vivemos nestes doze meses. Quantos momentos felizes vivemos, mas também é possível que lágrimas tenham escorrido pelo rosto. Sem dúvida, tivemos pessoas que marcaram a nossa vida, mas que hoje estão guardadas apenas na memória.

É justamente isto que este ano nos deixará: muitas memórias de tudo que foi vivido de uma forma tão intensa em alguns momentos.

Avalie o seu ano, reflita sobre os acertos e erros, as conquistas e perdas, e então celebre alegremente com muita gratidão ao Senhor.

Agora, não podemos esperar o novo com atitudes velhas e simplesmente viver do mesmo modo; precisamos recebê-lo com atitudes novas, ânimo renovado, pois o que está para iniciar é um ano de muitas conquistas. Você será surpreendido pelo cuidado de Deus em sua vida.

Por isso, permaneça firme, com uma fé inabalável e a postura de filho que vive tudo o que o Pai tem em seu Reino. Talvez este tenha sido o primeiro ano durante o qual você teve um momento devocional diário com o Senhor, ou já esteja há mais tempo cultivando esse relacionamento com o Pai. O que vale é que um dia você iniciou esse relacionamento diário. Então, não perca tudo que foi construído até aqui, mas continue avançando e vivendo essa vida de intimidade.

Retenha o que é bom e lance fora tudo aquilo que não presta. Uma nova estação está surgindo, um novo ciclo vai começar.

@juniorrostirola

365 **DEVOCIONAL**
365/365

LEITURA BÍBLICA
SALMOS 150

PALAVRA-CHAVE
#RENOVAÇÃO

ANOTAÇÕES

*Que **bom** que você chegou **até aqui!***

Tenho certeza que ao longo deste ano você teve muitas experiências com Deus Pai ao abrir este livro.

Vamos tirar esse momento para recordar isso?

Houve um dia em que a leitura foi a resposta exata para o que você buscava?

E aqueles momentos em que a palavra diária trouxe alento, paz, direção…

Sabe por que isso aconteceu?

Porque você chamou o Pai para a sua intimidade. Ele sempre o conduzirá quando você assim o permitir.

Minhas paradinhas para o café nunca mais foram as mesmas depois que eu *Encontrei um Pai*. Tudo ganhou sentido na minha vida quando eu descobri esse amor incondicional de Deus!

Ei! Foi bom demais passarmos este ano juntos, vivendo momentos únicos com Deus Pai! Mas a notícia boa é que em 2024 tem mais! Já estou ansioso para o *Café com Deus Pai* desse próximo ano. Serão mais 366 momentos com ele!

Leia o QR Code para garantir o seu:

Ei, olha onde você pode me encontrar todos os dias também:

   **@juniorrostirola**

Eu compartilho muitos conteúdos edificantes por lá.

Para assistir às mensagens e ao meu *podcast*, é só acessar o canal do YouTube:
/JUNIORROSTIROLA

Deus abençoe você!
Com amor,
JUNIOR ROSTIROLA

Esta obra foi composta em *Minion Pro*
e impressa por Gráfica Piffer Print sobre papel
Offset 70 g/m² para Editora Vida.